Dans le sillage de Jean Rouch
Témoignages et essais

Ce livre a été réalisé avec le soutien de
La Fondation Jean Rouch,
avec le soutien du
Comité du film ethnographique
et avec le concours de
La Direction générale des patrimoines, département du Pilotage de la
recherche et de la politique scientifique

Sous la direction de
Rina Sherman

Dans le sillage de Jean Rouch

Témoignages et essais

Éditions de la Maison des sciences de l'homme

Collection dirigée par Michel Wieviorka

Parus :
Ce que la religion fait aux gens, Anne Gotman
Communication et pouvoir, Manuel Castells
Semé sans compter, Nicolas Ellison
Musicologie et occupation, Sara Iglesias
L'humanisation de la nature, André Stanguennec
Laïcité, laïcités. Reconfigurations et nouveaux défis,
Jean Baubérot, Micheline Milot et Philippe Portier (dir.)
Penser global, Michel Wieviorka, Laurent Lévi-Strauss
et Gwenaëlle Lieppe (dir.)
Les Amériques, des constitutions aux démocraties,
Jean-René Garcia, Denis Rolland et Patrice Vermeren (dir.)
Afrique en présences, Jean-Pierre Dozon
New Cannibal Markets,
Jean-Daniel Rainhorn et Samira El Boudamoussi (dir.)
Individu, personne et parenté en Europe, Enric Porqueres i Gené
La sociologie chinoise avant la Révolution, Li Peilin et Qu Jingdong
Mouvements sociaux, Geoffrey Pleyers et Brieg Capitaine (dir.)
Pourquoi Lukács ?, Nicolas Tertulian
Pas d'enfant, la volonté de ne pas engendrer, Anne Gotman
Penser le vivant, Gisèle Séginger, Christine Maillard,
Laurence Dahan-Gaida et Laurence Talairach (dir.)
Clemens Heller, imprésario des sciences de l'homme, Hinnerk Bruhns,
Joachim Nettelbeck et Maurice Aymard (dir.)

À paraître :
Une histoire de la MSH (titre provisoire), Marcel Fournier
Traduire entre les langues chinoise et française, un exercice d'interprétation,
Annie Bergeret Curien (dir.)

Illustration de couverture
Jean Rouch © Rina Sherman

Suivi d'édition
Nathalie Fourrier et Luc Tesnière

Relecture
Anne Guirado

© 2018, Éditions de la Maison des sciences de l'homme
Isbn : 978-2-7351-2391-9

Remerciements

Je tiens à remercier les nombreuses personnes qui m'ont soutenue dans ce projet. Je remercie tout particulièrement Jocelyne Rouch qui m'a encouragée à publier ce livre, ainsi que Françoise Foucault, qui m'a apporté une aide précieuse dans son élaboration, avec ses collègues Laurent Pellé et Barberine Feinberg.

Plusieurs collègues dont le soutien constant a grandement facilité ma tâche dans le développement du projet méritent une mention spéciale : Daniel Mallerin, Nadine Ballot, Idrissa Diabaté, Claudine de France, Annie Comolli, Jean-Michel Arnold, Richard E. Hess et Ody Roos.

Je tiens à remercier Jean-Pierre Dozon, Pascal Rouleau, Nathalie Fourrier, Anne Guirado, Luc Tesnière et les traducteurs pour leur participation à la production et la publication du livre.

Je tiens à remercier tous les auteurs qui ont répondu à mon invitation à écrire et qui m'ont suivie tout au long de l'élaboration du projet.

Je remercie particulièrement les producteurs, distributeurs, éditeurs et photographes qui m'ont autorisée à reproduire leurs images dans ce livre.

Enfin, je suis très reconnaissante à mon compagnon, Philippe Ciaparra, dont le soutien et la compréhension constante sont une source d'énergie inépuisable.

Sommaire

Préface
Jean Rouch et l'autre

Jean-Claude CARRIÈRE

Jean Rouch et Jean-Claude Carrière pendant le tournage de *Bac ou mariage*[1] à Dakar, Sénégal, 1988.
© Françoise Foucault

1. Pièce de théâtre de Tam-Sir Doueb, parrainée par Jean-Claude Carrière, devenue un long métrage de Jean Rouch, qui s'en souvient : « Au lieu de faire couper les radios dans les concessions voisines, on tournait sur le vif. [...] Évidemment le dialogue était écrit, mais la différence, c'est qu'à partir du moment où les personnages jouaient dans un décor réel, le dialogue devenait réel. Quand on tourne avec un grand angulaire, assez près, les gens ne voient pas ce qu'on fait. » (Diop 2007)

Jean Rouch aimait trop la vie pour se contenter de la sienne. Pour être heureux, il lui fallait aussi la vie des autres, sous quelque forme que ce fût. Et il choisit – presque par hasard, disait-il – le cinéma. Il acheta quelque part une vieille caméra, qui n'espérait plus pareille aventure, et inventa l'ethno-cinématographie. En commençant, bien entendu, par les visages et les corps les moins filmés du monde. Par exemple en Afrique.

Non pas que le cinéma donne toute la vie. Jean n'était pas naïf. Mais il comprit très vite que cette technique-là nous permettait – grâce au regard réputé neutre de l'outil – un accès immédiat, irréfléchi, indiscutable, à d'autres formes d'humanité.

Ce regard optique, forcément rapide (il tourna *Les Maîtres fous* en un jour), nous confrontait nécessairement à d'autres regards, sans répit, et d'une manière que nous pouvons nous risquer à appeler, pour une fois, objective. Les personnages filmés dans *Les Maîtres fous* (1955) se jouent une comédie à laquelle, au bout d'un moment, ils paraissent finir par croire. On arrive à un point où un acteur cesse de jouer pour être ou bien cesse d'être pour jouer. Cette mince frontière entre la réalité de la vie et le jeu, Jean l'a atteinte. Et c'est très rare dans l'histoire du cinéma. *Les Maîtres fous*, c'est un film qui a atteint, par moments, cette limite que nous cherchons tous, cette frontière, pourrait-on dire, entre ce que nous sommes et ce que nous jouons. Adieu à la « mise en scène », à l'esthétique préparée, à la direction d'acteurs, à l'intention même d'un film disant ceci, montrant cela. Avec pour résultat une accumulation de « documents humains » (si on peut dire) qui ont contribué à changer, que nous le voulions ou non, notre regard sur les autres.

Comme il sera bon d'y revenir, encore et encore, à tout propos, au moment même où la notion de « l'autre », une fois de plus dans l'histoire des peuples, se trouve attaquée, méprisée et parfois bannie.

Cela vaut aussi bien pour ceux qui regardent que pour ceux qui sont regardés. Qu'ils aillent voir les films de Jean Rouch tous ensemble.

Référence bibliographique

DIOP Carmen, 2007. « Jean Rouch : l'anthropologie autrement », *Journal des anthropologues*, n° 110-111, p. 185-205. En ligne : http://jda.revues.org/950 [lien valide 22 septembre 2017].

Avant-propos

Jean-Pierre DOZON

Suis-je le mieux placé pour donner un avant-propos à ce livre dédié à
Jean Rouch, ne l'ayant connu que d'assez loin et n'ayant pas été du cercle,
même élargi, de ses proches ? Je n'en suis pas certain, mais comme celui-ci
a appartenu au milieu de l'africanisme français, qui s'est particulièrement
densifié dans les années 1960-1970, et que je l'ai précisément découvert à
ce moment-là comme étudiant, puis comme jeune chercheur, il aurait été
bien étrange de ne pas répondre à la sollicitation qui m'était faite. Car, si
elle ne fut pas la seule à y occuper une place de tout premier plan, la figure
de Jean Rouch a fortement contribué à faire de ce dit milieu un foyer intellectuel particulièrement attractif, touchant bien d'autres milieux que celui
des spécialistes de l'Afrique. Ce qui m'amène du reste à dire, profitant
de cet avant-propos, qu'il est grand temps d'examiner de près, de mettre
en perspective le milieu de l'africanisme et de ses entours, à la fois parce
qu'ils constituent des morceaux de choix de notre histoire contemporaine
et parce qu'ils comptent précisément en leur sein des personnalités qui
ont traversé les époques, de l'empire colonial aux décolonisations, et ont
jeté des ponts entre plusieurs domaines de connaissances et de modes
d'appréhension du monde.

Jean Rouch exemplifie certainement la mise en perspective ainsi
décrite dans la mesure où il fut le sujet d'un formidable destin, oserais-je
dire d'une incroyable mise en boucle. Voici en effet un homme qui a
fait ses premiers pas en Afrique en 1941, alors même que les colonies
africaines de la France étaient déjà au cœur d'un sourd antagonisme
entre la France libre et le régime de Vichy. Il les a faits exactement au

Niger et en qualité d'ingénieur des travaux publics. Je suis assez tenté de suggérer qu'il y est devenu un nouvel « Homme du Niger », pour reprendre le titre d'un célèbre film de Jacques de Baroncelli (1939), sorti en 1940 sur les écrans français, puisqu'après y avoir fait des routes, avoir eu maille à partir avec les autorités coloniales favorables à Pétain, il s'est vite intéressé aux cultures locales, spécialement au monde songhay et à ses cultes de possession. Toutes choses qui, après la guerre, après qu'il ait lui-même rejoint la 2ᵉ Division blindée du général Leclerc, l'amèneront à retourner continûment au Niger, bien au-delà de l'indépendance du pays, notamment pour y faire des films. Cela jusqu'à cette date fatidique de février 2004 où, précisément au Niger, probablement sur une route qu'il avait lui-même tracée soixante ans plus tôt, la voiture qui le transportait lui fit, sans beaucoup de dommages pour ses compagnons, perdre la vie. Dois-je préciser qu'il était passé auparavant par le pays dogon au Mali, où il avait discuté des préparatifs des funérailles locales de sa grande amie et collègue, Germaine Dieterlen,qui avait disparu cinq ans plus tôt ? Elle-même avait marqué l'histoire de l'ethnologie et de l'africanisme français depuis les années 1930 par sa participation aux fameuses missions dirigées par le non moins célèbre Marcel Griaule, que celui-ci avait initiées avec la toute aussi célèbre mission Dakar-Djibouti.

Il me semble que l'on n'a pas assez souligné les circonstances et les lieux de la disparition de Jean Rouch. Car non seulement ils s'apparentent à eux seuls à un hasard objectif tel qu'il fut défini par le père du surréalisme, André Breton, et font du même coup de l'ingénieur et de l'ethnologue cinéaste une sorte de héros antique habité par un destin qui l'a dépassé largement ; mais, de surcroît, ces circonstances et ces lieux constituent un remarquable condensé du milieu de l'africanisme, milieu tout spécialement français et de ses entours évoqués plus haut.

À cet égard, on ne peut pas ne pas inscrire la figure de Jean Rouch dans l'histoire de la colonisation française puisqu'il y œuvra pendant un temps au titre d'ingénieur des travaux publics, puisqu'il s'y confronta à l'autoritarisme colonial, mais puisque, également, il se raccorda à cette colonisation par un autre cheminement. Celui, en l'occurrence, d'un africanisme, d'une tradition savante, née très tôt dans le giron de l'empire, mais qui reposa sur une véritable empathie pour les cultures indigènes, pour les « civilisations négro-africaines » suivant la célèbre formule de Maurice Delafosse (administrateur colonial et éminent « africaniste »), et qui connut au tout début des années 1930 un tournant tout à fait remarquable avec cette célèbre mission Dakar-Djibouti dirigée par Marcel Griaule précédemment mentionnée. Beaucoup de choses ont déjà été dites à propos de cette mission et des missions qui ont suivi durant cette période d'avant-guerre, y compris des choses éminemment critiques, comme celles, et non des moindres, de l'un de ses membres éminents, Michel Leiris, consignées dans son fameux Journal, *L'Afrique fantôme*, publié dès 1934. Mais ce qui est certainement la caractéristique majeure de cette mission, c'est qu'elle a fait connaître, peut-être comme aucune autre population africaine ne l'a jamais été, le monde dogon, spécialement sa mythologie, sa cosmologie, ses grands rituels, sa statutaire et ses masques, bien au-delà des cercles africanistes, en particulièrement dans les milieux de l'avant-garde littéraire et artistique de l'époque. Et elle l'a fait connaître si bien que le pays dogon, autour de sa fameuse falaise de Bandiagara, est finalement devenu, avant que ne survînt la dramatique crise malienne, un des hauts lieux du tourisme en Afrique.

Si j'insiste sur cette affaire, sur ce que j'appellerais volontiers le « moment dogon » de l'africanisme français, c'est assurément parce qu'il a marqué durablement celui-ci et qu'il a fallu en son propre sein mener quelques critiques sur cet excès d'intérêt pour les Dogon et leurs représentations du monde, qui frisait parfois lui-même la mythologie. Mais c'est aussi parce que Jean Rouch a apporté sa contribution à ce moment dogon, auquel il est d'une certaine façon resté fidèle jusqu'au bout, comme il est resté fidèle à Germaine Dieterlen qui fut symboliquement inhumée en pays dogon ainsi que Marcel Griaule l'avait été bien avant elle.

Comme sa filmographie l'établit, Jean Rouch a consacré cinq documentaires aux cérémonies soixantenaires du Sigui en pays dogon (qui célèbrent la mort et les funérailles du premier ancêtre), lesquels ont été réalisés entre 1967 et 1974 en compagnie précisément de Germaine Dieterlen. Pour ma part, ce ne sont pas les œuvres que je préfère, notamment parce que je considère que Jean Rouch y est beaucoup trop présent par ses commentaires. À quoi j'ajouterais que, d'une certaine façon, mes réserves sur ces documentaires participent des critiques que nombre d'africanistes, français ou étrangers, ont adressées à l'excès d'intérêt porté aux représentations dogon du monde ; un excès qui s'est notamment traduit par une non-prise en compte de la situation coloniale, telle qu'elle fut définie au tout début des années 1950 par Georges Balandier (2001), ou encore de l'islamisation qui affectait le pays dogon.

Quoi qu'il en soit, Jean Rouch est resté foncièrement attaché à Marcel Griaule, qui fut son directeur de thèse, laquelle thèse portait sur la religion songhay et avait trouvé pleinement sa place dans ce qui constitua, au sein de l'africanisme français, l'école griaulienne. Avec elle, mythes, symboles, rituels, arts plastiques, royauté sacrée ne laissèrent de constituer une thématique privilégiée et, de la sorte, inspirèrent aussi bien des médiévistes que des courants philosophiques novateurs comme celui qu'a représenté dans les années 1970 la publication de *L'Anti-Œdipe* par Gilles Deleuze et Félix Guattari (Deleuze et Guattari 1972).

Mais, par-delà les critiques que d'autres courants de l'africanisme ont adressées à cette école et les réserves que l'on peut émettre sur les films consacrés aux cérémonies du Sigui, il est une organisation pratique assez remarquable que Jean Rouch a, me semble-t-il, empruntée très directement à Marcel Griaule. Cette organisation, c'est celle qui s'est concrétisée d'entrée de jeu, lors de la mission Dakar-Djibouti, sous la forme d'une équipe multidisciplinaire composée de spécialistes en ethnographie, en linguistique, en musicologie, en naturalisme, à laquelle s'ajoutait, comme on disait à l'époque, un « preneur de vues cinématographiques ». En mobilisant ainsi des compétences diverses, il s'agissait de saisir au mieux l'ensemble des productions culturelles d'une société ou d'une communauté donnée. Or, c'est ce que Jean Rouch a précisément entrepris à son tour au début des années 1960, cette fois-ci non pas au Niger ou au Mali, mais en Côte-d'Ivoire, un pays qu'il connaissait déjà pour y avoir tourné quelques années auparavant dans sa capitale *Moi, un Noir* (1958), mais que, cette fois-ci, il aborda autour d'un village, Bregbo, situé sur la lagune Ébrié non loin d'Abidjan, et d'un personnage, le prophète-guérisseur harriste Albert Atcho.

Si d'autres modèles d'équipes multidisciplinaires ont pu l'inspirer – je pense à ce qui était en train de se faire à la même époque autour du village breton de Plozévet et dont Edgar Morin, son comparse du fameux film réalisé à Paris en 1960, *Chronique d'un été*, a tiré en 1967 une monographie sous l'intitulé *Commune en France : la métamorphose de Plodémet* (Morin 1967), le nom de Plozévet ayant été quelque peu changé –, nul doute, à mon sens, que l'entreprise de Griaule menée trente ans plus tôt constitua un modèle pour celle qu'il mena en Côte-d'Ivoire et qui lui fit faire un film avec Jean Ravel, *Monsieur Albert, prophète*

(1963), puis, initier avec Colette Piault, un ouvrage collectif, *Prophétisme et thérapeutique* (Piault 1975), qui eut un très large écho dans le milieu anthropologique. L'entreprise, à laquelle participèrent un moment Germaine Dieterlen et, du côté ivoirien, le jeune anthropologue Georges Niangoran Bouah, consistait précisément à étudier sur plusieurs années, grâce à un large éventail de compétences, ethnologique, psychiatrique, psychologique, botanique, ce qui fut appelé « la communauté thérapeutique de Bregbo ».

À cet égard, il est assez remarquable que Jean Rouch ait été soutenu dans son entreprise par un autre personnage qui était en train de prendre une dimension également charismatique. Je veux évoquer ici le psychiatre Henri Collomb qui, à cette même époque, au tournant des années 1960, fonda une école d'ethnopsychiatrie à l'hôpital Fann de Dakar en s'entourant, d'ethnologues, de psychologues et de psychanalystes. En fait, mieux qu'un soutien, il y eut comme une convergence entre les deux entreprises, celle de Collomb et celle de Rouch, sur le lieu même de Bregbo. C'est en tout cas ce que j'ai pu moi-même constater lorsque, bien plus tard, m'intéressant au prophétisme d'Atcho, Aimé Clavère, son très accueillant et très efficace secrétaire, me confiait à quel point Collomb et Rouch avaient œuvré ensemble à la reconnaissance mondiale d'Albert Atcho.

Tout de ce dont il vient d'être question n'est pas anecdotique, mais relève d'une histoire française, d'une histoire à la fois scientifique, esthétique et politique, ainsi également que d'une histoire ivoirienne puisque la personnalité d'Albert Atcho nous renvoie à celle de William Wadé Harris, le premier d'une longue lignée de prophètes ivoiriens (quoique lui-même d'origine libérienne), et dont la geste remontait au tout début du XXᵉ siècle (Dozon 1995). Mais l'homme de Bregbo nous renvoie aussi à la haute figure de Félix Houphouët-Boigny, qui ne fut pas étranger au monde des prophètes ivoiriens, en tout cas qui fut considéré par Atcho lui-même et par beaucoup de ses homologues comme le meilleur d'entre eux. Tout cela relève donc en fait d'une histoire franco-ivoirienne et, plus largement, franco-africaine, qui reste encore largement à écrire .

Il est donc patent que rendre hommage à Jean Rouch, c'est bien évidemment rendre hommage à une grande figure de l'ethnologie française, du documentaire, ou encore du docu-fiction, et, mieux encore, de l'histoire mondiale du cinéma. Mais c'est aussi croiser sur un siècle, mettre en relation ou en résonance d'autres grandes figures de cette histoire

Albert Atcho (en maillot de corps blanc) (1903-1990)
© Fonds Les parents et amis associés pour l'hygiène mentale (PAAHM).

franco-africaine et les contextes au sein desquels elles ont évolué. Ainsi, suivant ce que j'ai évoqué précédemment à propos de Marcel Griaule et Michel Leiris dans le contexte de la mission Dakar-Djibouti, il faut préciser que celle-ci prit sens, non seulement au sein de l'histoire de l'africanisme français, mais également au sein de mouvements d'avant-garde littéraire et artistique qui, durant l'Entre-deux-guerres, avaient fait de l'Afrique noire une sorte de modèle pour critiquer, voire pour subvertir, les cadres mentaux d'une Europe qui avait sombré et qui allait à nouveau sombrer dans des violences extrêmes. Jean Rouch, lui qui connut de près la colonisation, mais qui s'en affranchit d'une certaine façon en s'opposant au régime de Vichy, a hérité de cette attraction pour une Afrique capable non seulement, grâce à ses formes de vie, de ne pas se laisser circonvenir par l'imperium occidental, mais aussi de donner à l'Europe, comme l'a fait entendre le père du dadaïsme, Tristan Tzara, une leçon d'humanité, alors même qu'elle avait sombré dans la barbarie. C'est pourquoi on peut dire de Jean Rouch qu'il est aussi bien l'héritier de Griaule que de cette avant-garde littéraire et artistique plus largement connue sous le nom de surréalisme.

C'est ce double héritage, enrichi de sa veine cinématographique, caméra à l'épaule, que l'on découvre tout spécialement dans *Les Maîtres fous*, ce film particulièrement fort et quelque peu dérangeant que Jean Rouch tourna au Ghana ou, plus exactement en Gold Coast, à Accra, en 1954.

Dans ce film, il met en scène ses chers Songhay du Niger, des immigrants venus travailler dans une colonie anglaise bientôt indépendante et bien plus fournisseuse d'emplois que leur terre natale. Mais ce qui est remarquable dans ce film, qui recevra du reste le Grand Prix de la biennale de Venise en 1957, c'est que ces immigrants, ces travailleurs, appartiennent au culte, oserais-je dire dionysiaque, des Haouka, qui exprime à lui seul la violence du fait colonial. Engrangeant un panel de déités qui représentent la puissance blanche, ce culte organise en effet régulièrement des cérémonies au cours desquelles ces immigrants sont convulsivement possédés par les déités en question tout en en révélant sur le mode de la dérision leur force oppressive.

Ce grand moment de « ciné-transe », pour reprendre la formule de Jean Rouch lui-même, est tout à fait dans le sillage d'un mouvement surréaliste particulièrement attentif à la manière dont les assujettis étaient capables de porter atteinte au pouvoir des maîtres européens, d'en révéler, comme l'a exprimé très clairement Aimé Césaire, les faiblesses. En des termes du reste quasi-césairiens consignés dans le *Discours sur le colonialisme*, publié pour la première fois en 1950 (Césaire 1950), Jean Rouch dira justement à propos des *Maîtres fous* que ce jeu violent mis en scène par les transes des Haouka « n'est que le reflet de notre civilisation ».

Mais il convient d'ajouter que si, sur le plan thématique, celui du religieux, des rites, Jean Rouch s'est aussi nettement situé dans la lignée de Marcel Griaule, il s'en démarque cependant assez clairement dans la mesure où ces Haouka évoluent, non plus dans un cadre traditionnel et villageois, mais dans celui du travail salarié et de la ville, autrement dit presque tout le contraire du contexte prisé par Griaule et ses émules. Ici nous sommes très proches de ce sur quoi portait au même moment le regard de Georges Balandier (qui vient à son tour de disparaître) dans sa *Sociologie actuelle de l'Afrique noire* (Balandier 1955).

Au reste, cet intérêt pour une certaine modernité africaine ne s'illustra pas qu'avec *Les Maîtres fous* : Jean Rouch, avec de jeunes collègues, mena pendant plusieurs années une vaste étude sur les migrations au Ghana et, plus largement en Afrique de l'Ouest (Rouch 1956). Il y eut également *Jaguar*, tourné la même année également au Ghana (mais qui ne sortira que bien plus tard), et qui portera aussi sur des migrants nigériens.

Mais c'est surtout trois ans plus tard, dans ce même cadre d'études sur les migrations, qu'il réalisa son film peut-être le plus marquant, *Moi, un Noir* (1958), non plus à Accra, mais à Abidjan : une autre capitale mais toute proche de la capitale ghanéenne, particulièrement attractive avec son fameux quartier de Treichville, où viennent s'installer de plus en plus des migrants de toute l'Afrique de l'Ouest, et dans un contexte où la Côte-d'Ivoire bientôt indépendante mais toujours en phase avec la France, son ex-puissance coloniale, est en train d'entrer dans une assez longue période de croissance économique (ce qui fut appelé le « miracle ivoirien »). Ici encore, ce sont des Nigériens qui se trouvent au cœur de l'intrigue, celle d'un film qui n'est pas ou plus un documentaire, mais un docu-fiction, une œuvre hybride dans laquelle les acteurs jouent leur propre rôle et nous font découvrir de la sorte les vicissitudes et les rêves de leurs existences, et cela d'une manière sans doute plus vraie que si une certaine fiction, en l'occurrence un scénario composé au jour le jour, ne s'en était mêlée.

On sait la reconnaissance assez exceptionnelle que reçut ce film. D'abord au travers du prix Louis-Delluc en 1958. Mais ensuite, et sans doute surtout, par la manière dont une nouvelle avant-garde, cette fois-ci cinématographique, qui fut appelée un peu cavalièrement « la Nouvelle Vague », incarnée entre autres par Jean-Luc Godard, Jacques Rivette, Claude Chabrol, en fit l'une de ses principales sources d'inspiration et le consacra à l'époque, en ce début de Ve République et de liaisons renforcées entre la France et l'Afrique, comme l'un des plus importants films mondiaux jamais réalisés : tout à la fois par sa thématique et par sa manière de filmer et de scénariser.

D'une avant-garde à une autre, celle du surréalisme et celle des *Cahiers du Cinéma* qui ont marqué fortement le XXe siècle, la figure de Jean Rouch, l'homme du Niger, n'a donc cessé de circuler entre des époques et des milieux de tout premier plan. Ce qui signifie du même coup qu'à travers ces avant-gardes et à travers Jean Rouch, c'est aussi l'Afrique qui s'est rendue éminemment présente au monde et cela par-delà les turpitudes du colonialisme.

Je voudrais ajouter pour conclure que ces films que je viens d'évoquer, *Les Maîtres fous*, *Moi, un Noir*, mais aussi *Jaguar* sorti en 1967, sont certainement, en tout cas tel est mon sentiment, parmi les meilleures œuvres cinématographiques de Jean Rouch, si ce n'est tout simplement les meilleures. Or, ces trois films concernent des migrants, leurs épreuves et leurs rêves, bref des sujets qui expérimentent le monde, s'y confrontent et parviennent parfois à le sublimer. De ce point de vue, trois remarques au moins me paraissent devoir s'imposer.

La première, c'est qu'en dépit de son attachement à Marcel Griaule et à l'école « griaulienne », Jean Rouch a traité ici de sujets, dans tous les sens du terme, qui leur étaient assez étrangers. Les individus et une certaine modernité y sont éminemment présents, ce qui n'était guère la façon d'appréhender l'Afrique chez l'initiateur de la mission Dakar-Djibouti.

La deuxième remarque, c'est qu'à travers ces films, spécialement *Moi, un Noir*, ces individus, ces migrants nigériens, s'inscrivent déjà dans une certaine globalisation. Pour s'en convaincre, il suffit de rappeler que les héros du film, se sont donnés, non sans dérision, des sobriquets tels que Edward. G. Robinson, Eddie Constantine ou encore Tarzan, c'est-à-dire le nom d'icônes mondiales de l'époque. Éliane de Latour, qui a fait ses classes d'ethnologue avec Jean Rouch au Niger, donnera à voir la même chose quelque quarante ans plus tard, dans son film *Bronx-Barbès*, tourné également à Abidjan et sorti en 2000, où ses « ghettomen », qui jouent pour la plupart, comme dans un *Moi, un Noir*, leur propre rôle, s'appellent Nixon, Tyson ou Chirac.

La troisième remarque, c'est que ces films qui traitent de migrations sont d'une étonnante actualité. Certes, à l'époque, il s'agissait de migrations de travail intra-africaines, mais c'étaient déjà d'une certaine façon des migrations internationales. Les migrants parlaient eux-mêmes également déjà, comme c'est souvent le cas aujourd'hui, à propos de leur entreprise migratoire, d'« aventure », même si cette aventure est jalonnée d'obstacles et de grands périls.

Jean Rouch fut à l'évidence un personnage-clef de l'africanisme. Et s'il y fut assurément « griaulien », il fut également bien autre chose. Éminemment attentif à la manière dont les humains expérimentent de nouveaux mondes et se réinventent à leur contact, il a fait, si j'ose dire aussi, le « pont » entre deux mouvements d'avant-garde, surréalisme et Nouvelle Vague, qui, par leur importance tout à la fois française et mondiale, ont rendu l'Afrique éminemment présente alors même qu'elle était colonisée et dominée.

Mais si, par là même, on ne peut que faire le constat de la manière dont Jean Rouch a marqué profondément le siècle dernier, c'est en y ajoutant ce codicille que commémorer son œuvre et sa mémoire consiste aussi, et peut-être surtout, à mettre en avant, autour de ses films majeurs, sa singulière et forte actualité.

Références bibliographiques

BALANDIER Georges, 1955. *Sociologie actuelle de l'Afrique noire: dynamique des changements sociaux en Afrique centrale*. Paris: Presses universitaires de France.

— 2001. « La situation coloniale: approche théorique », *Cahiers internationaux de sociologie*, vol. 110, n° 1, pp. 9-29. En ligne: http://www.cairn.info/article.php?ID_ARTICLE=CIS_110_0009 [lien valide 26 août 2017].

CÉSAIRE Aimé, 1950. *Discours sur le colonialisme*. Paris: Réclame.

DELEUZE Gilles et GUATTARI Félix, 1972. *Capitalisme et schizophrénie*, vol. 1, *L'Anti-Œdipe*. Paris: Éditions de Minuit.

DOZON Jean-Pierre, 1995. *La Cause des prophètes: politique et religion en Afrique contemporaine*. Paris: Éditions du Seuil.

LEIRIS Michel, 1934. *L'Afrique fantôme*. Paris: Gallimard.

MORIN Edgar, 1967. *Commune en France: la métamorphose de Plodémet*. Paris: Fayard.

PIAULT Colette (dir.), 1975. *Prophétisme et thérapeutique: Albert Atcho et la communauté de Bregbo*. Paris: Hermann.

ROUCH Jean, 1956. « Migrations au Ghana (Gold Coast): enquête 1953-1955 », *Journal de la Société des Africanistes*, n° 26, p. 33-196. En ligne: www.persee.fr/doc/jafr_0037-9166_1956_num_26_1_1941 [lien valide 17 septembre 2017].

Films cités

ROUCH Jean, 1954-1967, *Jaguar*.

— 1955, *Les Maîtres fous*.

— 1958, *Moi, un Noir*.

— 1963, *Monsieur Albert, prophète*.

ROUCH Jean et MORIN Edgar, 1961, *Chronique d'un été*.

BARONCELLI Jacques de, 1940, *L'Homme du Niger*.

LATOUR Éliane de, 2000, *Bronx-Barbès*.

En amont...

Rina SHERMAN

En 1983, feuilletant un ouvrage sur le cinéma direct dans une bibliothèque universitaire de Johannesburg, je tombai sur cette phrase de Jean Rouch :

> Il m'est plus intéressant de filmer la réalité telle que provoquée par ma présence et la présence de la caméra que de prétendre pouvoir la filmer telle quelle.

Cette déclaration lapidaire énonçait une idée qui allait bouleverser ma vie d'artiste musicienne et performeuse, attelée à la réalisation de mes premiers films expérimentaux. L'Afrique du Sud était alors en plein état d'urgence, et je travaillais comme comédienne dans un théâtre de la Conscience noire, mouvement fondé par Stephen Bantu Biko (1946-1977). Quelques mois plus tard, je choisissais l'exil et m'envolai pour Paris à la rencontre de Jean Rouch.

J'ai d'abord appris à connaître Jean Rouch dans le cadre de ses formations, notamment les séminaires du samedi matin à la Cinémathèque de Chaillot où il orchestrait magistralement, à la manière d'Henri Langlois, des programmes composés de films en tous genres, voire de *rushes*, suivis de palabres entre érudits, cinéastes, étudiants et excentriques de passage, sur l'art et la manière de faire du cinéma. Telle fut ma véritable école : l'observer, l'entendre, puis échanger avec lui. Inscrite en doctorat en ethnographie visuelle à l'École de Nanterre, j'ai suivi pendant deux ans les cours de gymnastique filmique[1] donnés aux élèves ethnographes-cinéastes, et qui furent élaborés par un membre de l'équipe du mime Marcel Marceau. Ce cours, que j'ai plus tard appelé la « ciné-gym » en écho aux concepts rouchiens[2] – « ciné-ment », « ciné-transe », « ciné-chier », « ciné-fiction », « ciné-œil », « ciné-plaisir », « ciné-vérité », mais aussi la *stimmung* et « faire comme si »… – est devenu au fil des années la base de ma manière de filmer.

Ce furent les inoubliables années du Bilan du film ethnographique au musée de l'Homme. Les séances allaient au-delà de minuit et les gardiens éteignaient la lumière toutes les demi-heures pour nous indiquer qu'il était temps de partir. Jean Rouch et Françoise Foucault m'avaient demandé de traduire les interventions en langue anglaise lors des discussions entre cinéastes. Restituer les « dires » de Jean Rouch, qui partaient dans tous les sens, relevait du marathon de mémoire, et ce fut pour moi une excellente méthode d'imprégnation de sa pensée. Pour ne pas me tromper, je créais une image mentale par idée, et Dieu sait s'il en avait ! Ma crainte était d'en oublier une et de perdre le fil, mais il arrivait que quelques-uns me disent que ma synthèse était plus claire que son exposé.

Un soir que nous quittions une de ces séances par une porte latérale du musée, Jean me dit :

> Tu sais, ils disent que je suis directeur de recherche, ils disent que je suis ethnographe ; je ne comprends rien à ce qu'ils disent, les gens.

Entendre un esprit si brillant exprimer son désarroi, aussi passager soit-il, avec une telle simplicité, est une émotion rare. Ce n'était pas la dernière : le jour de ma soutenance de thèse, je l'avais raccompagné jusqu'à sa voiture au parking du musée de l'Homme. Après avoir contourné la place du Trocadéro, côté cimetière, en arrivant à destination, il me prit par la main, et, balayant la place d'un geste, il me dit :

> Tu vois, tout ça, je n'y comprends rien, je suis complètement décalé. Tu es peut-être même moins décalée que moi.

---

1.   Voir texte de Rina Sherman, « Cinéma direct : chemins croisés avec Jean Rouch, la ciné-gym et l'École de Nanterre », p. 317.
2.   Voir texte de Dirk J. Nijland, « L'origine des concepts de Jean Rouch », p. 281.

Il entra dans sa 2 CV et démarra. Perplexe d'avoir entendu une telle réflexion dans ce moment si particulier, je le regardai descendre la colline par une petite rue adjacente. Pour la première fois, je me dis qu'il ne serait pas là pour toujours… J'ai ensuite travaillé sur certains des films de Jean Rouch, notamment *Madame l'eau*, pour lequel j'ai réalisé la traduction en anglais et l'adaptation des sous-titres. C'est ainsi qu'il m'a appris sa méthode de traduction « mot à mot » permettant de remonter vers le sens original de la phrase en l'absence de traducteur. Ce fut également l'occasion pour moi de travailler avec les acteurs et les techniciens venus de Niamey pour la postproduction. Ils contestaient certains aspects de ma traduction. Je leur avais répondu que je me contentais de traduire ce que Jean me donnait en français. « Jean met ce qu'il veut, il brode », avaient-ils sèchement répliqué. C'était là aussi une révélation !

L'amitié était tout pour Jean. Il adorait s'entourer d'amis, raconter des histoires et surtout rire. J'allais très souvent le voir tôt le matin au bar *Le Bullier*, puis au café-tabac près de chez lui sur le boulevard du Montparnasse où il donnait ses rendez-vous. C'était un incroyable défilé ! Il y avait les « réguliers », comme Laury Granier, Brice Ahounou et Philo Bregstein, mais aussi des personnes avec des projets importants et des cinéastes du monde entier de passage à Paris. J'attendais le moment de le voir seul afin de poursuivre nos discussions et enregistrements sur des sujets aussi passionnants que le « montage par la fin », le « commentaire » et l'usage de la voix off. Sa table, au *Bullier*, était située légèrement en diagonale face au boulevard de Port-Royal.

> Regarde comme c'est beau, l'axe ! Il ne faut jamais le prendre de face, mais toujours un peu de biais, ça donne plus de profondeur.

Puis, parfois, il m'invitait à l'accompagner à la piscine d'Auteuil située à côté de l'hippodrome. Nous traversions Paris dans sa 2 CV. Il grillait des feux rouges tant il était occupé à me montrer tel lieu ou tel monument, m'expliquant dans quel axe filmer, notamment la tour Eiffel qui le fascinait. J'avais appris à tenir moi-même la caméra dans mes films et nous discutions sur la manière d'utiliser tel ou tel type de plan avec tel ou tel mouvement de ciné-gym et, souvent, de la problématique des « plans-séquences » :

Il ne s'agit pas seulement de faire un plan de dix minutes (le plan le plus long pour une bobine de 120 m de 16 mm), mais de porter un regard sur la réalité, sa continuité. Il faut structurer ce temps et, surtout, imaginer au moins une chute pour pouvoir sortir du plan au montage.

Autrement dit : faire le récit de la réalité.

Vers 1994, l'idée m'est venue de tourner un « ciné-portrait » de Jean. Je voulais rendre compte de la légèreté et de l'agilité de son esprit dans ses interactions avec les autres. Je l'ai d'abord fait tourner comme acteur (avec Germaine Dieterlen) dans *M. M. les locataires* (1995) et *L'Œuf sans coquille* (1992) – film-opéra dans lequel il jouait au « maître fou ». Puis, à partir de 1998, j'ai commencé à réaliser de petites séquences avec lui dans Paris. Elles furent interrompues par mon départ en Namibie et en Angola où, durant sept ans, j'entrepris une étude de terrain auprès des communautés Ovahimba de Namibie et d'Angola. Je suis revenue à Paris le jour même de sa disparition. Il m'a fallu laisser passer quelques années pour reprendre la réalisation de *Swimming the Blues* – Jean Rouch avait trouvé ce titre pour mon film. Un grand nombre de ses proches, complices, et collaborateurs y figurent.

Petit à petit, au fil du temps, l'idée d'inviter ces mêmes personnes, des chercheurs, des figures de la même histoire, à participer à ce livre-hommage a fait son chemin pour transmettre de son aventure humaine l'image à multiples facettes que ne manqueraient pas de constituer les témoignages et analyses d'auteurs venus des horizons les plus divers – Français, Néerlandais, Nigériens, Béninois, Haïtiens ou encore Nord-Américains. La distance créée par le temps écoulé depuis sa disparition nous offre désormais la possibilité de découvrir ou revisiter quelques-unes de ses expériences en compagnie de ceux et celles qui furent ses amis, ses collègues, ou même de jeunes chercheurs qui, sans l'avoir connu ou à peine, ont entrepris de remarquables travaux sur ses réalisations.

Tout au long de mes années de travail dans le sillage amical de Jean Rouch, je n'ai jamais cessé d'être taraudée par des questions, outre techniques, sur la « vérité » du cinéma. Comment faire le récit du réel ? Comment manier le temps du réel ? Comment filmer la parole ? Quel regard poser sur la vie des gens ? De quel droit peut-on la filmer ? Quelle responsabilité a-t-on envers ceux que l'on filme ? Quelle part peut-on laisser à l'imaginaire et à la mise en scène lorsque l'on aborde leur vie réelle ? En guise d'introduction à notre livre, il me semble utile de revenir sur *Chronique d'un été* (1961), coréalisé par Edgar Morin, qui répond le plus complètement à l'ensemble de ces questions – éthiques, esthétiques et techniques. Les réponses que chacun des deux réalisateurs y apporte sont cependant difficiles à concilier, chacun cherchant à sa manière la vérité du cinéma. Cette double quête, croisée, donne toute sa complexité au film en proposant, d'un réalisateur à l'autre, des solutions différentes dont la généalogie mérite d'être rappelée tant elle est constitutive de cette œuvre exceptionnelle à plus d'un titre.

Il faut alors remonter jusqu'en 1956, où Edgar Morin publie *Le Cinéma ou l'homme imaginaire*, un ouvrage d'inspiration anthropologique (Morin 1978). Le sociologue s'éloigne délibérément de l'empreinte machinique d'André Bazin (1958) pour se situer davantage dans la perspective du *Quattrocento* (*perspectiva artificialis*), qui sert aussi bien à raconter qu'à représenter, en admettant un lien profond entre la technique et l'idéologie sans pour autant épouser l'idée de l'objectif réel, tout en ancrant la perception dans l'œil humain. Morin explore le partage entre réel et imaginaire et propose d'intégrer le cinéma dans la réalité humaine par le biais des sciences de l'homme, l'univers magique étant...

> déterminé par le double, les métamorphoses et l'ubiquité, la fluidité universelle, l'analogie réciproque du microcosme et du macrocosme, l'anthropocosmomorphisme. C'est-à-dire exactement les caractères constitutifs de l'univers du cinéma (1982)

En décembre 1959, Jean Rouch et Edgar Morin se rencontrent à Florence au jury du premier Festival *dei Populi* (films ethnographiques et sociologiques). Ils y voient *On the Bowery* (1956) de Lionel Rogosin, et le jury récompense *The Hunters* (1957), réalisé par l'équipe du Peabody Museum (université Harvard, Cambridge, Massachusetts) avec John Marshall et Robert Gardner. Certains de ces cinéastes, qui allaient former, à la deuxième moitié du xxe siècle, les groupes « *Direct Cinema* » (Brew, Pennebaker, Leacock, Gardner, Marshall...) et la « *observing camera* » de Wiseman pour les États-Unis, « cinéma direct » (ou, dans un premier temps en France, « cinéma-vérité ») pour le Québec (Brault, Perrault, Jutra...) et la France (Jean Rouch, Edgar Morin), et le « *living cinema* » avec Lindsay Anderson, Karel Reisz, et Tony Richardson pour l'Angleterre, expérimentaient déjà les tournages avec du son synchrone.

Morin, qui suivait passionnément ces avancées, propose alors à Rouch, dont il admirait le travail, de réaliser avec quelques-uns de ses amis une sorte de fresque sociale sur le Paris de 1960. « Je ne suis pas un fresqueur », lui répond Jean Rouch. Il accepte cependant l'invitation de se lancer dans ce film ayant pour titre provisoire *Comment vis-tu ?*. C'est un tournant majeur dans la filmographie de Rouch, qui avait réalisé jusqu'alors des films ethnographiques en Afrique. C'est ainsi qu'il deviendra l'ethnographe visuel de sa propre société, arrimé à une vision terre à terre de la réalité.

Anatole Dauman donne son accord pour produire le film. Cette même année 1960, Morin publie dans *France Observateur* un article devenu mythique par la suite et intitulé « Pour un nouveau cinéma-vérité », dans lequel il plaide pour un cinéma « pris sur le vif ».

> Le grand mérite de Jean Rouch, écrit-il, est d'avoir défini un nouveau type de cinéaste, le cinéaste scaphandrier qui plonge dans un milieu réel. Il accepte la maladresse, l'absence de relief du son, l'imperfection de l'image. En acceptant de perdre une esthétique formelle, il découvre des terres vierges, une vie qui possède en elle-même ses secrets esthétiques.

L'idée de la « caméra-stylo » fait son chemin :

> Jean Rouch, muni d'une caméra 16 mm et son fil magnétophone Nagra en bandoulière, peut être intronisé en camarade et en individu, non plus en directeur d'équipe dans une communauté.

Jean Rouch a déjà réalisé *Bataille sur le grand fleuve* (1951), film dans lequel apparaît pour la première fois Damouré Zika, qui sera son meilleur camarade durant plus de quarante ans, et le fracassant *Maîtres fous* (1955). Il a inventé la « ciné-transe », reformulant la question du regard et la distance de l'anthropologue vis-à-vis de son sujet, et ouvert la voie à la Nouvelle Vague avec *Moi, un Noir* (1958), dans lequel les personnages jouent leur propre vie. En 1959, Jean Rouch tourne *La Pyramide humaine*, où la caméra, devenue un personnage à part entière, s'intéresse à l'évolution des personnages dans des situations improvisées – une passerelle jetée vers *Chronique d'un été* ; le témoignage est traité comme une extériorisation de la vie intérieure des acteurs-participants ; la question de la réalité du cinéma se pose au-delà de la « vérité » des personnes.

Couverture de *Chronique d'un été*:
texte du film, scènes coupées... Paris:
Inter-Spectacles, Domaine Cinéma 1, 1962.
© Inter-Spectacle.

La fiche de Monsieur Cinéma[3] N° 162-4 recto et verso pour *Chronique d'un été*.

3.   Les « Fiches de Monsieur Cinéma » ont été lancées en 1976 par Pierre Tchernia et
Marc Combier, d'après l'idée du « Monsieur Cinéma » désigné « meilleur répondant »
aux questions concernant le septième art lors de l'émission dominicale de Pierre
Tchernia et Jacques Roland sur Antenne 2 (1967-1982).

Chronique d'un été est une exception marquante dans la carrière de Jean Rouch : il ne se sera jamais, en effet, autant attardé sur la vie privée ou sur la façon dont les hommes et les femmes cherchent l'amour, poursuivent le bonheur, travaillent et s'interrogent sur leur vie de tous les jours. L'important aux yeux d'Edgar Morin était d'atteindre

> ce moment où avec la caméra les gens ne donnent pas seulement leur version officielle mais se dévoilent avec leurs obsessions, leurs manques.

À partir de cette simple question, « Comment te débrouilles-tu avec la vie ? », Morin et Rouch captent à travers la parole vivante la complexité de leurs personnages. Grâce aux innovations techniques (une caméra 16 mm légère avec prise de son « presque » synchrone) offrant une liberté de mouvement inédite, le film semble bel et bien tourné « sur le vif ». Edgar Morin évoquera l'avènement d'un « nouveau cinéma-vérité »…

« En France, la tradition cinéphilique dominante, accorde une importance presque métaphysique à la vérité de l'enregistrement et à l'enregistrement de la vérité » a écrit Serge Daney (1988 : 192-193). Dans la période d'après-guerre, cette tradition est défendue autant par les critiques de cinéma (Daney et Frodon dans le sillage de Bazin) que par les fabricants de machines (Coutant pour la caméra Éclair ; Beauviala pour l'Aaton et l'invention du marquage en temps réel de la pellicule). Il faut cependant se souvenir que, dès la fin des années 1940, Jean Rouch et Jean Cocteau appelaient, chacun de leur côté, à tourner en 16 mm pour plus de souplesse et de légèreté. Cependant, les jeunes réalisateurs de la Nouvelle Vague préféreront réaliser leurs premiers films en 35 mm pour avoir l'agrément du Centre national du cinéma (une dizaine d'années avant l'arrivée d'une caméra 35 mm légère). Dans *Chronique d'un été*, avec une caméra mobile (tenu par Michel Brault) et du son direct, Rouch et Morin posent d'une nouvelle manière la question de la vérité du cinéma : comment saisir sur le vif l'improvisation des échanges ?

> Ce film est une recherche. Le milieu de cette recherche est Paris. Ce n'est pas un film romanesque. Cette recherche concerne la vie réelle. Ce n'est pas un film documentaire. Cette recherche ne vise pas à décrire ; c'est une expérience vécue par ses auteurs et ses acteurs, écrit Edgar Morin (Morin et Rouch 1962).

Et Rouch d'ajouter :

C'est un film où il n'y pas de bagarres. Pas de coups de revolver, même pas de baisers. L'acte finalement, c'est la parole.

La description que Jean Rouch fait de la séquence d'anamnèse dans laquelle Marceline Loridan raconte sa déportation et la disparition de son père dans les camps cerne bien le tour de force à la fois technique, esthétique et éthique de cette scène magistrale :

> [...] Nous cherchions dans Paris, un endroit tranquille parce que nous étions en train d'expérimenter les micros-cravates, les méthodes de caméra à la main dans la rue, etc. Nous avons choisi de tourner dans les merveilleux anciens pavillons des Halles, parce que c'était le 15 août, je crois que les Halles étaient fermées, donc silencieuses, tranquilles. La caméra était posée à l'arrière d'une 2 CV, personne ne visait, Marceline portait le magnétophone et parlait seule à son micro-cravate. Quand Marceline est entrée dans les Halles, nous poussions la voiture devant elle, mais un peu plus vite qu'elle : on s'éloignait d'elle, et elle parlait toute seule. À un moment donné, nous avons laissé la voiture s'arrêter et Marceline s'est approchée de la caméra. Nous n'avions rien vu, rien entendu : nous avions simplement provoqué deux mouvements, des sentiments, des émotions, des souvenirs. Lorsqu'on a vu pour la première fois ces images à l'écran, Edgar, encore très surpris, dit tout d'un coup : « Oui, c'est l'image du retour ». Qu'est-ce que cela voulait dire ? Nous avions choisi, sans le savoir, un bâtiment qui ressemblait à la verrière d'une gare ; nous avions mis la caméra sur un objet en mouvement et, venant d'au-delà de l'horreur, Marceline arrivait. Nous ne savions pas qu'elle disait son désespoir quand, revenant des camps de concentration, elle retrouvait sa mère et son frère, l'attendant à la gare de l'Est. C'est pour moi la création de quelque chose qui dépasse le tragique ; un souvenir intolérable « mis en scène » comme un sacrilège spontané qui nous poussait à faire ce que nous n'avions jamais fait. Jamais Michel Brault n'avait tourné un plan de cette manière, moi-même je ne l'avais jamais fait et nous ne le ferons plus jamais. (Entretien avec Enrico Fulchignoni, 1980).

La scène qui s'achève avec, au premier plan sonore, le bouleversant soupir de Marceline – « Ah ! Papa... » – dépasse la simple prouesse technique en nous rappelant de façon fracassante la force et la fragilité de la vie.

La même année, dans une conférence donnée au centre Georges-Pompidou lors du festival « cinéma du Réel », Edgar Morin, en écho aux propos de Jean Rouch, résume la problématique récurrente « de la vérité du cinéma » de cette façon :

> Il y a deux façons de concevoir le cinéma du réel. La première est de prétendre donner à voir le réel. La seconde est de se poser le problème du réel. De même, il y avait deux façons de concevoir le cinéma-vérité. La première était de prétendre apporter la vérité. La seconde était de se poser le problème de la vérité.

Or, nous devons le savoir : le cinéma de fiction est dans son principe beaucoup moins illusoire, et beaucoup moins menteur que le cinéma dit « documentaire », parce que l'auteur et le spectateur savent qu'il est fiction, c'est-à-dire qu'il porte sa vérité dans son imaginaire. Par contre, le cinéma documentaire camoufle sa fiction et son imaginaire derrière l'image reflet du réel.

Or, nous devons le savoir de plus en plus profondément : la réalité sociale se cache et se met en scène d'elle-même, devant le regard d'autrui et surtout devant la caméra. La réalité sociale s'exprime à travers des rôles. Et en politique, l'imaginaire est plus réel que le réel.

C'est pourquoi c'est sous le couvert du cinéma du réel qu'on nous a présenté, proposé, voire imposé les plus incroyables illusions : c'est que, dans les contrées merveilleuses dont on ramenait l'image exaltante, la réalité sociale était mise en scène, occultée par le système politique régnant et transfigurée dans les yeux hallucinés du cinéaste.

C'est-à-dire que le cinéma qui se pose les plus graves et les plus difficiles problèmes par rapport à l'illusion, l'irréalité, la fiction, est bien le cinéma du réel, dont la mission est d'affronter le plus difficile problème posé par la philosophie depuis deux millénaires : celui de la nature du réel[4].

Les textes qui composent le présent ouvrage reprennent de moultes façons la réflexion livrée par les deux auteurs dans l'épilogue de *Chronique d'un été*, tourné six mois après la fin des prises de vue (à

---

4.   Cité par Isabelle Veyrat-Masson dans *Télévision et histoire, la confusion des genres : docudramas, docufictions et fictions du réel* (Veyrat-Masson 2008 : 208).

la demande d'Anatole Dauman). Jean Rouch et Edgar Morin sont de nouveau à l'écran, au musée de l'Homme, comme au début du film (le micro-cravate a été remplacé par un micro-émetteur enregistrant à distance), et tiennent ce dialogue en guise de bilan de l'expérience :

Jean Rouch – Autrement dit, nous avons voulu faire un film d'amour et on aboutit à un film d'indifférence, en tout cas dans lequel... non, pas d'indifférence...

Edgar Morin – ... non, les gens réagissent...

Jean Rouch – ... de réaction et de ré-action qui n'est pas forcément une réaction sympathique...

Edgar Morin – ... c'est la difficulté de communiquer quelque chose. Nous sommes dans le bain...

Références bibliographiques

Bazin André, 1958. *Qu'est-ce que le cinéma ?* Paris : Éditions du Cerf.

Daney Serge, 1988. *Le Salaire du zappeur.* Paris : Ramsay.

Jullier Laurent et Mazdon Lucy, 2004. « From images of the world to the world of images », *in* Temple Michael et Witt Michael (dir.). *The French Cinema Book.* Londres : British Film Institute.

Morin Edgar, 1960. « Pour un nouveau cinéma-vérité », *France Observateur*, n° 506.

— 1982 [1956]. *Le Cinéma ou l'homme imaginaire : essai d'anthropologie.* Paris : Éditions de Minuit, coll. « Arguments », réédition avec une nouvelle préface de l'auteur.

Morin Edgar et Rouch Jean, 1962. *Chronique d'un été : texte du film, scènes coupées...* « Chronique d'un film », Edgar Morin, « Le cinéma d'avenir », Jean Rouch, Paris : Inter-Spectacles, Domaine Cinéma 1

Rouch Jean, 1999. *Mon amie, la stimmung*, propos recueillis par Nicole Brenez, Raymonde Carasco et François Didio, retranscrits par Sébastien Ronceray. En ligne : http://raymonde.carasco.free.fr/presse/amie_la_stimmung.htm [lien valide 27 août 2017].

Veyrat-Masson Isabelle, 2008. *Télévision et histoire, la confusion des genres : docudramas, docufictions et fictions du réel.* Bruxelles : De Boeck ; [Bry-sur-Marne] : INA.

Films cités

MARSHALL John et GARDNER Robert, 1957, *The Hunters*.
ROGOSIN Lionel, 1956, *On the Bowery*.
ROUCH Jean, 1951, *Bataille sur le grand fleuve (Chasse à l'hippopotame)*.
— 1955, *Les Maîtres fous*.
— 1958, *Moi, un Noir*.
— 1959, *La Pyramide humaine*.
— 1992, *Madame l'eau*.
ROUCH Jean et MORIN Edgar, 1961, *Chronique d'un été*.
SHERMAN Rina, 1992, *L'Œuf sans coquille*.
— 1995, *M. M. les locataires*.

Jean Rouch, l'enfant du *Pourquoi-Pas ?*

Marie-Isabelle Merle des Isles

L'œuvre de Jean Rouch (1917-2004), l'ethnologue cinéaste de l'Afrique, est largement reconnue. Beaucoup en ont parlé, d'autres vont encore le faire dans cet ouvrage pour célébrer le centenaire de sa naissance. Mon objectif n'est donc pas de traiter de son œuvre, mais de faire découvrir l'homme et surtout d'évoquer les influences familiales qui l'ont fait devenir ce qu'il a été : un être libre, curieux, moqueur, passionné, ouvert, plein d'imagination et de rigueur… avec, de surcroît, un sens des formules choc, comme lorsqu'il disait qu'il était l'enfant du *Pourquoi-Pas ?* Il me l'a répété souvent, lors de nos rencontres. Cela lui permettait de rappeler que ses parents s'étaient connus grâce au *Pourquoi-Pas ?* En effet, Jules Rouch et Louis Gain avaient participé à la mythique expédition du commandant Charcot dans l'Antarctique. Grâce à quoi Jules avait rencontré et épousé Luce, la sœur de Louis. Mais, la formule « Pourquoi pas ? » est aussi une manière de dire que tout est possible à celui qui dépasse peurs et obstacles rencontrés… Pour y parvenir, encore faut-il avoir courage, résistance physique, curiosité, rigueur, intelligence, qualités que l'on retrouve chez tous les membres de cette famille, et bien sûr chez Jean Rouch.

Lancement du
Pourquoi-Pas?
à Saint-Malo en 1908.
De gauche à droite :
Luce et Alice Gain
entourant leur frère
Louis (famille maternelle
de Jean Rouch) face au
commandant Charcot.
© Marie-Isabelle Merle
des Isles

Une enfance heureuse (1919-1923)

Quand Jean Rouch naît en 1917, c'est la guerre, et son père et ses oncles y participent. Sa mère et sa tante Alice quittent Paris et se réfugient dans la maison de famille à Marcilly-sur-Eure (achetée par son grand-père Désiré Gain). Petit garçon, il dira souvent qu'il était alors « le roi de Marcilly », un enfant heureux, entouré d'amour, car on s'aimait dans cette famille, chacun donnant aux autres ce dont ils avaient besoin pour s'épanouir.

Une enfance voyageuse (1923-1933)

Son père, après avoir intégré l'École navale à 16 ans, a parcouru le monde d'est en ouest, des États-Unis à l'Asie, et du nord au sud, jusqu'à l'Antarctique. Après son mariage, devenu père de famille, il sera muté dans des ports où il pourra emmener femme et enfants. Jean se souviendra longtemps...
– de Brest, où il rencontre le commandant Charcot, dont il garde le souvenir de l'odeur désagréable de la pipe et aussi de la barbe piquante ! Mais c'est aussi dans cette ville qu'il va, avec son père, voir son premier film, *Nanouk l'Esquimau* de Robert Flaherty (1922), qui le marquera profondément ;

– de Rochefort, où leur maison est voisine de celle de Pierre Loti, qu'il peut apercevoir, de la fenêtre de sa chambre, se promenant dans son jardin en talons hauts ;
– d'Alger, où il apprend le « pataouète », langage coloré de la rue... qu'il était encore capable d'imiter quatre-vingts ans plus tard ;
– de Casablanca, où son père l'emmène un jour déjeuner avec Antoine de Saint-Exupéry, de passage dans cette ville.

Cette enfance voyageuse lui permet, partout et toujours, de partager les jeux des jeunes de son âge, sans distinction de milieu ou d'origine. À 15 ans, c'est l'heure des études plus sérieuses. Jean ne suit pas ses parents lors de la mutation de son père à Athènes. Il entre au lycée Saint-Louis de Paris et vit rue Sarrette, avec sa tante Alice, sœur célibataire de sa mère, pour laquelle il gardera toute sa vie une profonde affection... Ce retour à Paris lui permet aussi de se rapprocher de son cousin germain André Gain. De dix ans son aîné, celui-ci va jouer un rôle fondamental dans sa vie.

André Gain (1907-1940)

André semble avoir tous les dons. Il peint, il joue du piano, il écrit et n'a que 19 ans quand sa première pièce est donnée au théâtre du Vieux-Colombier à Paris. Il fréquente la bohème de Montparnasse et, jouant à la perfection son rôle de « grand cousin » auprès de Jean adolescent, il va lui faire découvrir le jazz, le cinéma et Dali... Rêvant de se consacrer à l'art et à la création, voulant fuir sa vie de fonctionnaire pour « retrouver son âme », il part en Polynésie en 1936 et y reste plus d'un an. Son rêve se réalise : « Ici, je pénètre éveillé à l'intérieur de mon propre rêve, j'ai en moi une sorte de sérénité, de plénitude. J'ai trouvé mon équilibre. » De surcroît, il en rapporte 1200 photos, une centaine de gouaches, une documentation pour des articles et des conférences, des projets de pièces de théâtre et de livres... De retour à Paris, il monte des expositions, fait des conférences... mais, ne parvenant à en vivre, il est contraint de réintégrer le ministère de la Marine. Il achève néanmoins son livre *Aux jardins des mers*, qui sera, après sa mort prématurée en 1940, publié par son père. Cette petite merveille de trente-huit esquisses, toute en subtilités et en profondeur, lui vaudra d'être couronné par l'Académie française et Daniel Margueron, le spécialiste de la littérature écrite sur Tahiti, le fera republier en 2002, le considérant comme l'un des ouvrages les plus sensibles et réalistes sur le sujet.

Le temps des études à Paris (1932-1940)

Précoce et brillant, Jean passe son bac sans difficultés et, pour le récompenser, ses parents lui offrent un billet pour Venise à bord de l'*Orient-Express*. De là, il les rejoint à Athènes. Suivant l'exemple de Désiré, de Gustave et d'André Gain, il s'est mis à peindre et gagne son « premier salaire » en vendant une de ses toiles à un Anglais. À la fin de l'été, il rentre en France en hydravion. Il a 16 ans et déjà sa vie ressemble à un roman de Jules Verne. Dès septembre, il prépare les concours des grandes écoles. Admissible à l'écrit de l'École polytechnique, il en rate l'entrée de peu. Il intègre l'École nationale des ponts et chaussées où il noue de solides et indéfectibles amitiés avec Pierre Ponty et Jean Sauvy. Venu de province et major de sa promotion, ce dernier est fasciné « par ce fils d'un brillant officier de marine, côtoyant la bonne société, par ce camarade si parisien, fréquentant les milieux d'avant-garde, les surréalistes, les clubs de jazz et les filles... de Jules Supervielle ! ». D'autant que sous une apparente désinvolture, Jean Rouch cache sérieux et efficacité. Son élégance est tant intellectuelle que physique, et l'aisance avec laquelle il entre en contact avec des inconnus, son humour, sa joie de vivre, en un mot son charme... tout cela séduit la plupart de ceux qui le rencontrent ; toute sa vie, il saura jouer de cet atout.

Durant l'été 1936, son père, qui ne laisse passer aucune occasion d'offrir à son fils expériences et rencontres, l'invite à l'accompagner dans une mission au Moyen-Orient où il découvre la Syrie, la Palestine, l'Égypte et le Liban.

Dans son journal, Jules évoque ce voyage : « Aujourd'hui, Jean, parti à la plage pour se baigner, est revenu enthousiasmé par sa rencontre avec de jeunes indigènes dont les jeux lui ont semblé particulièrement astucieux. » Absence de préjugé et empathie pour l'autre sont déjà les caractéristiques de ce jeune homme de moins de 20 ans.

Son oncle et son père
le précèdent en Afrique dès 1913

Au retour de l'Antarctique, les scientifiques de l'expédition du *Pourquoi-Pas ?*, Louis et Jules, sont entraînés dans une activité débordante, entre réceptions, conférences et rédaction des résultats de leurs recherches.

Louis Gain soutient sa thèse de doctorat ès sciences en 1911 et va dans
la foulée participer aux expéditions du prince Albert Ier de Monaco aux
Açores, puis repartir, dès 1913, avec la mission du comte de Polignac
au large des côtes d'Afrique. De son côté, l'enseigne de vaisseau Jules
Rouch rejoint Dakar en juin 1913 à bord du *Chevigné* pour corriger les
cartes de la côte et des rivières du Sénégal et de la Guinée française, ce
qu'il racontera dans un ouvrage, illustré par les photos de Louis Gain
prises à la même époque (Rouch 1925). Bien sûr, Jean connaît ce livre
et a admiré en particulier les autochromes de cette Afrique de 1913.

1941, premier départ pour l'Afrique

À leur sortie de l'École des ponts et chaussées, Jean Rouch et ses deux
camarades, Jean Sauvy et Pierre Ponty, partent en Afrique de l'Ouest
en tant qu'ingénieurs des colonies pour y construire des routes. Jean
est affecté à Niamey, ce qui l'amène à découvrir le Niger, le « fleuve des
fleuves » des premiers voyageurs arabes, jamais parcouru dans sa totalité, et qui a hanté pendant des siècles l'imagination des explorateurs.
Il va y nager tous les soirs et y rencontre un jeune pêcheur, Damouré
Zika, qu'il embauche comme pointeur sur son chantier, entamant ainsi
sa longue relation avec le fleuve et avec Damouré. Ce dernier deviendra par la suite infirmier, puis son acteur fétiche, pour ne pas dire son
double africain. Un accident sur son chantier, où des ouvriers africains
meurent foudroyés, l'amène à assister à son premier rituel de purifica-
tion des corps. Sa participation aux funérailles déclenche sa vocation
d'ethnologue. Expulsé de Niamey pour ses convictions politiques, il
se retrouve à Dakar en tant qu'officier et rencontre Théodore Monod
à l'IFAN (Institut français d'Afrique noire). En 1943 il retrouve Ponty
et Sauvy à Bamako (Mali). Assis sur les marches de grès de la falaise
surplombant le Niger, ils font le serment de « descendre le fleuve en
pirogue, de sa source en Guinée, jusqu'à son embouchure au Nigéria,
près de 4200 kilomètres en aval ».

Préparatifs de l'expédition (1945-1946)

Mobilisés sous les drapeaux de la France libre, ils rentrent à Paris.
Rouch et Sauvy en profiteront pour suivre les cours d'ethnologie de
Marcel Griaule à la Sorbonne et de Michel Leiris au musée de l'Homme.

Les trois camarades ne reviendront en Afrique qu'en 1946, après avoir démissionné de leurs fonctions d'ingénieurs des Travaux publics des colonies. C'est l'heure, pour eux, de réaliser leur serment de 1943. Ils reçoivent une lettre de recommandation officielle du ministère de la France d'Outre-Mer et, pour assurer le financement de cette expédition, ils passent un contrat avec l'Agence France-Presse : leurs articles et photographies seront publiés sous le nom de Jean Pierjeant, contraction de leurs trois prénoms. Un avion, mis à la disposition des jeunes explorateurs par le ministère de l'Air, permet d'accélérer leur départ. Ils quittent Paris le 16 juillet 1946 et se trouvent, quatre jours plus tard, face au Niger, 150 ans jour pour jour après Mungo Park (1771-1806), ce jeune écossais qui avait été le premier Européen à tenter la descente du Niger, sans y parvenir puisque son bateau se brisa dans les rapides. Plusieurs contretemps retardent leur départ. Un mandat qui n'arrive pas : faute d'argent, ils se nourrissent d'arachides grillées, de manioc bouilli, et n'hésitent pas à jouer les cantonniers ou les pousseurs de voitures sur les pistes difficiles. Lorsqu'ils finissent par atteindre le point extrême de la piste carrossable, il leur reste encore plus de 50 kilomètres à parcourir pour atteindre les sources du Niger. Avec guides, porteurs, interprètes, et Mahoro, leur cuisinier, ils avancent à travers les herbes hautes qui bordent les sentiers, piqués par les fourmis, écrasés par la chaleur humide… ils atteignent enfin leur but le 24 octobre 1946. C'est Soro, leur guide, qui leur annonce, tendant le bras vers un amas de broussailles : « Voici la source du Tembiko. » Car à sa source, le Niger n'est qu'un filet d'eau dénommé Tembiko, « rivière des rotins ».

Au fil du Niger, en radeau et en pirogue (1946-1947)

On ne dira jamais assez l'influence de sa famille sur Jean Rouch. Son père, son oncle, son cousin germain, ont nourri son imaginaire. Durant toute son enfance, la mission du *Pourquoi-Pas ?* en Antarctique et le long séjour en Polynésie d'André l'ont habité.

Ces expéditions le conduiront enfin à vivre son propre voyage initiatique : la descente du fleuve Niger avec Ponty et Sauvy.

Pendant des mois, nos trois explorateurs vont suivre ce Niger extravagant qui, tournant le dos à la mer toute proche, s'enfonce vers le nord, abandonnant forêts et savanes pour feindre de se perdre dans les sables du Sahara, avant de consentir à redescendre vers le sud et à se jeter par un delta de 300 kilomètres de large dans le golfe de Guinée. Ils le suivent dans les labyrinthes des hautes vallées, dans les méandres de la savane boisée, dans les marécages du lac Débo, dans les sillons des dunes de Tombouctou, dans ses bras qui enserrent l'archipel de Tillabéri, ou dans les rapides mugissants de Boussa, enfin, dans les biefs morts de la forêt du Nigéria. Ils le suivent jour après jour, « prenant le fleuve comme d'autres le métro, sans plus d'enthousiasme, grillés par le soleil, dévorés par les mouches, bureaucrates méticuleux du fleuve, remplissant fiches et questionnaires, photographiant et filmant avec acharnement » (Rouch 2008).

Arrivés à Linkema où, trouvant que les 10 mètres de large de la rivière devraient leur permettre de naviguer enfin, sur un modèle imaginé par Rouch, ils construisent un radeau insubmersible et démontable à base de longs paniers d'osier servant à transporter des poulets, assemblés entre eux et attachés à une charpente de bois, le tout enveloppé d'une bâche imperméable. Munis de simples bouts de bois aplatis à l'extrémité, servant de pagaies, ils embarquent tous les trois, tandis que leur équipe suit à pied. Et là où personne avant eux ne s'était encore aventuré, leur radeau s'élance sur un Niger silencieux et rapide, au milieu d'oiseaux multicolores et de singes étonnés. Un premier rapide est franchi, mais le deuxième provoque leur premier naufrage. Ils effectueront en fait une bonne partie de cette première équipée à pied ou à la nage, de naufrages en sauvetages.

À Faranah, ils achètent une pirogue taillée dans un tronc d'arbre monumental à peine équarri. Au village suivant, ils s'en procurent une seconde qu'ils relient à la première par un platelage en bambou surmonté d'un *roof* de paille et poursuivent leur périple avec caméra et appareil photo, livres et cahiers de notes, cartes, fusils, vêtements, accompagnés des chants des piroguiers ou de leurs cris : « Crocodile ! Hippopotame ! »

À partir de Ségou, la navigation au milieu d'immenses marécages ne présente plus de difficultés. Ils arrivent à Mopti fin novembre, où ils retrouvent Marcel Griaule, qui les invite à le rejoindre dans les falaises de Bandiagara où vivent les Dogon. Par la suite, ces populations seront pour Rouch un objet d'études présent dans plusieurs de ses films.

L'étape Mopti-Gao leur laisse un souvenir émerveillé : « depuis quelques jours, nous avons l'impression de naviguer en plein rêve. Le fleuve, sans trop en avoir l'air, s'est divisé, étalé, se muant en un marécage ivre dans une atmosphère translucide », note Sauvy devenu lyrique.

L'expédition est tour à tour cocasse et périlleuse, toujours pleine de surprises, de rencontres et d'enseignements. Ils en rapportent 4000 clichés, quelques centaines de mètres de pellicule, une pleine cantine de fiches et de notes et, tandis que Pierre Ponty et Jean Sauvy entrent dans la vie active, Jean Rouch fait alors le choix de l'ethnologie. Il soutient en 1952 une thèse de doctorat d'État qui lui ouvre les portes du CNRS. Nommé comme attaché de recherche, il fait des conférences, écrit des articles, présente son premier film, *Au pays des mages noirs* (1947), avant de repartir, grâce à une bourse Schoelcher, en septembre 1948, pour une nouvelle mission près des Songhay, ce peuple du Mali et du Niger. À 31 ans, il est devenu cinéaste ethnologue.

Les derniers voyages (2002-2004)

En 2002, Jean, veuf depuis le décès de son épouse Jane Rouch en 1987[1], se remarie avec Jocelyne Lamothe. Pendant deux ans, ils vont parcourir le monde pour participer aux nombreux hommages qui lui sont rendus : Sodankylä en Finlande, Munich en Allemagne, Bahia au Brésil, Bilbao et Barcelone en Espagne et jusqu'en Guadeloupe, l'île de Jocelyne.

En octobre 2003, Geneviève Rouch, la sœur de Jean, son aînée, décède à 89 ans… J'ai accompagné Jean et Jocelyne à Marcilly pour les funérailles, et c'est là que nous avons appris que Geneviève était devenue, à la fin de sa vie, « tous les hommes de la famille », évoquant « ses » voyages et « ses » missions… Devant le caveau familial, Jean se pencha et lui dit : « Au revoir, à bientôt ! » Comme nous nous récriâmes, il ajouta : « Sois patiente ! ».

Il se rend ensuite au Mali, en pays dogon, pour une mission qui lui tenait à cœur : obtenir que Germaine Dieterlen, partenaire des travaux de Marcel Griaule sur les Dogon, puisse avoir, elle aussi, des funérailles rituelles dogon. Comme le souhaitait Jean, elle rejoindra Marcel Griaule dans les falaises de Bandiagara en 2004.

De retour au Niger pour tourner un nouveau film, *Le Rêve plus fort que la mort*, et participer à un forum sur le cinéma africain, sur la route de Tahoua, il meurt dans un accident de voiture, le 18 février 2004…

---

1.   Jane Rouch était journaliste et auteure. Pour plus d'informations concernant ses écrits, voir note 15 du texte de Daniel Mallerin, « Le jardin *extraordinaire* de Jean Rouch à Niamey ». p. 161.

Pouvait-il imaginer qu'à sa mort, le Niger lui ferait des funérailles nationales à Niamey en 2004, que le Mali l'honorerait ensuite de funérailles rituelles dogon en 2008, que les Sorko, pêcheurs du fleuve Niger, lui sacrifieraient un hippopotame comme ils le font à la disparition de leur chef ? Dans une lettre à Théodore Monod, il avait écrit : « Pour ceux qui sont pris d'amour pour l'Afrique, la difficulté est sans doute l'impossibilité d'y rester trop longtemps, si on ne veut courir le risque d'y rester tout à fait. »

L'image comme support de mémoire

Comme Jules Rouch et Louis Gain en Antarctique, comme André en Polynésie, on retrouve chez Jean Rouch, dans ses notes, ses photos et ses films, la même passion pour la découverte en profondeur d'un monde inconnu. Même s'il disait : « Je ne suis pas photographe... », il reconnaissait pourtant qu'il « savait voir », cela grâce à Gustave Gain, son oncle, docteur en chimie et excellent photographe amateur. Ce n'était pas une recherche esthétique qui l'animait ; pourtant, il sut saisir la beauté d'un paysage, la noblesse d'un visage, la dignité d'un homme... Ajoutant : « Les images, films et photographies, sont une documentation précieuse, un support de mémoire et de nostalgie. Bien souvent, les photos sont plus belles que la réalité. Elles sont une création littéraire, comme une œuvre de Loti. La photographie est un mensonge plus vrai que tous les souvenirs. » Les 20 000 photos qu'il a prises, tout comme ses 150 films, sont le témoignage vivant d'un temps disparu. Ils sont aujourd'hui déposés à la Bibliothèque nationale de France ou au archives françaises du film du Centre national du cinéma à Bois-d'Arcy.

Une famille éteinte mais pas oubliée

Comment imaginer que cette famille qui avait pour racines, en 1850, deux jeunes orphelins, sans argent et sans avenir, Pierre-Clément Rouch et Désiré Gain, allait donner sur l'étendue temporelle de deux générations, des scientifiques de qualité : Gustave Gain, Louis Gain et Jules Rouch ; des explorateurs de l'impossible : Jules Rouch et Louis Gain ; des artistes accomplis : Désiré Gain, peintre, Gustave Gain, photographe, André Gain, peintre, photographe et écrivain, et Jean Rouch, photographe et cinéaste ?

Comment imaginer que Jean Rouch, le dernier d'entre eux (la famille s'étant éteinte avec lui en 2004), allait concentrer leurs immenses talents, pour devenir, à lui seul, la quintessence de tous ?

Références bibliographiques

GAIN André, 1942. *Aux jardins des mers*. Paris : Boivin.

MERLE DES ISLES Marie-Isabelle, 2004. *Conversation privée avec Jean Sauvy*. n.p.

ROUCH Jean, 2008. *Alors le noir et le blanc seront amis - Carnets de mission 1947-1951*. Paris : Fayard : Mille et une nuits.

ROUCH Jules Alfred Pierre, 1925. *Sur les côtes du Sénégal et de la Guinée : Voyage du* Chevigné. Paris : Société d'éditions géographiques, maritimes et coloniales.

Films cités

FLAHERTY Robert, 1922, *Nanouk l'Esquimau* (*Nanook of the North*).

ROUCH Jean, 1947, *Au pays des mages noirs*.

— 2002, *Le Rêve plus fort que la mort*.

Rouch avant Rouch
La construction d'une identité : d'une aventure à l'autre (1917-1952)

Alice GALLOIS

La légende rouchienne situe le « coup de foudre » pour l'Afrique au printemps 1934, dans le Quartier latin à Paris. Jean Rouch a tout juste 17 ans lorsqu'il découvre dans la vitrine d'une librairie la revue surréaliste *Minotaure* relatant la mission Dakar-Djibouti[1]. Quelques années après, Rouch débarque en Afrique de l'Ouest ; il se passionne pour les rites et les mythes songhay dont il ne se détournera plus. Il n'aura désormais de cesse d'aller et venir entre la France et l'Afrique, entre la recherche et le cinéma. À travers l'étude de multiples sources, cette contribution propose de revenir aux sources de celui qu'on surnomma le « griot blanc », de suivre pas à pas l'itinéraire d'un jeune homme qui deviendra l'un des plus grands ethnologues-cinéastes. À travers son parcours qui nous amènera de ses premières missions, ses premiers films ethnographiques, à sa reconnaissance par les milieux scientifiques et cinématographiques, le lecteur suivra les traces d'une destinée à la fois exceptionnelle et ordinaire, donnant à voir les rêves et les tourments de toute une époque. Revenir aux origines de Jean Rouch est donc une façon de sonder l'Homme dans ce qu'il a d'universel et de singulier.

---

1. n° 2, 1933, édition spéciale de la revue *Minotaure*, publiée à l'occasion d'une exposition des collections ethnographiques et linguistiques de la mission Dakar-Djibouti (1931-1933) dans la nouvelle galerie africaine du musée d'Ethnographie du Trocadéro.

« Mission Dakar-Djibouti, 1931-1933 »
Couverture du numéro spécial de la revue *Minotaure*, n° 2, Paris : Éditions Albert
Skira, 1933, réalisée par Gaston-Louis Roux[2].
© Philippe Roux et Catherine Lanier.

2.   L'artiste-peintre Gaston-Louis Roux (1904-1988) participe sur invitation de Michel
      Leiris à la mission Dakar-Djibouti en tant que « peintre officiel » ; il y est chargé de
      l'étude, de la collecte et des copies des peintures éthiopiennes.

À l'image des autres puissances européennes, la France est alors lancée dans un processus de diffusion de ses valeurs et de maîtrise scientifique, à la conquête du monde. À mesure que les blancs de la carte se remplissent, la priorité est donnée à l'étude de l'homme et de son environnement. La figure de l'ethnographe de terrain émerge. L'image devient peu à peu un auxiliaire précieux puisqu'elle détient le pouvoir de « fixateur » d'une réalité à jamais disparue. Elle partage avec l'ethnographie l'objectif commun de conserver les traces du passé. C'est dans cette perspective que l'œuvre de Jean Rouch va trouver sa place et renouveler en profondeur les liens qui unissent l'art et la science.

De l'enfance à l'adolescence : à la découverte du monde

Fils d'un lieutenant de vaisseau, Jules Rouch, et d'une mère issue d'une famille d'artistes et d'explorateurs, Lucienne Gain, Jean Rouch naît un 31 mai 1917. Bercé toute son enfance par les récits d'expéditions polaires de son père et par l'imaginaire colonial de ces années-là, il voyage de port en port sur les traces du père : Rochefort, Brest puis Alger. Jeune adolescent, il suit ses classes à Paris, en Allemagne, à Mayence puis à Casablanca où son père est nommé commandant de la Marine national. Tandis que l'explorateur reprend la mer en 1932, Jean Rouch est confié à sa famille maternelle pour poursuivre ses études à Paris. C'est elle qui lui ouvre les portes de l'avant-garde parisienne.

La découverte du Paris des années 1930, le jeune Rouch la doit notamment à son cousin André Gain qui l'initie au monde de l'art et à la bohème de Montparnasse, véritable carrefour artistique et expérimental où se côtoient les surréalistes. Ce numéro spécial[3] de la revue

---

3. Jean Rouch décrit ainsi sa découverte des deux numéros de la revue *Minotaure*: « Au coin du boulevard Montparnasse et du boulevard Raspail au printemps 1934 [...]. Dans la vitrine d'une librairie que le soleil de fin d'après-midi illuminait d'un éclairage rasant, étaient exposées deux grandes pages de la revue *Minotaure*. L'une, extraite du numéro spécial de cette revue consacré à la mission Dakar-Djibouti, était la photo inoubliable des masques Kanaga montés sur la terrasse du chasseur Monze pour son dama, l'autre était le frontispice du n° 5 de mai 1934 de la peinture métaphysique de Giorgio de Chirico, *Le Duo* ou *Les Mannequins de la tour rose*. Tout d'un coup c'était la rencontre du merveilleux, aussi bien dans la photographie de Marcel Griaule des Dogon de la falaise de Bandiagara que dans ces deux personnages emmaillotés d'inquiétude et eux aussi montés sur une terrasse au soleil couchant... » (Colleyn 2009: 31).

Minotaure, qu'il découvre dans une librairie, est consacré à la mission Dakar-Djibouti, menée par l'ethnologue Marcel Griaule. Celle-ci va « passionner le pays entier, déjà conquis par l'art africain, les *jazz-bands*, la *Revue nègre* et Joséphine Baker » (Fiemeyer 2004 : 33), et le jeune Rouch en premier lieu.

En septembre de cette même année, il entre à l'École nationale des ponts et chaussées, ce qui ne l'empêche nullement de poursuivre sa découverte de la vie culturelle foisonnante de la capitale ; il découvre notamment les salles de cinéma du Quartier latin et la Cinémathèque française qui vient d'être fondée sous la houlette d'Henri Langlois.

À l'été 1939, la guerre est déclarée. Hitler a rompu les accords de Munich dès le mois de mars en mettant la main sur la totalité de la Tchécoslovaquie, tandis qu'un mois plus tard, l'Italie envahit l'Albanie. À la fin de l'été, les négociations sur la Pologne aboutissent au pacte germano-soviétique par lequel les deux puissances s'entendent pour se partager le pays. Le 1er septembre, les forces allemandes entrent en Pologne, entraînant la déclaration de guerre de la Grande-Bretagne et de la France à l'Allemagne. Une nouvelle période commence pour Jean Rouch qui va devoir affronter l'univers de la guerre et rompre avec la légèreté du « Paris dans le vent » de ces années 1930.

Un ingénieur dans la tourmente (1939-1945)

De la mobilisation à la guerre : Paris sous l'Occupation

Mobilisé, Rouch rentre à Paris et se trouve affecté à l'École du génie militaire de Versailles pour y exercer sa fonction d'ingénieur. Bien que la guerre ait été officiellement déclarée, les opérations militaires tardent à venir. Hitler a prévu de se retourner contre la France sitôt la guerre polonaise achevée, mais l'insuffisance des équipements et les mauvaises conditions atmosphériques le contraignent à repousser l'offensive. Jusqu'en mai 1940 s'instaure en France un état d'inaction. C'est durant cette « drôle de guerre » que Rouch poursuit ses découvertes culturelles : le soir, il rentre à Paris pour aller écouter Louis Armstrong à la salle Pleyel ou Django Reinhardt et Stéphane Grappelli au Hot Club de France et continue à fréquenter les salles de cinéma du Quartier latin et la Cinémathèque française.

Après quelques mois dans la Marne, et alors que la France de Pétain institue le régime de Vichy, il retourne à Paris, alors sous l'Occupation allemande, pour y effectuer sa troisième année d'étude. Parallèlement, il commence son initiation à l'africanisme au sein du musée de l'Homme où Marcel Griaule lui ouvre le monde magique des Dogon.

De l'ingénieur à l'apprenti ethnographe

Avec ses camarades de l'École des ponts et chaussées, Rouch rêve de quitter la France occupée. Le musée de l'Homme contribue à faire naître l'espoir chez les jeunes gens pour qui l'Afrique allait devenir un refuge, et entraîner de véritables vocations. Rouch n'est pas un cas isolé ; la jeunesse de l'époque ne rêve que d'une chose : quitter l'Europe et partir à l'aventure.

Il s'engage comme ingénieur au service des Travaux publics des Colonies et débarque ainsi pour la première fois en Afrique de l'Ouest. C'est à Niamey qu'il est affecté en novembre 1941 pour construire de nouvelles routes. Mais il se détourne peu à peu de son travail des Travaux publics et s'intéresse davantage aux coutumes des Songhay, avec lesquels il travaille. C'est à ce moment-là qu'il rencontre Damouré Zika, un jeune pêcheur sorko qui va l'initier aux traditions orales et en particulier à la mythologie et aux rites des Songhay. Appliquant les conseils de Griaule, Rouch se comporte en véritable « reporter photographe » (Griaule 1957 : 83) et expédie ses études au *Journal de la Société des africanistes* ou aux *Notes africaines*.

Son travail d'ingénieur ne cesse de le désintéresser au regard de l'ethnographie. Sa passion ne plaît cependant pas à tout le monde, et il finit par être renvoyé à Dakar où son sort reste en suspens. Une fois de plus, les liens familiaux s'avèrent utiles : son père parvient à le faire accepter auprès de Théodore Monod qui dirige l'Institut français d'Afrique noire (IFAN). Mobilisé en février 1943, il est affecté à l'École du génie de Dakar et passe le reste de son temps à l'IFAN, où il s'initie à la recherche scientifique sous le regard bienveillant de son directeur.

Après l'entraînement aux côtés des sapeurs sénégalais, il rejoint l'Afrique du Nord puis Marseille avant d'arriver en Alsace où il est affecté à la 1ère division blindée du général de Lattre de Tassigny.

La guerre s'achève alors qu'il se trouve à Ulm ; fin juillet 1945 il est envoyé à Berlin pour participer au partage des zones d'occupation de la ville.

Démobilisé en octobre 1945, Rouch retourne à Paris où il retrouve ses deux amis, Sauvy et Ponty. Ayant profité d'une permission en juin 1945, il a obtenu le certificat d'ethnologie et suit les cours de Paul Rivet et de Marcel Griaule, qui se trouve depuis 1942 à la tête de la première chaire d'ethnologie. Rouch s'inscrit en thèse sous sa direction.

Lui et ses amis Ponty et Sauvy inventent le personnage du reporter Jean Pierjeant – formé grâce à leurs trois prénoms – et parviennent à décrocher un contrat d'exclusivité à l'Agence France Presse (AFP). Mais bientôt, la nostalgie de l'Afrique et le goût de l'aventure se font ressentir ; pour trouver un nouveau moyen de s'y rendre, c'est une fois de plus vers le musée de l'Homme et les réseaux savants de la métropole qu'ils se tournent.

Du rêve d'aventure à l'ethnographie : les débuts d'un africaniste (1945-1948)

Une fois dégagés de leurs obligations militaires et démissionnaires de leurs fonctions d'ingénieurs des Travaux publics, ils se lancent dans l'aventure. Au musée de l'Homme, ils rejoignent le groupe Liotard[4], lié au Club des explorateurs, où se réunissent de nouveaux et jeunes explorateurs et qui organise alors la première grande expédition de l'après-guerre en Afrique, la mission Ogooué-Congo, avec Noël Ballif[5]. C'est dans ce contexte qu'en juillet 1946, les trois amis retournent en Afrique avec l'intention de descendre le Niger en pirogue, aventure qu'ils relatent pour le compte de l'AFP sous la plume de « Jean Pierjeant ».

---

4.   En 1945, le groupe Liotard, un groupe de jeunes explorateurs, a été fondé au musée de l'Homme sous les auspices du Club des explorateurs, à la mémoire de Louis Liotard, assassiné au Tibet en 1940.

5.   La mission dirigée par Noël Ballif a été un grand succès grâce au film Jacques Becker, *Rendez-vous de juillet* (1949). Ce film raconte l'histoire des désirs et des ambitions des jeunes de l'après-guerre, à travers l'histoire d'un jeune homme qui a choisi l'ethnographie pour échapper à l'usine familiale. Il organise une expédition, laissant derrière lui le petit monde de Paris incarné par les caves de Saint-Germain et l'orchestre de Claude Luter. Au cours d'une interview, Rouch a déclaré : « Ce film rappelle un peu notre histoire » (Mouëllic 2001).

La descente du Niger en pirogue : du reporter à l'ethnographe

Les recherches ethnographiques sur les pêcheurs de la boucle du Niger s'intensifient et se spécialisent peu à peu sur les cultes des génies et les problèmes liés aux migrations des populations. Ces deux axes d'études annoncent déjà les grandes enquêtes que va diriger Rouch durant la décennie suivante. Fin mars 1947, les trois hommes atteignent Lagos et l'embouchure, qu'ils quittent quelques jours plus tard, après avoir parcouru plus de 4 200 kilomètres et passé près de neuf mois sur le Niger. C'est avec plus de 4 000 clichés, quelques centaines de mètres de pellicule, une cantine pleine de fiches et de carnets de notes, qu'ils regagnent Paris où l'heure est au bilan. Ce premier voyage permet à Rouch d'établir de nouveaux contacts et d'améliorer sa connaissance de la langue songhay, mais il lui fait avant tout prendre conscience de la nécessité de revenir pour y effectuer un travail en profondeur :

> Tout ce que nous pouvions faire, finalement, tout ce que nous avons fait, c'était de dresser une sorte de catalogue pour des enquêtes futures. (Rouch 1957 : 15).

C'est au cours de ce périple initiatique que Jean Rouch tourne ses premiers plans d'une chasse à l'hippopotame au harpon, spécialité des Sorko. Le film devient *Au pays des mages noirs* (1947), reportage davantage destiné à faire rêver les Français restés en métropole qu'à les éclairer sur les pratiques des Sorko. Mais c'est aussi un film prémonitoire puisqu'il annonce, par la technique employée et les thèmes abordés, les films et les études que Rouch réalisera tout au long de sa carrière d'ethnologue-cinéaste. Les danses de possession deviennent, tout comme la chasse, l'un des thèmes récurrents de son travail. Le culte de possession fera ainsi l'objet de plusieurs films, en particulier *Les Maîtres fous* (1955).

Les premiers pas d'un chercheur-cinéaste au Centre national de la recherche scientifique (CNRS)

L'influence de Théodore Monod, directeur de l'IFAN, mais aussi de Paul Rivet, facilite l'entrée officielle de Jean Rouch dans les réseaux de la recherche scientifique française. C'est ainsi qu'il est nommé par le CNRS attaché de recherche de la section d'ethnographie pour l'année 1947-1948.

Rattaché au musée de l'Homme à partir de l'année suivante, il peut désormais compter sur l'appui décisif de Marcel Griaule et André Leroi-Gourhan pour continuer ses recherches sur les populations de la boucle du Niger. Il effectue ainsi plusieurs missions ethnographiques sur le terrain africain au cours desquelles il s'emploie à étudier les populations songhay aux côtés de ceux qui habiteront bientôt ses films : Damouré Zika, Lam Ibrahima Dia. Ces voyages lui font prendre conscience de la difficulté de sa vocation :

> Jamais je n'ai été plus près de la crise de croissance de l'ethnographe, jamais mon métier ne m'a paru plus vain et plus inutile, jamais je ne me suis senti plus étranger aux Noirs et plus étranger à l'Europe. (Rouch 1957 : 15).

La fascination qu'éprouve Rouch pour la culture songhay se mue en une véritable vocation et les missions qu'il se voit confier par le CNRS deviennent pour lui un moyen essentiel de poursuivre ses recherches, en même temps qu'un lieu où il va devoir défendre et affirmer sa personnalité et sa démarche, parfois insolites.

L'affirmation d'une vocation plurielle (1947-1953)

Vers une certaine reconnaissance des milieux scientifiques et cinématographiques

Au printemps 1949, certains films qu'il a tournés sur le terrain sont projetés au musée de l'Homme devant la Société des africanistes et quelques autres spectateurs. Griaule est enthousiasmé par *Circoncision* (1949) qui lui rappelle son propre travail sur les rites dogon. *Initiation à la danse des possédés* (1948) est projeté au Festival du film maudit de Biarritz sous la houlette de Jean Cocteau. Il y reçoit le Grand Prix du court métrage et Pierre Braunberger lui propose de produire ses prochains films. La réception réservée à ces premiers films semble déterminer Rouch à poursuivre dans cette voie : désormais, pour lui, cinéma et ethnographie peuvent s'associer pour transmettre en métropole le quotidien des Africains qu'il filme et réduire ainsi les frontières.

D'autres voyages en Afrique de l'Ouest suivent, et avec eux de nouveaux films. De Bandiagara où il a retrouvé Marcel Griaule et Germaine Dieterlen, il rapporte la matière visuelle et sonore pour réaliser son premier film sur les Dogon: *Cimetière dans la falaise* (1951). Il entreprend ensuite aux côtés de Damouré Zika et des pêcheurs sorko le tournage de ce qui deviendra *Bataille sur le grand fleuve* (1951). Il étend son terrain d'étude et se rend en 1951 en Gold Coast, la Côte-de-l'Or (actuel Ghana) où les peuples de la boucle du Niger immigrent.

En France, son statut d'ethnographe professionnel est reconnu. Le CNRS renouvelle l'attribution de bourses et certains chercheurs qui y siègent font valoir ses qualités de « réalisateur ». Cette reconnaissance est définitivement assurée avec la soutenance de sa thèse de doctorat, fin janvier 1952, sur *La Religion et la Magie songhay*. Le CNRS ne peut qu'accepter l'intégration du jeune docteur comme chargé de recherche. D'autant plus qu'en participant ardemment à la fondation d'un nouvel organisme, le Comité du film ethnographique (CFE), Jean Rouch parvient à garantir une place au cinéma ethnographique en tant que démarche fondée sur la maîtrise d'un savoir scientifique et des procédés cinématographiques.

La création du Comité du film ethnographique sous la houlette du CNRS

La création du Comité du film ethnographique (CFE) le 23 décembre 1952 intervient dans un contexte favorable au développement des sciences humaines. André Leroi-Gourhan et Jean Rouch deviennent respectivement président et secrétaire général du CFE, qui se donne pour tâche de cataloguer et répertorier les films ethnographiques existants, de présenter des films, de promouvoir la réalisation de films présentant un intérêt ethnographique et de favoriser leur circulation afin de les faire connaître à un large public.

Espace de réflexion et d'expérimentation de nouvelles techniques cinématographiques, le CFE contribue à consolider ainsi une démarche encore marginale en formant de jeunes chercheurs-cinéastes avec le concours de l'Institut des hautes études cinématographiques (IDHEC). Rouch a eu une influence déterminante dans l'existence et le développement de cette structure qui devient pour lui un espace d'échange ainsi qu'un instrument de légitimation et de pérennisation d'une démarche novatrice.

LISTE DES MEMBRES FONDATEURS DU COMITE DU FILM ETHNOGRAPHIQUE

Marc ALLEGRET, Réalisateur de films,
Jeanine AUBOYER, Musée Guimet,
Yannick BELLON, Réalisateur de films,
Roger CAILLOIS, U.N.E.S.C.O.,
Pierre CHAMPION, Musée de l'Homme,
Jacques CHAUSSERIE-LAPREE, Centre National de la Cinématographie
Française,
René CLEMENT, Réalisateur de films,
Hubert DESCHAMPS, Office de la Recherche Scientifique d'Outre-Mer,
Georges FRIEDMANN, Centre d'Etudes Sociologiques,
Marcel GRIAULE, Sorbonne (décédé),
Jean HURAULT, Institut Géographique National,
Pierre ICHAC, Radiodiffusion Française,
Henri LANGLOIS, Cinémathèque Française,
André LEROI-GOURHAN, Sorbonne,
Claude LEVI-STRAUSS, Ecole Pratique des Hautes Etudes,
Jean-Paul LEBEUF, Centre National de la Recherche Scientifique,
Marcel LUCAIN, Musée de la France d'Outre-Mer,
Philippe de MONES, Groupe d'Etudes de Neuro-psycho-pathologie,
Théodore MONOD, Institut Français d'Afrique Noire,
Patrick O'REILLY, Société des Océanistes,
Léon PALES, Musée de l'Homme,
Viviana PAQUES, Musée de l'Homme,
Pierre PEDEBIDOU, Réalisateur de films,
Nicole PHILIPE, Réalisateur de films,
Pierre POTENTIER, Institut Français d'Afrique Noire,
Henri REYNAUD, Musée de l'Homme (décédé),
Alain RESNAIS, Réalisateur de films,
Georges-Henri RIVIERE, Musée des Arts et Traditions Populaires,
Jean ROUCH, Centre National de la Recherche Scientifique,
Georges ROUQUIER, Réalisateur de films,
André SCHAEFFNER, Musée de l'Homme,
Henri-Victor VALLOIS, Musée de l'Homme.

Liste des membres fondateurs du Comité du film ethnographique (CFE).
© Fonds Jean Rouch, Bibliothèque nationale de France.

Les années 1950 constituent pour Jean Rouch une époque fantastique où il lui est possible de poursuivre sa carrière d'ethnographe en bénéficiant du soutien du CNRS, de découvrir des bandes oubliées témoignant d'un monde disparu et de faire naître de nouveaux projets de « films ethnographiques ». Viendront bientôt les enquêtes socio-anthropologiques sur les migrations et avec elles les films majeurs de la carrière de Jean Rouch : *Les Maîtres fous* (1955), *Jaguar* (1967) et *Moi, un Noir* (1958) qui le révèlent aux cinéastes de la Nouvelle Vague. Revenir sur la formation et la construction d'une personnalité est sans nul doute une façon de mieux saisir l'itinéraire intellectuel et professionnel de celui qui deviendra l'ethnologue-cinéaste passé à la postérité. Ancré dans une histoire culturelle, sociale et politique située, Jean Rouch s'est saisi de certains héritages, en a transgressé d'autres, trouvant finalement une voie propre. Œuvrant aux côtés de ses pairs pour la professionnalisation de l'ethnographie, il va désormais pleinement s'engager sur une voie qui était jusque-là un peu défraîchie en France et définir de nouvelles ambitions au cinéma ethnographique : allier le savoir scientifique aux compétences cinématographiques, jouer des frontières entre le documentaire et la fiction. Convaincu par le pouvoir de l'image animée, Jean Rouch sera l'artisan d'une rencontre entre deux mondes qui s'ignorent et se suspectent : la recherche (science) et le cinéma (art), et militera à sa façon pour dessiner les contours d'un genre hybride : le cinéma ethnographique.

Références bibliographiques

Blanchard Pascal et Chatelier Armelle (dir.), 1993. *Images et colonies : nature, discours et influence de l'iconographie coloniale liée à la propagande coloniale et à la représentation des Africains et de l'Afrique en France, de 1920 aux Indépendances.* Paris : Syros ; Association Connaissance de l'histoire de l'Afrique contemporaine.

Colleyn Jean-Paul, 2009. « Jean Rouch : cinéma et anthropologie », *Cahiers du Cinéma.*

Daval Jean-Luc, 1980. *Journal des avant-gardes : les années vingt, les années trente.* Genève : Skira.

De Heusch Luc, 2006. « Jean Rouch et la naissance de l'anthropologie visuelle », *L'Homme,* vol. 180, n° 4, p. 43-72.

Fiemeyer Isabelle, 2004. *Marcel Griaule, citoyen dogon.* Arles : Actes Sud.

France Claudine de (dir.), 1994. *Du film ethnographique à l'anthropologie filmique.* Bruxelles, Paris, Bâle : Éditions des archives contemporaines.

Gallois Alice, 2009. « Le cinéma ethnographique en France : Le Comité du film ethnographique, instrument de son institutionnalisation ? (Années 1950-1970) », *1895. Revue d'histoire du cinéma,* n° 58, p. 80-110. En ligne : http://1895.revues.org/3960 [lien valide 25 septembre 2017].

— 2010. *Découvrir les films de Jean Rouch. Collecte d'archives, inventaire et partage.* Paris : Éditions du CNC. Essais notes sur les films : *Au pays des mages noirs* (p. 28-29), *Les Magiciens de Wanzerbé* (p. 32-35), *Initiation à la danse des possédés* (p. 37-39),

Cimetière dans la falaise (pp. 40-43), *Bataille sur le grand fleuve* (p. 44-47), *Les Maîtres fous* (p. 50-53), *Moro Naba* (p. 60-61), *L'Afrique et la recherche scientifique* (p. 76-77), *Gare du Nord* (p. 78-81), *La Goumbé des jeunes noceurs* (p. 82-83).

— 2013. « Le cinéma au musée de l'Homme (1re partie : 1937-1953). La construction d'un patrimoine, l'invention d'une culture ? », *Le Journal des Anthropologues*, n° 134-135, p. 375-392.

— 2014. « Les images animées au musée de l'Homme ou la rencontre de deux mondes (1930-1950) », *Conserveries mémorielles*, #16. En ligne : https://cm.revues.org/1980 [lien valide 26 août 2017].

Griaule Marcel, 1957. *Méthode de l'ethnographie*. Paris : PUF.

Leroi-Gourhan André, 1948. « Cinéma et sciences humaines : le film ethnologique existe-il ? », *Revue de géographie humaine et d'ethnologie*, n° 3, p. 42-51.

Merle des Isles Marie-Isabelle, 2005. *Destins d'explorateurs : de l'Antarctique à l'Asie centrale, 1908-1950*. Paris : La Martinière.

Mouëllic Gilles, 2001. « Jean Rouch : comme Armstrong jouait de la trompette », *Jazz Magazine*, n° 514.

Piault Marc-Henri, 2000. *Anthropologie et cinéma : passage à l'image, passage par l'image*. Paris : Nathan.

Picard Jean-François, 1999. « La création du CNRS », *La Revue pour l'histoire du CNRS*, 1. En ligne : http://histoire-cnrs.revues.org/485 [lien valide 20 septembre 2017].

Prost Antoine, 1988. « Les origines de la politique de la recherche en France (1938-1958) », *Cahiers pour l'histoire du CNRS*, 1. En ligne : http://www.histcnrs.fr/pdf/cahiers-cnrs/prost-1.pdf [lien valide 26 août 2017].

Rivet Paul *et al.* (dir.), 1933. « Mission Dakar-Djibouti 1931-1933 », *Minotaure*, n° 2, p. 88 (couverture de Gaston-Louis Roux).

Rouch Jean, 1943. « Aperçu sur l'animisme sonraï », *Notes africaines*, n° 20, p. 4-8.

— 1945. « Cultes des génies chez les Songhay », *Journal de la Société des africanistes*, vol. 15, p. 15-32.

— 1951. « Les pêcheurs du Niger : techniques de pêche, organisation économique et problèmes de migrations », *Bulletin de l'IFAN*, Dakar, p. 17-20 (repris dans *Les Hommes et les Dieux du fleuve*, 1997, Paris : Éditions Artcom).

— 1953. « Contribution à l'histoire des Songhay », *Mémoires de l'Institut français d'Afrique noire*, n° 29, Dakar : IFAN, p. 137-259.

— 1954. *Le Niger en Pirogue*. Paris : Nathan.

— 1956. « Migrations au Ghana (Gold Coast) : enquête 1953-1955 », *Journal de la Société des Africanistes*, n° 26, p. 33-196. En ligne : www. persee.fr/doc/jafr_0037-9166_1956_num_26_1_1941 [lien valide 17 septembre 2017].

— 1957. « Connaissance de l'Afrique noire », *in* Fouguet, Gaëtan et Lejard André (dir.), *Connaissance du monde : Explorations, tome 1*. Paris : Fasquelle, p. 15-88.

— 1960. *Essai sur la religion songhay*. Paris : PUF.

— 1992. « Ma vie en Rouch », *in* Toffetti Sergio (dir.), *Jean Rouch : le renard pâle*. Turin : Centre culturel français de Turin / Bibliothèque de cinéma de Turin.

— 1995. « L'Autre et le Sacré : jeu sacré, jeu politique », *in* Thompson Christopher W. (dir.), *L'Autre et le Sacré : surréalisme, cinéma, ethnologie*. Paris : L'Harmattan, p. 407-430.

— 2000. « L'ethnographe et le cinéaste : un véloportrait des origines », *Afrique contemporaine*, n° 196, p. 5-16.

Sauvy Jean, 2001. *Un ingénieur dans la tourmente*. Paris : L'Harmattan.

Sibeud Emmanuelle, 2002. *Une science impériale pour l'Afrique ? La construction des savoirs africanistes en France, 1878-1930*. Paris : Éditions l'EHESS.

Venayre Sylvain, 2002. *La gloire de l'aventure : genèse d'une mystique moderne 1850-1940*. Paris : Aubier.

Vray Nicolas, 1994. *Monsieur Monod : scientifique, voyageur et protestant*. Arles : Actes Sud.

Archives sonores

Echard Nicole, 1988. « À voix nue : dix entretiens avec Jean Rouch », France-Culture, juillet 18-29.

Fonds d'archives

École nationale des ponts et chaussées (ENPC)
— 9502/1 : Dossier étudiant de Jean Rouch
Centre national de la recherche scientifique (CNRS)
— 910024/DPC : Carrière de Jean Rouch
— 910025/DPAA : Carrière de Jean Rouch

Centre d'archives d'outre-mer (CAOM)
— FR CAOM SAFOM c 647 : Carrière de Jean Rouch
Fonds d'Anne et Gérard Philip, légué à la Bibliothèque du Film (BiFi)
— AGP 251 B 36 : les Journées du Film ethnographique, biennale de Venise (1953)
— AGP 248 B 36 : Rapports d'activité du CIFE (1953-1958)
Fonds Jean Rouch, non-classifié, légué à la Bibliothèque nationale de France (BnF)
— NAF 28468 : Lettres, rapports, comptes, notes, scénario / éléments de scénario…

Films cités

BECKER Jacques, 1949, *Rendez-vous de juillet*.
ROUCH Jean, 1947, *Au pays des mages noirs*.
— 1948, *Initiation à la danse des possédés*.
— 1949, *Circoncision*.
— 1951, *Cimetière dans la falaise*.
— 1951, *Bataille sur le grand fleuve* (*Chasse à l'hippopotame*).
— 1955, *Les Maîtres fous*.
— 1958, *Moi, un Noir*.
— 1954-1967, *Jaguar*.

La philosophie ouest-africaine de Jean Rouch

Paul STOLLER

Début 1988, je me rends au Niger pour continuer mon travail ethnographique de terrain parmi les Songhay. Avant de remonter le fleuve, je passe quelques jours à l'Institut de recherches en sciences humaines (IRSH) à Niamey, la capitale. Lors de ce bref séjour, je retrouve Jean Rouch tous les matins pour un petit-déjeuner fait de café au lait, de baguette, de visiteurs passionnants, d'anecdotes palpitantes et de grands éclats de rire. La veille de mon départ pour le terrain, Jean me demande ce que j'ai de prévu pour la journée.

— J'ai plusieurs rendez-vous, lui dis-je.
— Oublie-les et viens avec moi. Il y a quelque chose que je veux te montrer de l'autre côté du fleuve.

Je n'ai jamais refusé une invitation inopinée de sa part, car l'expérience s'est toujours révélée pleine d'aventures, de plaisir et d'enseignements.

Nous nous installons alors dans sa vieille 2 CV et nous traversons le pont Kennedy pour rejoindre « *haro banda* » – « derrière l'eau » –, comme les Songhay appellent les terres situées à l'ouest du grand fleuve. Nous nous arrêtons au niveau d'un hangar, à l'ombre duquel sont assis paisiblement des hommes et des femmes. Il y a là un violon à une corde posé sur une natte de palmier et trois calebasses couvrant de petits trous creusés dans le sol. Il s'agit d'instruments utilisés lors de cérémonies de prise de possession. Rouch connaît tout le monde et, à en juger par la fluidité de ses rapports avec les gens qui se trouvent là, il fait peu de doute que ça ne date pas d'hier. Il me présente à un prêtre de possession d'esprits, à un griot et à plusieurs médiums d'esprit.

— Quand vont-ils commencer? demandé-je.
— Plus tard dans l'après-midi, me répond-il. Ce qui est intéressant ici, c'est l'endroit où va se dérouler la cérémonie.
— Comment ça?

Il me montre du doigt une grande villa qui s'élève derrière un haut mur de briques de terre.

— C'est la maison du recteur de l'université islamique, m'explique-t-il en riant sous cape. Et ils vont jouer la musique des « *sasale* ».
— Les esprits qui insultent l'islam?
— Exactement.
— Une protestation bon enfant? Un soupçon de résistance culturelle?
— Oh non, pas vraiment! Les esprits sont en colère. Ils pensent que l'islam est en train de détruire le pays.

Nous partons avant le début des festivités, nous enfonçant dans le « *haro banda* » pour arriver à la concession de Damouré Zika. Devant la clinique Jane-Rouch, nommée ainsi en l'honneur de feu son épouse, Rouch retrouve ses vieux collaborateurs et amis Damouré Zika, Lam Ibrahim Dia et Tallou Mouzourane. Ils se mettent immédiatement à raconter des histoires qui nous font tellement rire que Tallou en perd l'équilibre. Puis nous prenons un déjeuner tardif, au cours duquel d'autres anecdotes provoquent de nouveaux fous rires. À cette époque, Jean, Damouré, Lam et Tallou sont déjà amis depuis près de quarante ans – de quoi attester des joies de l'amitié!

Dans ce pays, Jean semble connaître des gens partout où il va. À la chaleur qui se dégage de ces rencontres – sans oublier la qualité des histoires contées et des rires qui les accueillent –, il est clair que Rouch a développé le plus profond respect pour ces gens et que, naturellement, ils le lui rendent bien. Au Niger, Jean Rouch paraît – en tout cas à mes yeux – parfaitement à son aise et d'humeur espiègle.

Le chemin de l'amitié

Les Songhay du Niger et du Mali font souvent usage de proverbes pour exprimer leur approche philosophique du monde qui les entoure. Nombre de ces derniers mettent en avant la fierté de l'artisan, celle du travail bien fait. Pour les Songhay, les plus importants sont toutefois peut-être ceux qui traitent du courage et de la peur, de la fidélité et de la trahison, de l'amour et de la haine. Tous ces proverbes donnent aux hommes une direction et les outils leur permettant de suivre les chemins de la vie.

Il y a des douzaines de proverbes songhay qui soulignent les problèmes existentiels inhérents à la condition humaine. Et il y en a un particulièrement adapté à l'œuvre de Jean Rouch :

> *Ce follo a si fonda hinka gana.*
> Un pied ne peut suivre deux chemins à la fois.

La plupart des admirateurs de Jean Rouch s'intéressent essentiellement aux innovations qu'il a apportées au cinéma. Ses films les plus connus – *Les Maîtres fous* (1955), *Jaguar* (1954-1967), *Moi, un Noir* (1958), et surtout *Chronique d'un été* (1961) – ont inspiré les cinéastes de la Nouvelle Vague (entre autres Godard et Truffaut), qui ont à jamais modifié la texture de la réalisation cinématographique en France. Il a créé une nouvelle forme de cinéma documentaire, l'ethnofiction, utilisant le récit pour explorer avec force les questions centrales de la vie sociopolitique du xxᵉ siècle – le colonialisme, l'impérialisme et le racisme. Ces films ont « cruellement » – au sens artaudien de cruauté – mis leur public face à leurs propres convictions refoulées quant à la race, l'exploitation économique et la politique (Stoller 2005).

La plupart des spécialistes de Jean Rouch laissent entendre que ces accomplissements sont la conséquence de son histoire personnelle et d'une pratique cinématographique de son propre aveu engagée (voir Henley 2009 et Feld 2003, parmi bien d'autres). Dans cet article, j'avance que l'exposition de Rouch aux aspects philosophiques des croyances songhay et des pratiques associées a eu, elle aussi, un impact profond sur sa vision du monde et son cinéma.

La découverte du respect sur le chemin

Selon la vision songhay du monde, la vie est une suite de chemins que l'on suit jusqu'à atteindre un embranchement, un endroit où l'on doit à nouveau choisir vers où se diriger (Stoller 1980). Le long de la voie choisie, il est important de cultiver des relations de soutien mutuel, tant avec la famille qu'avec les amis ou les collègues. La notion songhay de « beyrey », qu'on pourrait traduire approximativement par « connaissance », sous-tend ces idées complexes. Le terme vient du mot songhay « bey », qui signifie « connaître ». Dans le monde songhay, lorsque le travail d'un praticien a « informé » quelqu'un, les gens disent : « Ni m'ay beyrendi », ce qui signifie que la personne a non seulement fourni une information importante, mais aussi généré du respect mutuel, ce qui augmente « mécaniquement » l'amitié préexistante. Et, de fait, l'œuvre de Jean Rouch a d'abord eu pour fondement l'amitié respectueuse qu'il a entretenue avec un ensemble remarquable de personnages, dont la plupart étaient originaires des régions occidentales du Niger.

Lorsque Jean Rouch commence à travailler au Niger, alors colonie française, d'abord à la construction de routes en tant qu'ingénieur de l'École des ponts et chaussées, puis comme ethnographe débutant et documentariste en devenir, il se retrouve dans une aire culturelle au sein de laquelle les gens consacrent beaucoup d'énergie à bâtir et renforcer des amitiés, une pratique qui génère le respect. Ainsi, les Songhay aiment-ils à dire :

> Kumba hinka ga charotarey numey.
> Il faut être deux pour nettoyer (c'est-à-dire nourrir) une amitié.

Il suffit de passer rapidement en revue l'œuvre ethnographique et cinématographique de Rouch pour se rendre compte que cette approche socialement définie de la connaissance et des relations interpersonnelles lui a indiqué la voie à suivre dans son travail.

Son premier ami au Niger est Damouré Zika, contremaître d'une équipe de terrassement, qui parle bien le français. Un jour, la foudre tue dix ouvriers sur le chantier d'une route près de Gangell. L'équipe se met à avoir peur de Dongo, divinité songhay de l'éclair et du tonnerre, connue pour ses sautes d'humeur. Ce dieu vengeur va-t-il tuer les autres ouvriers ? Ceux-ci, en état de choc, refusent de continuer à travailler.

Rouch organise alors une rencontre avec ses travailleurs songhay au sujet de l'accident tragique qui vient d'avoir lieu et leur demande s'il y a quelque chose à faire. Un chœur de pieux musulmans lui répond que rien ne peut réparer l'œuvre du « diable ». Mais une voix isolée, celle de Damouré Zika, qui vient d'une famille de Sorko, des magiciens griots du fleuve Niger, laisse entendre que sa grand-mère, Kalia, prêtresse de possession d'esprits, pourrait résoudre le problème. Sans tarder, Rouch, Damouré Zika et Kalia, ainsi qu'un groupe de musiciens, se rendent à Gangell pour y organiser un « Dongo hori », une cérémonie de prise de possession consacrée à Dongo, au cours de laquelle ils vont interroger le dieu. Les musiciens commencent à jouer la musique de ce dernier, puis Kalia s'approche des corps des ouvriers morts et verse sur eux du lait frais. Encouragé par la musique et l'offrande, Dongo prend possession d'une vieille médium au corps frêle et parle par sa voix. Il dit que les hommes ont travaillé sur « son » territoire sans avoir fait d'offrandes appropriées au préalable. C'est la raison pour laquelle il a tué dix ouvriers. Il assure alors à Kalia que, étant donné la cérémonie, les offrandes et le respect dont on vient de faire preuve à son égard, il n'y aura pas de nouveaux morts. Après ce rituel, Kalia invite Rouch à assister à d'autres cérémonies de prise de possession dans sa concession de Gamkalle, un quartier de Niamey situé le long du fleuve. Fasciné et impressionné par cette femme remarquable, Rouch accepte son invitation (voir Stoller 1992).

La rencontre de Rouch avec Damouré Zika et Kalia est à la base de tout ce qu'il vivra au Niger, où il sera témoin d'événements « qui ne nous sont pas encore connus ». La puissance dramaturgique de ces cérémonies est telle que Rouch se garde bien d'une explication facile. Au lieu de cela, il s'immerge dans le monde songhay de la possession des esprits, de la sorcellerie, de la divination et de la magie de la chasse, autant d'éléments qui deviendront les sujets de ses films les plus importants.

Ayant compris l'importance d'établir des relations sociales au sein des peuples songhay, peul et hausa, et de renforcer celles qui existent déjà, Jean Rouch ne travaille jamais seul. Au cours de ses premières années de terrain, il se fait des amis dans l'ouest du Niger et dans le nord-est du Mali, rencontre des spécialistes, observe des cérémonies de possession et des rites magiques. À Wanzerbé, son amitié avec le grand sorcier Mossi Bana informe profondément sa compréhension des complexités de la magie songhay. L'intensité et la qualité de ses relations avec des sorciers vétérans de Wanzerbé lui permettent d'obtenir l'autorisation de filmer un « *sohanci hori* », une danse de sorciers, au cours de laquelle le sujet vomit puis ravale son « *sisiri* », sa chaîne magique, manifestation physique de son pouvoir de sorcier. C'est ainsi qu'il parvient à documenter l'inimaginable, forçant ainsi ses spectateurs à élargir leur champ de conscience et à questionner les fondements de leur vision du monde.

L'équipe de Rouch se rend ensuite dans le célèbre village de Simiri, au nord-est de Niamey, au cœur du pays songhay-zarma. Tandis que Wanzerbé, situé tout à l'ouest du Niger, est connu pour la sorcellerie, Simiri est un centre important de prise de possession, un endroit où les participants aux cérémonies utilisent des instruments anciens. Le « gang » de Rouch se lie d'amitié avec Douda Sorko, griot et prêtre du groupe chargé des prises de possession à Simiri, ainsi qu'avec Wigindi Godji, le joueur de violon à une corde le plus renommé de son époque. C'est à Simiri que Rouch tournera nombre de ses films sur la prise de possession, dont en particulier *Tourou et Bitti, les tambours d'avant* (1971), un plan-séquence d'une dizaine de minutes au cours desquelles résonnent des tambours archaïques (Tourou et Bitti). Se déplaçant librement au milieu de ses vieux amis, Rouch et sa caméra, qui suivent les musiciens et les danseurs, semblent déclencher eux-mêmes la possession, ce qui poussera le documentariste à parler de « ciné-transe ».

Une cérémonie de prise de possession à Tillabéri, Niger, 1984.
© Paul Stoller

L'un des plus grands films de Rouch, *Jaguar*, est le résultat d'une collaboration entre amis – Jean, Damouré, Lam, Illo Goudel'ize et Duma Beso. Un jour, sur le pittoresque marché qui se tient le long du fleuve Niger à Ayorou, Damouré réfléchit à haute voix à l'idée de faire un film sur le voyage jusqu'à la Côte-de-l'Or, un rite de passage ancestral destiné aux jeunes hommes nigériens. Et c'est ainsi que, après avoir cherché des garanties magiques auprès de spécialistes, ils partent vers le sud et traversent le Burkina Faso et le Togo avant d'atteindre Lomé, puis enfin Accra et Kumasi.

Pour moi, ce film est l'expression même d'une amitié et d'une joie de vivre nourries par l'aventure, qui trouvent toutes deux leur origine dans une production fraternelle de connaissance correspondant à la notion songhay de « *beyrey* ».

On peut en dire autant de presque tous les films de Jean Rouch, dont un grand nombre fut produit par DaLaRouTa, une société de production possédée conjointement par Damouré, Lam, Rouch et Tallou. « Il faut être deux », pour citer une nouvelle fois le proverbe songhay, « pour nourrir une amitié ». Et, de fait, le « *beyrey* » transparaît clairement dans des films comme *Petit à petit* (1970), *La Pyramide humaine* (1959) et *Moi, un Noir* (1958), ainsi que dans *Chronique d'un été*. D'un point de vue ouest-africain, ces narrations cinématographiques démontrent combien il faut d'efforts pour établir et renforcer des relations sociales, sources d'un immense respect de soi et de l'autre. Épistémologiquement, les films de Jean Rouch sont des expressions du « *beyrey* », des illustrations qui soulignent les notions songhay traditionnelles de respect et leur font honneur.

L'épistémologie ouest-africaine de Jean Rouch

Au Niger, c'est la relation entre maîtres et apprentis qui définit les contours de l'acquisition, de la production et de la transmission de la connaissance. Le maître tisserand, forgeron, pêcheur, griot ou sorcier est chargé d'enseigner ce qu'il (ou elle) sait aux apprentis. Ces derniers « se tiennent » auprès du maître, ce qui signifie qu'ils le regardent avec attention tisser, forger, pêcher, réciter ou pratiquer la divination. Dans chaque cas, les maîtres établissent les fondements de leur pratique et guident leurs apprentis jusqu'au point où de nouveaux chemins se présentent à eux. Sur cette voie, certains trébuchent et décident de tourner les talons. D'autres luttent pied à pied jusqu'à ce que leurs chemins

« s'ouvrent », comme disent les Songhay, et qu'ils trouvent leur propre style et leur voix (Stoller 2008).

C'est cette épistémologie, fondée sur une lente découverte par soi-même, qui a présidé à mon apprentissage auprès de feu Adamou Jenitongo, maître sorcier de Tillabéri, au Niger. Il me demandait de mémoriser des incantations, mais ne me « disait » jamais ce qu'elles signifiaient. Il décrivait des plantes médicinales et m'envoyait les chercher dans la savane. Il pratiquait la divination et exécutait des rites magiques sans jamais m'expliquer comment ils opéraient. Et lorsque je demandais des éclaircissements, il me répondait invariablement : « Tu trouveras ton propre chemin en temps voulu. Tu comprendras quand ce sera le moment. »

On peut en dire autant de l'attitude de Jean Rouch à mon égard. Que ce soit au Niger ou à Paris, il invitait l'ethnographe apprenti que j'étais à marcher ou à m'asseoir avec lui. Il ne me disait jamais comment faire. Seul son exemple donnait une idée de la direction à suivre. En observant Jean sur le terrain, j'ai appris que dans le travail ethnographique le personnel et le professionnel ne sont jamais distincts l'un de l'autre. Son exemple m'a forcé à comprendre que la qualité d'un livre ou d'un film ethnographique est directement liée à la profondeur des relations forgées entre l'ethnographe et ses sujets. Voilà les leçons épistémologiques du « *beyrey* » (Stoller 1992, 2008 et 2014).

Comme Adamou Jenitongo et Jean Rouch aimaient à le dire, « le travail doit continuer ». Pour Adamou, cela signifiait que sa responsabilité première était de transmettre sa connaissance à la génération de guérisseurs suivante, qui, à son tour, la transmettrait aux générations futures. Pour Jean, son travail « fonctionnait » s'il inspirait une nouvelle ethnographie ou un nouveau film ethnographique, une nouvelle façon de penser ou de représenter le monde. Dans l'approche du monde qu'ont les Songhay, les plus grands praticiens ne sont pas « propriétaires » de la connaissance ; ils en sont les gardiens et n'en ont la jouissance que pour un bref moment au regard de l'histoire de l'humanité (Stoller 2004, 2008 et 2014). Le travail doit en effet continuer tandis que la connaissance – du tissage, de la pêche, de l'élevage et de la culture, de la sorcellerie, de l'histoire, de l'ethnographie, de la réalisation cinématographique – poursuit son chemin à travers le temps.

Adamou Jenitongo, « *sohanci* » de Tillabéri, Niger.
© Paul Stoller

Jean Rouch était l'un des gardiens de la connaissance ouest-africaine. Il s'en est servi pour réaliser des films inoubliables qui nous incitent à jouir des merveilles du monde. Sa voix et son esprit nous accompagnent et continueront à guider bien des générations à venir. « Le travail doit continuer. »

Références bibliographiques

FELD Steven (dir. et trad.), 2003. *Ciné-Ethnography / Jean Rouch*. Minneapolis: University of Minnesota Press.

HENLEY Paul, 2009. *The Adventure of the Real: Jean Rouch and the Craft of Ethnographic Cinema*. Chicago: The University of Chicago Press.

STOLLER Paul, 1980. « The Negotiation of Songhaï Space Phenomenology in the Heart of Darkness », *American Ethnologist*, vol. 7, n° 3, p. 419-432.

— 1992. *The Cinematic Griot: The Ethnography of Jean Rouch*. Chicago: The University of Chicago Press.

— 2004. *Stranger in the Village of the Sick: A Memoir of Cancer, Sorcery and Healing*. Boston: Beacon Press.

— 2005. « The Work Must Go On: A Tribute to Jean Rouch », *American Anthropologist*, vol. 107, n° 1, p. 122-126.

— 2008. *The Power of the Between: An Anthropological Odyssey*. Chicago: The University of Chicago Press.

— 2014. *Yaya's Story: The Quest for Well-Being in the World*. Chicago: The University of Chicago Press.

Films cités

ROUCH Jean, 1948, *Les Magiciens de Wanzerbé*.

— 1955, *Les Maîtres fous*.

— 1954-1967, *Jaguar*.

— 1958, *Moi, un Noir*.

— 1959, *La Pyramide humaine*.

— 1970, *Petit à petit*.

— 1971, *Tourou et Bitti, les tambours d'avant*.

ROUCH Jean et MORIN Edgar, 1961, *Chronique d'un été*.

Jean Rouch, maître ès bonheur(s)

Jean-Michel ARNOLD

Jean-Michel Arnold, Jean Rouch et Roberto Rossellini à la Cinémathèque française en 1973 à l'occasion d'un colloque organisé par le laboratoire audiovisuel du CNRS (devenu CNRS Image/Média).
© Fonds de Jean-Michel Arnold

Jean Rouch avait une hygiène de vie : le bonheur. Pour lui et pour tous ceux qu'il aimait, qu'il admirait, à qui il enseignait, qu'il rencontrait…

Il était heureux, toujours, racontant un scénario, tournant sur des terrains amis ou difficiles, visionnant ses *rushes* (avec sa fidèle Simone Jousse), guidant le montage (avec deux stars de la profession : Marie-Josèphe Yoyotte et Danielle Tessier), projetant le film à des amis, ou en simple spectateur de ses œuvres au musée de l'Homme ou au Festival de Cannes…

Son repaire d'origine restait le Comité du film ethnographique (où régnait sa grande vestale Françoise Foucault), mais il avait deux autres maisons : l'UNESCO et le CNRS.

À l'UNESCO, il retrouvait son « parent à plaisanteries », Enrico Fulchignoni, directeur de la création artistique et littéraire. Ensemble, ils imaginaient d'autres parentés (aux images, aux sons…). Ainsi, ils invitaient à se découvrir et à s'affronter (souvent dans le grand auditorium) des créateurs venus des cinq continents. Des poètes de la *Beat Generation* rivalisaient d'imagination avec des griots africains. Des montreurs d'ombres asiatiques échangeaient leurs visions avec de jeunes vidéastes européens…

Si Jean Rouch adorait créer des « parentés » à l'ombre de l'UNESCO, l'une de ses préférées, partagée avec nombre de chefs de village et de créateurs africains, n'avait pourtant pas sa place dans la noble institution : « la parenté à chier ». Cet instant de sagesse partagée et de débats menés sur une même planche trouée, Jean le prétendait à l'origine de beaucoup de ses films…

Quand le dossier d'un projet leur revenait barré de la mention « impossible », Jean et Enrico soupiraient : « On a bien fait de le faire… ».

Ensemble, ils créèrent le Conseil international du cinéma et de la télévision (CICT), qui célébrait un « cinéma nouveau » et qui est aujourd'hui présidé par leur « frère en cinéma » Inoussa Ousseini, ambassadeur du Niger auprès de l'UNESCO, un président complice qui reste porté par leur imagination créatrice, avec, dans la tête et dans le cœur, la feuille de route qu'ils nous ont laissée.

Dans tous les festivals, le CICT remettait des prix propres à euphoriser les créateurs marginaux. Les jurys étaient composés sur place, souvent la veille du palmarès, assemblant, à leur gré, des copains et quelques invités prestigieux de la manifestation.

Quant au CNRS… avec Jean Rouch, la plus sévère et la plus prestigieuse des institutions se métamorphosait, à l'image d'une caserne de pompiers au soir du bal du 14 juillet… Il transformait en joyeux toboggans les longs cheminements administratifs. Il élevait au rang d'heureuse confrérie une équipe de chercheurs formés à la hiérarchie. Il décidait que l'escalier et sa cage appartenaient à ses espaces. Il les convertissait en studios...

Au CNRS, il souhaita se créer une résidence secondaire avec Marielle Delorme son amie et complice. Il me proposa alors au poste de directeur d'un laboratoire audiovisuel. Il y fut adoré par tous les réalisateurs et techniciens, tous ceux qui, en fonction de leurs spécialités (sciences exactes, sciences naturelles, humanités...) ne se témoignaient, entre eux, que de l'indifférence, sinon quelque mépris. Certes, l'ethnographie leur paraissait toujours dérisoire face aux mystères de la matière noire, à la fureur des volcans ou à la vie privée des molécules. Mais Jean Rouch avait statut de magicien !

Annick Demeule, qui dirigeait la production, lui attribua aussitôt une immense armoire métallique, emplie de pellicules film et de bandes son. Barberine Feinberg (aujourd'hui à la barre du Comité du film ethnographique) poursuivit la tradition.

À chaque départ « en mission », Jean Rouch venait remplir son sac... sac qui, au retour, débordait d'étonnantes captations. Jamais, il ne ramena un mètre de pellicule vierge. Si, la veille de son départ, il lui restait quelques bobines – rarement – il improvisait un nouveau document ou faisait le bonheur d'un jeune réalisateur qu'il avait initié au regard-caméra.

Mais cet espace, qu'il fertilisait de sa joie de vivre et de son génie polymorphe, il fallait aussi qu'il serve de niche écologique aux populations rencontrées au cours de son cabotage dans l'archipel aux bonheurs.

La « Grande Dame », Germaine Dieterlen, en faisait partie et devait être l'objet de vénérations. Elle était, il est vrai, charmante et gaie. J'ai le joli souvenir d'un jour où son fidèle traducteur dogon, revêtu d'une double capote militaire (on était au mois d'août) lui contait une de ces légendes qu'elle adorait. Je me permis d'interrompre leur échange, faisant remarquer à son adorateur qu'il parlait encore alors que la bande-son était terminée. « C'est la voix des ancêtres », me reprit vertement le Dogon. « C'est la voix des ancêtres » me confirma Germaine, avec la douceur d'une personne indulgente s'adressant au profane.

Une autre belle figure devait être honorée : Georges-Henri Rivière, pianiste fêté dans les salons des Années folles et fondateur du musée de l'Homme. Surnommé le « magicien des vitrines », il participa à la création du Conseil international des musées. Il en fut le premier président.

C'était un vieillard très coquet, souvent appuyé sur un jeune ange gardien. Il appelait Jean Rouch « mon petit ».

Devenu le grand cinéaste du CNRS audiovisuel, ce « petit » demandait que l'impossible soit accordé à ses pairs, pères fondateurs de l'« anthropologie visuelle », comme Guy Le Moal, le spécialiste des masques bobo, ou Gilbert Rouget, pape de l'ethnomusicologie. Avec lui, pour lui, nous avons coproduit, associés à Chant du monde, la collection « Traditions musicales des cinq continents ».

De même, devions-nous accueillir, comme Hollywood ses oscars, les amis ethnologues-cinéastes : la vibrante Nicole Échard, l'engagé Jean-Pierre Sergent, le précis Hugo Zemp, le fougueux Marc Henri Piault... leurs belles élèves inspirées : Éliane de Latour, Nadine Wanono... et, bien entendu, les deux grands « apprentis » du maître : Bernard Surugue et Philippe Costantini.

De grandes festivités devaient marquer le passage à Paris des cinéastes africains. Je les ai rassemblés à la cinémathèque d'Alger lors du premier Festival culturel panafricain et j'ai constaté que Jean Rouch restait leur ancêtre totémique[1]. Des pionniers historiques (Paulin Soumanou Vieyra ou Sembène Ousmane) aux jeunes passionnés (Mustapha Alassane ou Djibril Diop) et même aux bouillants rebelles, tous formaient autour de lui une joyeuse et fiévreuse fratrie.

Un statut à part était réservé aux gais lurons, héros de ses grands classiques : Damouré Zika (qui affirmait fièrement : « Grâce à Jean, je suis devenu le Gabin africain »), Lam Ibrahim Dia, maître en farces et grimaces, Tallou Mouzourane, le musicien inspiré... Escortant le cinéaste, ils foulèrent ensemble le tapis rouge de Cannes en 1976 pour la présentation, en compétition officielle, de *Babatou, les trois conseils*, réalisé grâce à son « frère » mécène, Inoussa Ousseini.

Jean avait aussi la passion des fous de cinéma. Quel que soit son âge, sa condition sociale, son continent d'origine, quiconque se présentait à lui avec des images se retrouvait aussitôt en famille. Si la création l'habitait, Jean lui trouvait une caméra, de la pellicule (au CNRS audiovisuel), une monteuse (souvent la sienne). Il faisait projeter son film dans sa

1.   Sur demande de Henri Langlois, Jean-Michel Arnold part pour l'Algérie indépendante et participe à la création de la Cinémathèque nationale algérienne avec Ahmed Hocine et Mohamed Sadek Moussaoui. Il y organise ensuite en 1969 le congrès mondial des Documentaristes et les rencontres des Cinémas du monde pour le premier Festival culturel panafricain.

« quatrième maison » : la Cinémathèque française. Et si le jeune homme n'était pas assez rapidement reconnu, il créait un festival (ainsi, avec Jean Rouch, avons-nous créé le Cinéma du réel[2])...

Jean-Luc Godard affirme, avec raison, que Jean Rouch a été à l'origine de la Nouvelle Vague (avec son grand copain Roberto Rossellini). Autre passion de Jean Rouch : l'innovation. Les frères Blanchet, Vincent et Séverin, joyeux et subversifs créateurs des ateliers Varan, l'avaient convaincu, sinon d'utiliser la vidéo, du moins de ne point en éloigner les jeunes de ses nombreux fan-clubs. Un troisième et génial complice, Jean-Pierre Beauviala, créait les outils de leurs nouvelles investigations : la « paluche », caméra vidéo de poing en forme de stylo-bille qui enregistrait l'événement sans que les protagonistes n'en soient affectés (en fait, le rêve impossible d'Alexandre Astruc : la « caméra-stylo ») et la caméra Aaton (ainsi nommée pour figurer en tête, alphabétiquement, des catalogues de matériel audiovisuel), avec son « marquage du temps » si précieux pour les ethnologues.

Ni Jean-Jacques Rousseau ni Jules Ferry... Jean Rouch aimait transmettre. Il n'était vraiment ni formateur, ni pédagogue, ni éducateur, ni gourou... Il irradiait. Il transportait. Il lui semblait naturel que ses passions soient partagées. Face au plus rétif, il avait cette persévérance vantée par Confucius. Ne comptaient ni le temps ni l'espace. Pour lui, le seul mot que l'on pouvait accoler à celui de « cinéma » était « liberté ».

Chaque année, lors des rencontres internationales Image et Science que nous avons organisées avec Annick Demeule pendant plus de vingt ans à la tour Eiffel, il tenait plusieurs « classes » : pour les présidents des chaînes de télévisions (françaises et étrangères), pour les étudiants des écoles de cinéma, pour les cinéastes amateurs et pour les adolescents des lycées... Je ne me souviens pas que son discours ait varié d'une nuance ou même d'un adjectif (fût-il technique) en fonction de publics si divers... Il vantait, en toute simplicité, les plaisirs de voir, puis de regarder.

La curiosité.

Puis le bonheur.

---

2. En 1979, le Cinéma du réel est repris par Jean-Michel Arnold (CNRS) et Jean Rouch (Comité du film ethnographique), qui en fait une manifestation phare du film ethnographique et sociologique. Créé en 1975 par Jacques Willemont à Créteil sous le nom de « L'homme regarde l'homme », ce festival est renommé « Cinéma du réel » et sera accueilli au Centre Georges Pompidou – qui a ouvert ses portes un an plus tôt – en 1978. En 1982, Rouch organise le premier « Bilan du film ethnographique » au musée de l'Homme.

Film cité

ROUCH Jean, 1976, *Babatou, les trois conseils.*

Jean Rouch revisité

Philo BREGSTEIN

Printemps 2009. Le monde du cinéma « *underground* » de Jean Rouch à Paris est sur le point de disparaître. Dans les années 1960, Rouch avait installé son Comité du film ethnographique (CFE) au musée de l'Homme, place du Trocadéro, dans l'aile ouest du vaste palais de Chaillot. L'esplanade centrale du palais donne sur la tour Eiffel, que Rouch montrait souvent avec enthousiasme à ses visiteurs. À présent, le musée de l'Homme s'apprête à fermer pour une réhabilitation substantielle. En 2004, Jean Rouch, qui avait déjà largement dépassé les 80 ans – ce qui ne l'empêchait pas de rester alerte et de garder une joie de vivre intacte –, disparut brutalement dans un accident de voiture au Niger, ce pays qu'il aimait tant. C'est là qu'il fut enterré après des funérailles nationales ; il avait en effet immortalisé le patrimoine culturel du pays sur pellicule, avec des films comme *Bataille sur le grand fleuve* (*Chasse à l'hippopotame*) (1951), *La Chasse au lion à l'arc* (1967), et ceux qu'il avait réalisés sur les rituels de possession. Au Mali voisin, les Dogon, sur lesquels Rouch avait également réalisé une série de documentaires, organisèrent pour lui des obsèques symboliques, au cours desquelles une silhouette le représentant fut hissée jusqu'à l'une des grottes qu'il avait filmées dans *Cimetière dans la falaise* (1951).

Tout doit partir, y compris le bureau du CFE, lieu légendaire aux yeux des cinéastes anthropologues du monde entier. À partir de simples planches, Rouch avait construit dans un coin reculé du premier étage du musée une « cabane du film », dont seuls les initiés connaissaient le chemin d'accès.

Son poste de titulaire au CNRS, où il était chargé de recherche en sciences sociales, lui avait permis de financer le coût modeste de ses activités cinématographiques. Il disposait même de deux salles de montage nichées au fin fond du musée, bien cachées dans les cages d'escalier. Il y a aidé bien des cinéastes débutants à monter leurs films. Jusqu'à la fameuse salle de projection, le petit théâtre aux sièges fatigués rebaptisé après sa mort « auditorium Jean-Rouch », qui doit disparaître sous les assauts des marteaux-piqueurs. C'est ici que Rouch tenait chaque année son Bilan du film ethnographique. Des réalisateurs venus de partout y montraient leur film avant de participer à des débats que Rouch menait lui-même avec humour. Il ne s'encombrait pas des pratiques festivalières habituelles et le Bilan reflétait sa propre vision des choses. Pour lui, un film devait toujours être présenté par son réalisateur en personne, et sa projection suivie d'une discussion. Il procédait toujours de la sorte pour ses propres films, où qu'ils soient montrés dans le monde, et jamais il ne se décourageait, même quand les spectateurs se comptaient sur les doigts d'une main.

La salle de mixage que Rouch avait bricolée derrière l'écran, accessible aux initiés par quelques marches étroites, ne sera, elle aussi, bientôt plus qu'un souvenir. C'est là qu'il assemblait les pistes sonores de ses films, avec un équipement daté mais une remarquable expertise technique. Ce n'était pas pour rien qu'il avait été ingénieur des Ponts et Chaussées avant ses études d'anthropologie, qui elles-mêmes l'avaient amené à apprendre le cinéma en autodidacte.

Tout doit disparaître, même l'inamovible totem qui se dresse à côté de l'entrée du musée et dont Rouch faisait toujours remarquer la présence à ses visiteurs. La collection d'objets africains que Marcel Griaule, l'un de ses mentors, a constituée pour le musée avec d'autres chercheurs pendant des années va rejoindre le musée du quai Branly flambant neuf. Les directeurs du musée de l'Homme ont promis qu'il renaîtrait de ses cendres d'ici quelques années, tel le phénix, mais moi, je sais bien que l'empire du film alternatif que Rouch a installé tout près de ses chers masques dogon va s'évanouir pour toujours.

Pour moi, cette démolition bruyante est une métaphore. Dans les années 1950, Jean Rouch fut un véritable pionnier du cinématographe. C'est en 1945, dans un marché aux puces parisien, qu'il trouva sa première caméra, un modèle Bell & Howell 16 mm à manivelle rescapé des temps de guerre. Avant lui, une poignée de précurseurs, comme

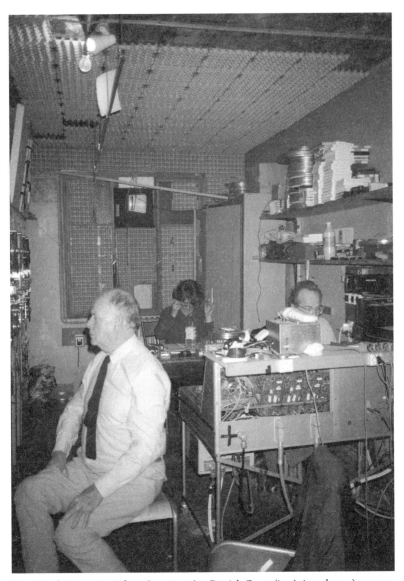

Jean Rouch, Françoise Beloux (monteuse) et Patrick Genet (ingénieur du son) en 1990, dans la salle de mixage derrière l'écran de la salle de projection du musée de l'Homme, à l'endroit même où, dès juin 1940, un premier groupe d'opposition au régime de Vichy et au nazisme était formé par la bibliothécaire Yvonne Oddon.
© Françoise Foucault

Robert Flaherty et Dziga Vertov, avaient utilisé de lourdes caméras 35 mm, qu'ils tenaient à la main pour filmer des documentaires muets.

En 1960, avec la toute récente caméra Éclair, Rouch tourne le premier documentaire 16 mm en son synchronisé, *Chronique d'un été* (1961), devenu un classique du genre. Par la suite, il travaillera en collaboration étroite avec Jean-Pierre Beauviala, le pionnier de la caméra Aaton 16 mm, avec laquelle il développera son fameux plan-séquence. Avec une caméra à main chargée d'un film synchrone, il filme 10 minutes – durée maximale qu'un chargeur de 16 mm représente à l'époque –, en une prise continue, comme il le fera pour *Tourou et Bitti, les tambours d'avant* (1971), son célèbre film sur une cérémonie de possession.

Pendant de nombreuses années, l'équipement 16 mm constituera le seul choix possible pour les jeunes réalisateurs indépendants. Mais, depuis l'avènement de la vidéo, et en particulier de la technologie numérique, la manière dont Jean Rouch faisait des films est devenue obsolète. Aujourd'hui, le film 16 mm a été partout remplacé par le numérique, une situation que Rouch a vivement critiquée au cours de ses dernières années. Pour lui, on ne pouvait « vraiment » filmer qu'en utilisant une caméra chargée de pellicule celluloïd. En outre, tourner un documentaire de dix minutes maximum était une aventure, un défi stimulant qui disparaît quand on peut filmer indéfiniment en continu. La table de montage 16 mm elle-même constituait un élément irremplaçable de l'art du cinéma. Quand on monte en numérique, le contact physique avec le matériau film n'existe plus. Rouch avait raison… mais il avait également tort. On peut certes perdre quelque chose chaque fois qu'il y a innovation, mais on y gagne aussi. Dans *Petite Poucette* (2012), Michel Serres montre comment le livre imprimé a été considéré à une époque comme une menace pour la qualité de la lecture et de l'écriture (Serres 2012). L'histoire a prouvé que cette crainte était infondée. À la fin de sa vie, Rouch le précurseur a été considéré par les jeunes cinéastes comme un réalisateur « *has been* » ; paradoxalement, la technologie numérique offre une véritable opportunité aux jeunes cinéastes s'inscrivant dans la tradition rouchienne. Aujourd'hui, on peut faire soi-même à peu de frais des films très proches de ceux qui ont coûté à Rouch, pionnier de cet art, des efforts considérables. La qualité élevée des films numériques montrés chaque année lors du Bilan du film ethnographique – désormais Festival international du film Jean-Rouch – l'atteste.

En 1977, j'ai réalisé au Niger *Jean Rouch et sa caméra au cœur de l'Afrique* pour le compte de la télévision publique néerlandaise. Au montage, j'ai tout de suite compris que les scènes coupées, en particulier celles qui avaient été filmées au Niger, ne devaient pas finir à la poubelle, comme c'était l'usage, mais que leur place était dans les archives Rouch à Paris. C'est pourquoi, à l'époque, j'ai confié au CFE le matériau 16 mm non exploité lors du montage.

Damouré Zika et Philo Bregstein à Niamey lors du tournage de
Jean Rouch et sa caméra au cœur de l'Afrique (1978).
© Philo Bregstein

Au musée de l'Homme, comme tout est sur le point de disparaître, je demande ces scènes coupées à la fidèle gardienne du temple, Françoise Foucault, qui a été l'assistante de Rouch pendant des années. Et c'est ainsi que je me retrouve au milieu de boîtes de films empilées pêle-mêle dans une cage d'escalier du musée. J'en reconnais quelques-unes, mais j'ai en grande partie oublié ce qu'il y a dedans, ce qui en soi constitue un phénomène intéressant. Lorsqu'un réalisateur a fini le montage d'un film, il a tendance à oublier toutes les scènes qui n'ont pas été retenues. Au son des ouvriers qui s'interpellent et des opérations de démolition dont l'écho se répercute dans le bâtiment vide et désolé, je rejoins grâce à l'infatigable Françoise l'une des salles de montage de Rouch. Elle a généreusement proposé que je sois le dernier à l'utiliser pour y visionner mes *rushes*. Ce réduit, muni d'une petite fenêtre et d'un minuscule radiateur électrique, est caché dans l'angle d'un escalier. C'est là, parmi des étagères qui portent des chutes de films et des boîtes vides, que se trouve la table de montage Steenbeck 16 mm que Rouch a si souvent utilisée. Dans les années 1960, un équipement de ce genre était un bien précieux et, à l'époque, j'ai moi-même rêvé d'en avoir un un jour. Mais la table n'a pas été utilisée depuis la mort de Rouch. Aujourd'hui, presque tous les réalisateurs travaillent en numérique. Françoise dit que personne n'en veut et elle semble destinée à finir sur le trottoir avec les poubelles.

Je retrouve une monteuse, Dominique Greussay, qui a connu Rouch et qui est d'accord pour travailler à la table de montage. Mon projet devient une aventure riche en émotions. Je sais que je serai le dernier à travailler à la table de Rouch, qui, heureusement, doit finalement être démontée et récupérée d'ici quelques semaines par une petite société d'importation de films que Dominique a dénichée après bien des efforts. Comme cela se faisait autrefois, nous restons assis tous deux devant la Steenbeck du matin tôt au soir tard à travailler avec de petites bobines de 16 mm. Il paraît presque impossible de reconstruire les séquences originales du film à partir de toutes ces chutes. En outre, il s'agit de pellicule inversible – c'est exactement comme si c'était notre négatif – et le moindre dommage serait irréparable. Pour ne rien arranger, après plus de trente ans, les collures ont séché et jauni. Dominique, qui fait du montage numérique depuis des années, redécouvre avec enthousiasme l'artisanat ancien du 16 mm et assemble avec fougue les petits morceaux de film en utilisant une vraie colleuse et du scotch de montage. Retrouvant toute son expertise, elle établit des listes systématiques à partir des repères chiffrés figurant dans les marges des rubans de celluloïd et des bandes magnétiques audio, de façon à reconstituer le puzzle du film.

Il y a en particulier une scène que je voudrais retrouver. Dans celle-ci, coupée sous la pression de la télévision néerlandaise, Rouch et ses amis nigériens Damouré Zika, Lam Ibrahim Dia et Tallou Mouzourane parlent de la manière dont leur est venue l'idée de leur long métrage *Cocorico ! Monsieur Poulet* (1974) et dont ils l'ont filmé. La télévision néerlandaise avait décidé de diffuser ce film après mon portrait de Rouch, mais avait voulu couper cette scène – avant tout parce que mon documentaire était trop long pour la fenêtre de diffusion disponible.

Tandis que les images d'une petite bobine et les sons de la bande audio correspondante reprennent vie sur le petit écran de la Steenbeck, je réfléchis au fait que j'ai été le premier, et pratiquement le seul, à avoir à l'époque filmé Rouch sur place avec ses amis. Il va me falloir tenter de reconstruire le plus de matériau possible, parce que, après trente ans, chacune des scènes coupées a acquis une valeur inattendue.

Accaparés par le travail de reconstruction, nous nous enfermons dans la petite salle de montage des semaines durant, au milieu du tumulte de la démolition. Après des heures de bidouillage, des scènes complètes ressurgissent, dont des témoignages de Rouch et de ses amis que j'avais complètement oubliés. Cela me ramène à l'époque à laquelle j'ai filmé ces scènes, dont les principaux personnages sont morts depuis longtemps.

Ma première expérience de cinéma avec Rouch et ses amis au Niger remonte à décembre 1977. Ce documentaire de télévision, *Jean Rouch et sa caméra au cœur de l'Afrique*, très ordinaire, a été fait dans des circonstances inhabituelles. En temps normal, j'aurais travaillé avec une équipe de la télévision néerlandaise et le diffuseur m'aurait accordé trois ou quatre jours de tournage. Mais six mois plus tôt, je me suis déjà rendu au Niger par moi-même, pour un voyage que j'ai financé avec des interviews destinées à des quotidiens et des hebdomadaires. Là, j'ai compris que Rouch, qui en tant qu'anthropologue est habitué à travailler seul sur le terrain, est absolument opposé à la présence d'une équipe de télévision à ses côtés. Je sais aussi qu'il me faudra rester au Niger beaucoup plus longtemps que quelques jours.

Avec l'appui de Rouch, je suis parvenu à convaincre la télévision néerlandaise de m'envoyer là-bas sans personne d'autre. Rouch a suggéré qu'un caméraman et un preneur de son locaux, de l'Institut de recherches en sciences humaines (IRSH), qu'il a fondé à Niamey, tournent le film avec leur équipement. À ma connaissance, ça ne s'était jamais produit dans le monde de la télévision, et, comme on pouvait le prévoir, sa proposition a été accueillie avec scepticisme. Mais Rouch a garanti que tout se ferait sous sa supervision et, contre toute attente, j'ai obtenu le feu vert.

La seule chose que je dois prendre avec moi est une valise contenant le négatif 16 mm destiné au tournage. Au cours d'une rencontre à Paris avec mon patron de la télévision néerlandaise, Rouch a suggéré en plaisantant à moitié que celle-ci devrait payer en nature comme c'est la tradition en Afrique. Je n'aurais qu'à prendre avec moi une deuxième valise de négatif, avec lequel l'IRSH pourra réaliser des films sur place, plutôt que de donner de l'argent, qui risque de disparaître dans les poches d'un fonctionnaire ou d'un politicien.

Et c'est ainsi qu'en décembre 1977 j'arrive à Niamey avec deux valises de négatif 16 mm. Je vais pouvoir rester aussi longtemps que je veux parce que je serai hébergé gratuitement dans un logement prévu pour les « chercheurs » de l'Institut, où Rouch vit lui aussi.

Mon séjour au Niger sera mon plus grand choc culturel depuis mon premier voyage en auto-stop, des Pays-Bas en Italie, à l'époque de mes 18 ans.

Je vais séjourner à l'Institut pendant plus d'un mois et m'adapter totalement au rythme de la vie africaine. Contrairement à ce qui se passe chez nous, le temps est élastique : les gens restent souvent de longues heures à attendre et n'entrent en action que vers 4 heures de l'après-midi, lorsqu'il ne fait plus aussi chaud dehors. Le tournage a lieu par petites étapes, là encore à l'opposé de ce qui se pratique en Europe, où chaque jour est exploité aussi efficacement que possible. Du fait de la violence du soleil dans la journée, Rouch ne filme jamais avant la fin de l'après-midi et en général pas plus d'une heure et demie, car, à 6 heures, l'obscurité tombe d'un coup. À de longs préparatifs succèdent deux ou trois heures d'un travail intense. Rouch lui-même, technicien polyvalent, répare les microphones et d'autres appareils dans son atelier de l'IRSH. C'est là aussi que les boîtes de pellicule exposée sont stockées dans un petit frigo plein à craquer. D'ailleurs, si on envoie une bobine échantillon aux Pays-Bas, une fois l'accord de la télévision reçu, le reste du matériau filmé séjournera dans le frigo de Rouch jusqu'à ce que je reparte un mois plus tard. En effet, contrairement à tous les usages, aucune bobine ne sera développée au cours du tournage pour vérifier si le résultat est exploitable ou non. Mais lorsque le film le sera dans son intégralité aux Pays-Bas, il s'avérera que Rouch a tenu parole : la qualité est bien au rendez-vous. Djingarey Maïga, le caméraman de l'Institut, a tout filmé parfaitement. Le meilleur caméraman de la télévision néerlandaise n'aurait pas fait mieux.

Je finis par retrouver la séquence tournée un matin dans le jardin de l'IRSH : on y voit Jean Rouch et ses amis Damouré Zika, Lam Ibrahim Dia et Tallou Mouzourane discuter avec animation de la genèse de *Cocorico ! Monsieur Poulet* lors du traditionnel petit-déjeuner. Une fois de plus, je me dis que j'ai été le seul à filmer le petit-déjeuner de l'équipe DaLaRouTa[1] dans le jardin de l'IRSH. C'est vraiment *Le Temps retrouvé*.

---

1.   DaLaRouTa, une société fictive « au capital d'un dollar, qui redistribue les droits d'auteur à parts égales », selon Rouch. DA pour Damouré, rencontré en 1941 sur un chantier au Niger. LA pour Lam, ROU pour Rouch et TA pour Tallou.

Cette scène récupérée réveille le souvenir de nombreuses situations vécues à l'époque, des moments qui n'ont pas été fixés sur pellicule. Lorsque je présente mon film, je raconte souvent l'histoire de ses origines. Mais, à présent, des détails du tournage que j'ai omis dans mes comptes rendus – comme j'avais supprimé certaines scènes –, refont surface. Il s'agit de détails importants que j'ai dû taire pendant des années, souvent pour des raisons politiques et afin d'éviter que Rouch ne soit inquiété au Niger. Je les ai passés sous silence pendant si longtemps qu'ils ont fini par disparaître en arrière-plan. Prenons le titre provisoire de mon film, par exemple. Ce n'était pas *Jean Rouch et sa caméra* mais *Film au Niger*. À cette époque, il était politiquement impossible de faire un film sur Rouch au Niger, ce qui signifiait qu'une dimension importante de mon documentaire devait être tenue secrète.

Dans ce film de 1977, j'ai montré que Rouch a établi un département cinéma à l'IRSH après l'indépendance du Niger en 1960, amorçant ainsi un âge d'or du septième art dans le pays. De jeunes réalisateurs comme Oumarou Ganda, Moustapha Alassane et Inoussa Ousseini ont pu se former à ses côtés et se mettre rapidement à tourner eux-mêmes, l'IRSH jouant souvent pour eux le rôle de producteur parce qu'il n'y avait aucune autre structure cinématographique dans le pays. Rouch était à l'évidence un personnage clef, qui travaillait aussi sans relâche à obtenir des subventions françaises pour l'Institut.

Les informations que je donne dans mon film se limitent à cela. Pendant des années, j'ai dû taire le reste, comme l'histoire de leur mentor le plus important, l'historien nigérien Boubou Hama, poète et philosophe, spécialiste des traditions orales africaines, mais aussi président pendant des années d'une Assemblée nationale dominée par les partis de gauche. Mentor africain de Rouch, c'était aussi pour lui un ami intime, et ce dernier a d'ailleurs rédigé l'avant-propos de son livre *Le double d'hier rencontre demain* (Hama 1973).

C'est Boubou Hama qui a écrit le scénario du long métrage histo-rique antimilitariste de Rouch intitulé *Babatou, les trois conseils* (1976). Le film se déroule dans un passé lointain, mais les acteurs, comme Damouré et Lam, n'avaient pas besoin de costumes ou de décors d'époque; ils pouvaient improviser dans des lieux faisant partie de leur quotidien. À l'époque, la vie dans la savane n'était après tout pas très différente de ce qu'elle est aujourd'hui. C'est aussi entre 1954 et 1976 que Rouch a réalisé ses films les plus connus: *Moi, un Noir* (1958), *Jaguar* (tourné en 1954, sorti en 1967), *La Chasse au lion à l'arc* (1967), *Petit à petit* (1954-1970), et *Cocorico! Monsieur Poulet* (1974), en plus d'une série de documentaires sur les Dogon du Mali, comme *Sigui synthèse (1967-1973)*. *L'invention de la parole et de la mort* sur le cycle du *sigui* et *Funérailles à Bongo. Le Vieil Anaï – Anaï Dolo 1848-1971* (1972).

Les événements dont je n'ai pas pu parler dans mon film de 1977 ont été à l'origine du drame qui a marqué la fin de l'âge d'or du cinéma au Niger et l'arrêt, pendant longtemps, de la réalisation des films de fiction africains pour Rouch.

En 1974, au beau milieu du tournage de *Babatou, les trois conseils*, un coup d'État amène le général Seyni Kountché au pouvoir, un pouvoir qu'il conservera jusqu'à sa mort, en 1987. Le *putsch* et la découverte d'uranium dans les déserts du Niger, l'un des pays les plus pauvres au monde, sont étroitement liés. L'ancien gouvernement, de gauche, ne cachait pas ses sympathies envers l'Union soviétique, et de méchantes langues prétendront que Paris est intervenu pour garder l'uranium hors de portée de cette dernière, avec pour résultat l'installation d'une dictature militaire qui durera des années. L'ensemble des membres du gouvernement est emprisonné et Boubou Hama passera le restant de ses jours en résidence surveillée. Quant au film, il est mis à l'index par le nouveau régime et il ne sera pas non plus possible de le montrer en Europe car il a été produit au Niger.

En tant qu'anthropologue français, Rouch est plutôt bien protégé, même si, à partir de ce moment-là, il doit se montrer prudent. Il continue à travailler, mais en secret. Il reste par ailleurs fidèle à son ami et mentor Boubou Hama. Il me dira un jour à Niamey sous le sceau de la confidence qu'il rend régulièrement visite à ce dernier dans sa maison, pourtant surveillée par des soldats. À l'époque, je ne mesure pas bien à quel point c'est risqué, parce que ses visites sont bien entendu rapportées aux autorités.

Avant même de tourner mon film au Niger, je sais que Rouch y est « *persona non grata* ». C'est clair dès que je décide de solliciter officiellement une autorisation de tournage. Suivant le conseil de Rouch, je formule ma demande en parlant « d'un documentaire sur le cinéma au Niger », sans mentionner son nom. Ainsi, dès le tout début, mon tournage au Niger a un parfum d'illégalité, et des amis (et complices) m'aident indirectement à atteindre malgré tout mon objectif, qui est de faire un film sur le travail de Rouch sur place. Paradoxalement, mon documentaire s'en trouvera enrichi, un phénomène fréquent dans les contextes de censure. En interviewant les cinéastes locaux, je me rends compte qu'ils ont tous été formés et inspirés par Rouch, une réalité qui deviendra encore plus manifeste lorsque je reconstituerai mes interviews avec Oumarou Ganda, Moustapha Alassane et Inoussa Ousseini. Le revers de la médaille, c'est que pendant des années mon film ne pourra pas être projeté à Niamey. Et que je ne peux pas utiliser la méthode du *feedback*, instaurée par Rouch lui-même, qui consiste à montrer son film à ceux qui en sont le sujet. De plus, il me faudra taire le détail de cette histoire lors de mes présentations en Europe, afin de ne pas mettre en danger Rouch et son travail au Niger, car de telles informations ne manqueraient pas de revenir rapidement aux oreilles des autorités nigériennes.

Ce que je devrais taire aussi pour éviter tout ennui à mes amis nigériens, c'est que l'image idyllique que donne mon compte rendu de l'activité du département cinéma de l'IRSH est très vite devenue une « image idéalisée ». En effet, sous la pression de la dictature, il a été mis un terme aux activités cinématographiques de l'Institut, et la France a cessé de subventionner la réalisation de films au Niger. Le petit miracle de cet artisanat florissant n'est déjà plus que de l'histoire ancienne. Le matériel de montage et de mixage se couvre de poussière, et mon caméraman professionnel, Djingarey Maïga, formé par Rouch lui-même, est renvoyé de l'IRSH, ce qui ne l'empêchera pas de réaliser, dans des circonstances extrêmement difficiles, quelques longs métrages. Ceux-ci, comme la plupart des films africains, ne seront cependant diffusés nulle part ailleurs dans le monde.

En 1977, Moustapha Alassane, le premier cinéaste sorti du département cinéma de l'IRSH, est la figure de proue du cinéma nigérien. Lors de l'interview que je lui consacre cette année-là, il me projette un fragment de son magnifique long métrage de 1974, *Toula, le génie de l'eau*, qui traite d'un thème tabou, la tradition des sacrifices humains en Afrique. Mais il ne tournera aucun autre long métrage et quittera Niamey pour Tahoua, à près de 400 kilomètres de là, où il ouvrira un hôtel pour gagner sa vie. Il réalisera toutefois quelques films d'animation à ses heures perdues, mais demeurera inconnu comme cinéaste jusqu'à sa mort en 2015.

Oumarou Ganda, l'interprète du personnage central de *Moi, un Noir*, l'un des plus grands films de Rouch, réalisera une série de longs métrages dans lesquels il tient le rôle principal. En 1977, lui aussi est considéré comme l'un des réalisateurs africains les plus importants. Pourtant, il ne parviendra plus jamais par la suite à mener un projet cinématographique à son terme et mourra en 1981 à l'âge de 45 ans.

Moussa Hamidou, dont Rouch dit que c'est son meilleur preneur de son, ne participe aux tournages que lorsque « le patron est en ville ». Sinon, il doit se contenter d'enregistrer et de traduire des histoires tirées de la tradition orale pour le Centre d'études linguistiques et historiques par tradition orale (CELHTO), situé également à Niamey et dirigé par Diouldé Laya, l'un des plus vieux amis de Rouch.

Aujourd'hui, alors que j'écoute de nouveau Laya intervenir brillamment et non sans ironie dans le jardin de l'IRSH, je me souviens que Rouch parlait toujours avec admiration de sa prodigieuse érudition. Sociologue et expert de la tradition orale africaine, cet étudiant de Boubou Hama poursuivra son œuvre. Sous la dictature de Kountché, Diouldé Laya est un soutien pour Rouch, qui lui-même le protège, comme je ne l'apprendrai que beaucoup plus tard.

Il y a enfin Inoussa Ousseini, qui, en 1977, est à la tête du département cinéma de l'IRSH. Il a débuté en 1974 avec un court métrage sarcastique racontant les tribulations d'un clandestin africain, *Paris, c'est joli*. En 1980, il réalisera un documentaire plein d'humour, *Wasan Kara* (« Le jeu de la paille »), à propos d'un rituel théâtral populaire se déroulant dans les rues de Zinder, la deuxième ville du Niger. Il me dira par la suite que c'est grâce aux bobines que j'ai apportées à l'IRSH en guise de paiement qu'il a pu faire ce film.

Dans mes *rushes*, je retrouve une longue interview de lui qui ne figure pas dans mon film. Assis dans la cour de sa maison, il parle avec un enthousiasme juvénile de la mission du département cinéma de l'IRSH et insiste sur la nécessité de former de nouvelles générations de réalisateurs pour qu'elles soient en mesure de reprendre le flambeau au Niger.

Tandis que je regarde l'interview reconstituée, de nouveaux souvenirs refont surface. En 1988, Ousseini, ministre de la Culture du nouveau gouvernement démocratique post-Kountché, m'a invité à montrer mon film sur Rouch pour la première fois au Niger. À cette occasion, il a organisé une rétrospective des films de ce dernier, ce qui n'avait pas été fait depuis de nombreuses années. C'est ainsi que j'ai retrouvé le « gang de Rouch », Damouré, Lam et Tallou, que je n'avais pas revu depuis que nous nous étions réunis à Paris en 1984. À l'invitation de Rouch, ils étaient alors venus spécifiquement pour jouer dans le long métrage que celui-ci voulait réaliser en France, *Dionysos* (1986). Sous la dictature, pendant la période de stagnation du pays, Rouch avait en effet tourné ce film hors du Niger, comme beaucoup d'autres de ses œuvres majeures de ces années-là. Il avait ainsi réalisé *Enigma* (1988) à Turin, *Folie ordinaire d'une fille de Cham* (1986) à Paris, et *Bac ou mariage* (1988) à Dakar. À Paris, nous étions convenus que Damouré, Lam et Tallou viendraient me rendre visite aux Pays-Bas. Lors de mon séjour de 1988 au Niger, nous avons mis au point un scénario avec Rouch en prenant notre petit-déjeuner tôt un matin dans le jardin de l'IRSH. L'idée était que le trio viendrait étudier les moulins à vent aux Pays-Bas pour voir s'ils pouvaient en installer de similaires sur les rives du Niger afin d'assurer l'irrigation des terres. Il était en effet devenu urgent de trouver une solution à la sécheresse, qui empirait constamment. Avec *Madame l'eau* (1992), Rouch revint encore une fois à la tradition documentaire caractérisée par *Jaguar* (1954-1967) et *Petit à petit* (1970), deux films qui, depuis toujours, exercent sur moi une fascination particulière. Je considère Rouch comme un grand pionnier de ce genre, comme c'en est un du documentaire anthropologique.

Pour Rouch, ce film revêtait une nouvelle dimension. L'ingénieur néerlandais Frans Brughuis avait conçu pour nous un moulin à vent facile à construire, s'inspirant d'un prototype grec originaire du plateau crétois de Lassithi. Ce moulin illustrait parfaitement les idées de Jean sur l'aide au développement. Il pensait que les Nigériens devraient être en mesure d'assembler un moulin localement avec des matériaux peu coûteux. À son avis, l'aide au développement classique offre en fait des « cadeaux empoisonnés », sans le moindre respect de la culture et de la technologie préexistant dans le pays. Nous autres Occidentaux arrivons souvent avec l'équipement le plus cher et les ingénieurs les mieux payés, qui doivent revenir régulièrement réparer leurs installations. Mais, d'après Rouch, la population locale compte quantité d'artisans doués qui pourraient construire bien des choses près de chez eux avec des matériaux de base, ce qui permettrait à cette population de ne plus dépendre de l'Occident.

D'observateur en 1977, j'étais devenu onze ans plus tard un comparse. Avec l'équipe DaLaRouTa, nous avons mis au point le scénario, improvisant sans cesse, comme on le fait dans la tradition orale. Et c'est ainsi que, caméra à l'épaule, Rouch et son équipe arrivent aux Pays-Bas par le ferry à l'été 1992, avec l'intention d'entamer un périple touristique dans une vieille décapotable américaine, faisant ainsi écho à *Petit à petit*. À l'affût des moulins à vent, ils se reportent, quand ils n'ont plus assez d'argent pour la voiture, sur des vélos de prêt ou un petit bateau à moteur qui leur permet de circuler sur les canaux peu profonds qui quadrillent les prairies du pays. Rouch filme à l'épaule les polders, les moulins et les dunes avec une poésie trop rarement présente dans les documentaires néerlandais. Comme il le disait, « il faut avoir le regard d'un *outsider* pour parvenir à bien observer les gens et les choses ». Tourné à la fois au Niger et aux Pays-Bas, *Madame l'eau* a été le point d'orgue des années qui ont vu grandir mon amitié et ma coopération avec Rouch et ses amis.

En 2006, deux ans après la mort de Rouch, j'ai de nouveau l'opportunité de montrer à Niamey le film que j'avais tourné sur eux, cette fois encore à l'invitation d'Ousseini, dans le cadre du Forum africain du film documentaire qu'il organise cette année-là. Comme en 1998, la projection a lieu au Centre culturel franco-nigérien, devenu Centre culturel franco-nigérien Jean-Rouch à l'occasion du Forum. L'auditorium est plein et un public dans l'ensemble relativement jeune réagit avec enthousiasme. Rouch et ses amis africains continuent de vivre au travers de leurs films, exactement comme il l'avait prédit. Malheureusement, au cours de cette visite, j'ai l'occasion de faire quelques observations moins réjouissantes.

En 1977, Rouch avait pris pour mon film une série de « plans subjectifs » de Niamey, dont j'avais presque oublié qu'il avait été le caméraman. En 2009, installé dans les profondeurs du musée de l'Homme, je retrouve une bobine entière de ces prises de vues non conservées au montage. On y voit Niamey comme « un grand jardin » – c'est ainsi que l'appelait Rouch –, avec des maisons d'adobe et de larges rues sablonneuses pleines de piétons et de charrettes tirées par des ânes. Il y a des piles de poteries colorées au cœur d'une végétation luxuriante et des vieilles voitures européennes bringuebalant ici et là. Les pirogues qui circulent sur un Niger dont la majesté évoque l'éternité lui confèrent un aspect idyllique. Sur ses rives, des femmes lavent des tissus aux couleurs éclatantes et des dizaines d'enfants, infatigables, se précipitent dans l'eau pour en ressortir tout aussi vivement. Bref, l'illustration parfaite de ce que Rouch lui-même décrivait comme un paradis au cœur du désert.

Depuis cette époque, la rivière s'est asséchée et les terrains de sa plaine fertile, jadis cultivés par Damouré et Lam, se sont transformés en étendues de sable désertiques, comme Rouch l'avait déjà montré dans *Madame l'eau*. Du fait de sécheresses de plus en plus dévastatrices, des milliers de personnes ont fui la plaine craquelée pour s'enfoncer dans la pauvreté des bidonvilles. Le marché coloré dont Rouch m'avait fait faire fièrement le tour est à présent envahi par des centaines de personnes forcées de vivre sous des tentes improvisées. Nombre des maisons d'adobe, réponse locale de Rouch aux habitations modernes de parpaings dont il méprisait la laideur, ont été précisément remplacées par ces dernières. Et les rues ne sont désormais plus assez larges pour les multitudes de voitures européennes bruyantes, puantes, et comme toujours bringuebalantes, qui ont été revendues en Afrique. Le Niamey idyllique aux allures de village est devenu une cité appauvrie du tiers-monde.

Je rends de nouveau visite à Damouré dans la maison d'adobe qu'il a construite lui-même et baptisée « Toula ». Cette maison, sur le toit de laquelle nous avions tourné autrefois, s'élevait à l'époque sur une plaine ouverte, tout comme son centre médical. À présent, elle se situe au cœur d'une banlieue surpeuplée. Mais c'est avec enthousiasme qu'il m'explique que, dans la mesure où les médicaments sont devenus inabordables, il s'est remis à l'étude des médecines naturelles, renouant ainsi avec la tradition africaine à laquelle son père l'avait initié lorsqu'il était enfant. Et je le vois dispenser à ses patients, un grand sourire aux lèvres, des remèdes bon marché à base de plantes qu'il a lui-même préparés. Malgré ses douze épouses et ses trente-cinq enfants, je continue à me sentir proche de lui, comme d'un frère aîné.

Je suis choqué de voir partout se dresser les minarets de mosquées toutes neuves. Pendant des années, Damouré a donné à la radio des conseils médicaux sur l'utilisation des préservatifs dans la lutte contre la propagation du sida, dont l'épidémie fait encore rage en Afrique. Il a même tourné avec Rouch un court métrage éducatif à ce sujet. Aujourd'hui, il me raconte qu'il se prosterne face à La Mecque plusieurs fois par jour avec ses voisins. À Niamey, l'islam officiel condamne strictement l'utilisation des préservatifs. Je comprends alors que, s'il ne priait pas comme il le fait, les visiteurs de son centre médical le déserteraient. Je me souviens clairement que Rouch fulminait régulièrement contre l'avancée de l'islam dans cette partie de l'Afrique. Il avait vu comment cette religion menaçait la culture dogon et ses rituels depuis de nombreuses années déjà. D'ailleurs, cette culture n'existe encore que grâce à l'industrie du tourisme, que Rouch ne supportait pas non plus. Il comparait le danger de l'islam à l'influence néfaste des missions chrétiennes à l'époque coloniale. Elles aussi avaient tenté d'éradiquer la culture locale, considérant qu'elle était le reflet d'une superstition païenne. Pour Rouch, l'histoire se répétait.

Le Forum africain du film documentaire créé par Ousseini à Niamey l'a été clairement par réaction. Il représente la continuation d'un grand nombre d'initiatives que Rouch avait mises en œuvre au Niger dès 1960. Aujourd'hui, en 2009, en visionnant mon interview d'Ousseini en 1977, je m'aperçois que le Forum est la mise en application de nombreuses idées dont Rouch m'avait parlé dès les premiers temps de notre relation. C'est dans cet esprit qu'Ousseini a établi dans le cadre du Forum un atelier destiné aux jeunes cinéastes nigériens et dirigé par le réalisateur ivoirien Idrissa Diabaté, l'un des étudiants de Rouch. Ces jeunes cinéastes m'ont interviewé avec beaucoup d'enthousiasme. Le Forum est l'expression de l'espoir qu'a Ousseini de voir une nouvelle génération de réalisateurs du pays reprendre le flambeau. À l'heure où j'écris ces lignes, en 2015, le Forum existe toujours malgré l'appauvrissement de Niamey, la progression de l'islamisation et la menace terroriste islamiste.

Le ré-assemblage des *rushes* de mon film de 1977 revient en fait à un désassemblage de l'œuvre initiale, qui retrouve ainsi ses origines. Je découvre en effet des scènes coupées « superflues », dont un magnifique plan-séquence tourné par Rouch – formant à vrai dire un film à lui tout seul –, qui ne déparerait pas au milieu d'œuvres comme *Tourou et Bitti, les tambours d'avant*. Caméra à la main, Rouch a filmé en continu pendant 10 minutes un groupe de jeunes Nigériens discutant d'un projet de film absurde baptisé *Firmation* et courant autour de cases chaulées sur les rives du Niger. C'est clairement une parodie du documentaire que j'étais en train de réaliser, officiellement intitulé *Film au Niger*. Dans un autre plan-séquence de 10 minutes, Tallou chante sur le toit de la maison de Damouré une chanson qu'il dédie au président français d'alors, le général de Gaulle. Quand Rouch lui demande de derrière la caméra pourquoi il a créé cette chanson, Tallou lui répond laconiquement : « Parce que de Gaulle a accordé son indépendance au Niger. »

Ce n'est que maintenant, devant la vieille table de montage, que me reviennent en mémoire les circonstances dans lesquelles a été tournée la grande scène de Rouch et de ses amis sur le toit de la maison de Damouré : elle est constituée de deux séquences filmées à deux moments différents. Je me souviens que Rouch n'était pas content de la première prise, qui avait été pourtant pour moi un des points d'orgue du tournage. D'après lui, l'interview avait été bien trop sérieuse, et il avait insisté pour qu'on la refasse, cette fois sur un ton plus léger. C'est pourquoi, lors de leur arrivée à l'occasion de la deuxième prise, Tallou s'était mis à hurler sa chanson des DaLaRouTa tandis qu'ils grimpaient ensemble les marches menant au toit en frappant dans leurs mains. Dans le film, cette scène a servi d'introduction à l'interview, alors qu'en fait elle avait été tournée une semaine plus tard. En la regardant de plus près, je me rends compte qu'elle est empreinte d'un enthousiasme excessif, typique des passages « *commedia dell'arte* » de leurs longs métrages. « Faire comme si », disait Rouch.

La première prise est authentique et révélatrice. Elle s'organise autour de la scène de possession « ratée » de Tallou, une « possession creuse » selon Rouch. Ce n'est que des années plus tard et assez récemment que j'en ai découvert la clef, lors d'une présentation de mon film à l'un des Mercredis du film ethnographique de Brice Ahounou, brillant étudiant de Rouch qui continue à organiser des projections débats à la manière de son mentor. J'ai en effet vraiment compris alors pour la première fois que c'était la caméra de Rouch qui avait provoqué la « possession creuse » de Tallou. À l'évidence, les membres de l'équipe DaLaRouTa avaient planifié ce moment entre eux. Ils avaient voulu me faire un cadeau en mettant en scène la possession de Tallou. Il y avait là une référence au film *Les Maîtres fous* (1955), qui traite d'un rituel de possession au début des années 1950 dans la Côte-de-l'Or (le Ghana actuel). Damouré et Tallou avaient été assistants sur ce film et par la suite Tallou avait dit que les Hauka, comme celui qui incarnait le « méchant commandant », n'avaient pas été vraiment possédés. Pourtant, quelques semaines plus tard, Tallou avait été réellement possédé par ce même « méchant commandant », et il avait fallu des semaines à Damouré et Rouch pour le calmer.

Au cours du tournage sur le toit de la maison de Damouré, Rouch avait rappelé cet épisode tout en pointant la caméra sur Tallou. Comme on pouvait s'y attendre, celui-ci s'était retrouvé de nouveau possédé. Soudain, la situation était devenue incontrôlable : dans sa transe, Tallou, marchant sur le câble accroché à la caméra, l'avait rompu. Ce n'était pas par accident qu'il avait ainsi empêché Rouch de continuer à tourner. Après un début genre « *commedia dell'arte* », on avait eu droit à une séquence de violence authentique, avant que Tallou ne s'effondre, épuisé, et que

Lam Ibrahim Dia, Damouré Zika, Tallou Mouzourane, Jean Rouch et
Philo Bregstein sur le toit de la maison de Damouré à Niamey lors du
tournage de *Jean Rouch et sa caméra au cœur de l'Afrique* (1977).
© Philo Bregstein

Rouch ne s'éclipse, comme gêné, avec son équipement endommagé.
On peut déduire clairement de ce qu'il en dit après dans le film qu'il était
conscient d'avoir joué avec le feu. Damouré et Lam, quant à eux, étaient
restés assis là, triomphants, comme s'il s'était agi d'une cascade réussie.
Résultat, Rouch m'interdit de montrer le film en présence de Tallou.
Il avait peur de provoquer chez lui par inadvertance un nouvel épisode
de possession, comme il en avait fait une fois l'expérience en projetant
un de ses films traitant de cérémonies de possession aux personnes qu'il
avait filmées. Elles s'étaient en effet rapidement retrouvées possédées.

Cette scène de mon film fut un moment de vérité entre Rouch et ses
amis nigériens. En fait, à Niamey et aux alentours, ces derniers étaient
maîtres du jeu. Dans les prises que j'ai faites à l'époque, rien ne permet
de suspecter quiconque de duplicité. En tant qu'anthropologue, Rouch
était complètement dépendant de ces trois hommes. Toutes les données
qu'il recueillait et tous ses contacts étaient obtenus par leur intermédiaire.
Bien sûr, il les aidait financièrement. Il avait même établi un contrat
selon lequel tous les revenus provenant des longs métrages qu'ils faisaient
en commun seraient également divisés entre eux quatre. Rares sont les

cinéastes à en avoir fait autant. Cela permit à Lam d'acheter sa *Land Rover* et à Damouré de bâtir ses maisons et le centre médical.

Même si Damouré, Lam et Tallou formaient une équipe technique parfaite pour les films anthropologiques de Rouch, ils devenaient dans ses longs métrages des personnages distincts. Et bien qu'ils aient été alors des acteurs, les personnages qu'ils jouaient n'en étaient pas moins authentiques. C'était là encore eux qui menaient la danse, indiquant à Rouch où et comment il devait tourner, instructions auxquelles il obéissait sans rechigner. Leurs longs métrages relevaient clairement d'un cinéma participatif reposant sur un fondement égalitaire. Quand Damouré, Lam et Tallou exagèrent intentionnellement leurs attitudes, ils font, pour reprendre le mot de Rouch, « comme si ». En même temps, la caméra que Rouch pointe sur eux provoque une « transe filmique » qui les transporte dans une situation imaginaire, leur permettant de créer pour eux-mêmes des personnages qui sont « réels » tant que la caméra tourne, phénomène dont la manifestation la plus extrême est la « possession creuse » de Tallou. Lors de diverses interviews et dans différents articles, Rouch a lui-même analysé ce phénomène au cours des rituels de possession. Les danseurs, et parfois même les musiciens, se mettaient en transe au moment où il pointait sa caméra sur eux.

J'ai essayé de comprendre le lien mystérieux qui existait entre Rouch et les membres de son groupe. Était-il l'anthropologue blanc venu du riche monde occidental, qui, plein de bons sentiments, aspirait à l'égalité avec ses pauvres amis nigériens noirs ? Où était la vérité, où était l'apparence ? Était-il un « père » pour ces hommes, comme Damouré l'a dit lors d'une discussion à Amsterdam lorsqu'ils sont tous venus visiter les Pays-Bas ? Ou bien était-ce Lam qui avait raison en déclarant, lui : « C'est un cousin » ? Avec un cousin, on est sur un pied d'égalité. L'idéal d'égalité qu'ils mettaient en avant était-il une réalité ou une illusion ? S'agissait-il de fiction, de « cinéma-vérité », ce qui, d'après Rouch lui-même, n'est au bout du compte que la « vérité du cinéma » ?

Aujourd'hui, en 2015, cela fait près de dix ans que je ne suis pas retourné à Niamey. Pendant des années, j'ai rêvé de ce retour. À présent, presque tous les amis de Rouch au Niger sont morts. Je repense à la longue séquence d'ouverture de mon film de 1977, qui le montre au volant, au cœur de la savane, en route pour Niamey. Lorsque je lui avais demandé pourquoi il avait décidé de revenir après tant d'années dans ce pays si pauvre et si lointain, il avait répondu :

J'ai beaucoup appris ici et j'y ai rencontré des gens qui n'ont pas peur de la mort. Ils savent que la mort est nécessaire à la vie. Ils ne vivent pas dans la crainte de l'au-delà, comme nos monothéismes occidentaux – christianisme, judaïsme, islam – nous poussent à le faire.

Rouch considérait que la civilisation européenne et la civilisation occidentale dans son ensemble pourraient apprendre beaucoup des cultures soi-disant primitives telles qu'elles existent toujours en Afrique.

Malgré cela, une nostalgie mêlée de tristesse m'empêche de retourner là-bas. De plus, depuis la mort de Rouch en 2004, le Niger et d'autres pays d'Afrique ont connu leurs premières attaques terroristes islamistes. Les Européens blancs y sont des cibles. La présence d'uranium dans les déserts du Niger, jadis à l'origine d'un coup d'État, constitue aujourd'hui encore la raison de violences, cette fois à l'instigation de l'islam radical.

Je me souviens d'un livre de la journaliste Jane Rouch, la première épouse de Jean, dans lequel elle racontait ses expériences avec son mari et ses amis nigériens en Afrique pendant les années 1950. Intitulé *Le Rire n'a pas de couleur* (1956), ce livre plein de tendresse, écrit avec beaucoup d'humour, décrit avec brio de nombreux personnages (Rouch 1956). Quand je le relis, il provoque chez moi une nostalgie qui, celle-là, me fait chaud au cœur. Au début des années 1950, le couple Rouch avait entrepris de traverser le Sahara en voiture, aventure qui les avait menés jusqu'au paradis nigérien. Aujourd'hui, le Sahara est devenu un terrain de recrutement et d'entraînement pour les terroristes islamistes. L'époque insouciante où je pouvais me promener tout seul dans les rues de Niamey sur un vélo emprunté à Lam, celle où Rouch pouvait arpenter la savane avec ses amis, semble avoir disparu pour de bon.

Malgré cela, je ne veux pas me laisser aller à un pessimisme facile et présenter l'Afrique comme un « paradis perdu ». Certes, le monde cinématographique de Rouch à Paris a disparu, mais il perdure grâce à de nouvelles générations de cinéastes qui perpétuent l'esprit de son œuvre. Je suis sûr qu'au Niger aussi, et ailleurs en Afrique, de nouvelles générations vont continuer à mettre leurs pas dans les siens et à bâtir sur les fondations qu'il a établies avec l'amour et le respect de la culture africaine. Conformément à l'esprit de Rouch, de Boubou Hama et d'autres « ancêtres » africains et européens, elles défendront ce paradis, garderont leur culture vivante et continueront à les honorer, eux, qui, même disparus, leur montrent la voie.

Traduction du néerlandais vers l'anglais: Wanda BOEKE
Traduction de l'anglais vers le français: Pascal TILCHE

Références bibliographiques

HAMA Boubou, 1973. *Le double d'hier rencontre demain*. Paris: Union générale d'éditions.

ROUCH Jane, 1956. *Le rire n'a pas de couleur*. Paris: Gallimard.

SERRES Michel, 2012. *Petite Poucette*. Paris: Éditions Le Pommier.

Films cités

ALASSANE Moustapha, 1974, *Toula, le génie de l'eau*.

BREGSTEIN Philo, 1978, *Jean Rouch et sa caméra au cœur de l'Afrique* (*Jean Rouch en zijn camera in het hart van Afrika*).

OUSSEINI Inoussa, 1974, *Paris, c'est joli*.

— 1980, *Wasan Kara* (*Le Jeu de la paille*).

ROUCH Jean, 1951, *Cimetière dans la falaise*.

— 1951, *Bataille sur le grand fleuve* (*Chasse à l'hippopotame*).

— 1955, *Les Maîtres fous*.

— 1954-1967, *Jaguar*.

— 1958, *Moi, un Noir*.

— 1967-1973, *Sigui synthèse. L'invention de la parole et de la mort*.

— 1967, *La Chasse au lion à l'arc*.

— 1970, *Petit à petit*.

— 1971, *Tourou et Bitti, les tambours d'avant*.

— 1972, *Funérailles à Bongo. Le Vieil Anaï – Anaï Dolo 1848-1971*.

— 1974, *Cocorico! Monsieur Poulet*.

— 1976, *Babatou, les trois conseils*.

— 1986, *Dionysos*.

— 1986, *Folie ordinaire d'une fille de Cham*.

— 1988, *Enigma*.

— 1988, *Bac ou mariage*.

— 1992, *Madame l'eau*.

ROUCH Jean et MORIN Edgar, 1961, *Chronique d'un été*.

Jean Rouch et ses *Maîtres fous* : Quelques considérations à partir de Niamey, au Niger

Antoinette Tidjani Alou

Beaucoup a été dit et écrit sur Jean Rouch, sa vie et son œuvre. Il est rare, cependant, que ces commentaires et ces écrits proviennent du Niger, où une importante partie de la vie et de l'œuvre de Rouch s'est pourtant déroulée. Nombre de ses amis et collaborateurs nigériens ont rejoint les ancêtres sans laisser (à ma connaissance) de témoignage écrit sur les chemins qu'ils avaient parcourus ensemble, ni sur les détails de ces voyages. De même, on en a beaucoup dit et écrit sur son documentaire controversé, *Les Maîtres fous* (1955). Encore une fois, peu de ces perspectives et interprétations publiées émanent de la terre qui a fourni au cinéaste le plus de matériaux :

> Ces lieux, villages, villes, fleuves, brousses et déserts déployés sur un vaste *territoire*, principalement celui que traverse le fleuve Niger, [...] irréductible-ment africain [...], nigérien [...] et malien [...] surtout ; (Scheinfeigel 2008 : 79 ; souligné dans le texte).

Bref, tous ces lieux et paysages dont les films de Rouch, et *Les Maîtres fous* en particulier, préservent l'histoire à l'écran. Les interprétations nigériennes existantes de ce documentaire concernent surtout sa portée historique (Idrissa 1996 ; Tidjani Alou 2010). D'autres études analysent le film sous l'angle d'une discipline particulière. À ma connaissance, il n'existe pas encore de publication abordant *Les Maîtres fous* depuis le contexte nigérien, même depuis le *présent* de l'histoire (post-)coloniale franco-africaine. Le présent chapitre propose un premier pas dans cette direction.

Il se divise en deux grandes parties : la première fournit des éléments de contexte. Elle met l'accent sur la position à partir de laquelle ce chapitre a été écrit : l'auteure se base sur un ensemble de données biographiques qu'elle a pu rassembler grâce à son rôle durable « d'observatrice participante » de la scène socio-culturelle franco-africaine de Niamey, la capitale du Niger. À partir de l'événement commémoratif multidisciplinaire « Rouch 2014 : Mémoires vives » (14-28 février), organisé dans plusieurs lieux du Niger à l'occasion du dixième anniversaire de la mort de Jean Rouch, la première partie met également en lumière certains aspects de la politique culturelle (post-)coloniale à l'œuvre dans l'arène culturelle nigérienne. La seconde partie porte sur la réception et l'interprétation des *Maîtres fous*, au Niger et ailleurs. L'objectif ici n'est pas d'évoquer une nouvelle fois l'influence majeure de Rouch sur le cinéma nigérien, déjà amplement étudiée. Elle aborde plutôt les questions suivantes : comment Rouch est-il perçu aujourd'hui dans les espaces académiques et culturels du Niger ? Comment son film *Les Maîtres fous* y est-il reçu de nos jours ? Et, de façon plus générale, quel est l'impact de l'histoire (et de la politique) (post-) coloniales sur la lecture de la vie et de l'œuvre de Jean Rouch ?

Le cadre :
Jean Rouch dans le contexte (post-)colonial franco-africain du Niger.

L'auteure de cette contribution jouit d'une perspective atypique : celle d'une universitaire nigérienne, d'origine et d'éducation caribéennes, ayant vécu et travaillé dans la capitale du Niger au cours des vingt-cinq dernières années. Entre 1992 et 2004, elle a eu à maintes reprises l'occasion de rencontrer Jean Rouch et de découvrir certains aspects de son travail par l'intermédiaire de personnes telles que les regrettés Diouldé Laya (1937-2015) et Boubé Gado (1944-2015). De 1970 à 1977, Diouldé Laya fut le directeur de l'Institut de recherche en sciences humaines (IRSH), anciennement Centre national de recherche en sciences humaines (CNRSH), lié à l'ancien Institut français d'Afrique noire devenu l'Institut fondamental d'Afrique noire (IFAN), dans lequel Jean Rouch fut impliqué dès le début. Diouldé Laya fut, entre 1977 et 1997, le directeur de l'Organisation de l'unité africaine (OUA) puis du Centre d'études linguistiques et historiques par tradition orale (CELHTO), situé sur le même site que l'IRSH. Grâce à l'hospitalité de Boubé Gado, chef du département d'Art et d'archéologie de l'IRSH, j'ai eu accès à un bureau avec ordinateur au sein de l'Institut. À deux pas, le CELHTO m'accueillait toujours à bras ouverts, Diouldé étant un ami de la famille. Non loin de l'IRSH et du CELHTO se trouve le Centre culturel franco-nigérien, qui porte le nom de Jean Rouch depuis son décès en 2004. Grâce aux liens étroits et durables que j'ai formés avec ce centre, j'ai pu assister à la plupart des projections des films de Rouch ici à Niamey. Ces trois institutions, avec le musée national Boubou-Hama, forment un secteur qu'on appelle parfois la Vallée de la culture. À Niamey, ce secteur était assidûment fréquenté par Jean Rouch. Ce dernier a eu une influence considérable sur la vie sociale du lieu, et a utilisé cet espace dans certains de ses travaux de cinéaste.

Nous n'étions pas amis à proprement parler, mais il ne m'était pas étranger. J'ai assisté au dernier événement qu'il a présidé à Niamey en 2004, ainsi qu'à son enterrement (*de facto* syncrétique), quelques jours plus tard, au cimetière chrétien de Niamey. J'ai participé activement à l'organisation du dernier événement qui s'est tenu ici en sa mémoire en 2014. Une bonne dose de passion entoure Jean Rouch et la réception de ses films, mais je ne suis ni Rouch ni spécialiste de cinéma. Je ne fais partie ni de ses fervents admirateurs, ni de ses détracteurs. Cependant, je ne prétends aucunement être insensible aux produits de son imagination fertile et intrépide, ni indifférente aux solutions novatrices qu'il a trouvées pour exploiter les contraintes matérielles et techniques auxquelles il s'est heurté en faisant ses films (Diawara 1992 : 93-103 ; Scheinfeigel 2008 : 137 ; Rouch 1996 : 83-84 ; Cooper 2006). Sans m'identifier aux passions pro- ou anti-Rouch, aux hagiographies ou aux dénonciations le concernant, le regard que je porte sur lui n'est pas non plus froidement scientifique. Pour un ensemble de raisons, dont mon implication dans la recherche et l'enseignement supérieur ainsi que mes préoccupations de citoyenne active, je m'intéresse vivement à l'histoire et à la politique culturelle franco-africaines, au sein desquelles Jean Rouch et son œuvre prennent place.

Les films de Jean Rouch ont imprégné la vie culturelle nigérienne, du moins au sein de l'espace urbain de Niamey. Aujourd'hui encore, la vue

d'une 2 CV Citroën a des chances de provoquer un ironique « *Cocorico!
Monsieur Poulet* » (1974), titre de l'un de ses films. Il figure parmi les
grands favoris des téléspectateurs des chaînes locales, sur lesquelles les
films de Rouch – en particulier ses fictions et ses premiers documentaires – sont régulièrement diffusés. Par conséquent, Jean Rouch est
un nom familier pour de nombreux Nigériens. Ici, tout le monde n'est
pas capable de faire le lien entre le centre culturel qui porte son nom et
l'homme lui-même, mais ses films ont laissé leur marque sur le paysage
culturel national. Bien que les discours sur l'ethnographie griaulienne,
l'anthropologie visuelle, le cinéma-vérité et l'héritage colonial ne signi-
fient pas grand-chose pour de nombreux Nigériens, ses films, eux, ont
un sens à leurs yeux. Le cinéma de Rouch est peu présent dans l'enseignement au Niger. Il est aussi largement absent de la recherche – une
situation qui ne se limite pas au Niger. En effet, une certaine réticence
envers l'œuvre de Rouch se fait sentir dans les cercles académiques de
France et d'ailleurs. En outre, la barrière de la langue sépare ses films du
public anglophone (Prédal 1996 : 58 ; Stoller 1996 : 76 ; Bensmaïa 1982 : 59).

Force est de reconnaître néanmoins que le monde universitaire au
Niger comporte ses propres défis : les études africaines sont pour le
moins timorées dans les institutions supérieures ; les perspectives post-
coloniales sont peu courantes, et les initiatives académiques qui existent
dans ces domaines dépendent largement des ressources et de la créativité
pédagogique individuelles. Au-delà des efforts personnels fournis en
cours, l'enseignement du cinéma ou par le cinéma étaient pratiquement
inexistants avant la création en 2014 du programme (licence, master et
doctorat) en art et culture à l'université Abdou Moumouni.

Les dernières vingt-cinq années passées au Niger ont fait naître
en moi la sensation de vivre dans un pré carré français. En tant que
citoyenne nigérienne d'origine étrangère, je jouis du luxe de la distance.
Toutefois, je ressens également les effets de nos réalités post-coloniales
(le trait d'union ne pouvant évoquer avec certitude que la chronologie
officielle). De quoi s'agit-il ?

Depuis ma position à la fois intérieure et extérieure, je constate que
silence et tact semblent de mise en ce qui concerne le passé colonial, tant
pour les autorités nigériennes que pour les diplomates français et leurs affiliés. Dans les espaces d'échanges et de débats franco-nigériens tels que les
conférences, les tables rondes et les projections au Centre culturel franco-
nigérien (CCFN), pour lesquelles j'ai souvent été modératrice au fil des

années, on est constamment confronté aux vestiges mal digérés de l'histoire coloniale. Les signes de cette indigestion historique sont apparents des deux côtés, et sont susceptibles de provoquer toutes sortes de déclarations et comportements involontaires ou arrogants, résignés ou irrités.

Le Niger fait partie du post-empire français, mais ce pays est loin d'offrir le poste rêvé pour certains des diplomates et fonctionnaires internationaux qui s'y retrouvent. La France étant une donatrice majeure – à la fois par elle-même et par le biais des contributions de la part de l'Union européenne –, les représentants français affectés ici sont atterrés par des sentiments anti-français exprimés parfois par des Nigériens. Dans le cadre de la séance questions-réponses d'une conférence sur la francophonie (18 mars 2013) organisée par l'éminent journaliste de RFI Alain Foka en présence de l'ambassadeur français, un étudiant a lancé : « J'en ai rien à foutre, de la France et de la langue française ! » Pourquoi tenir ces propos agressifs, quand la France finance des conférences publiques et ouvre des espaces de création artistique ? Pourquoi cette colère et cette grossièreté ?

Depuis le départ à la retraite des anciens formés à l'époque coloniale et aux débuts de la période post-indépendance, ceux que j'appellerai, sans stigmate excessif, l'élite pro-française, des mutations ont pris place. L'émergence des modèles islamiques et islamistes, ainsi que les pressions qu'ils exercent parfois, remettent en question le futur des relations franco-africaines, sans épargner non plus le patrimoine africain endogène (Tidjani Alou 2009).

La majorité de la jeunesse, qui représente 60 % de la population, est sans emploi. Le chômage frappe aussi des personnes possédant des compétences spécialisées dont le pays a pourtant cruellement besoin, à l'image des médecins ou des enseignants. On peut le comprendre : la frustration est élevée, et le futur inquiétant. On remarque, par ailleurs un décalage entre les jeunes Nigériens et leur histoire coloniale et post-coloniale. Certes, l'histoire est enseignée à l'école, mais cela se fait trop souvent en termes abstraits et livresques, ou émotifs qui ne semblent pas établir des liens suffisamment forts avec le vécu contemporain – défaut qui n'est d'ailleurs pas spécifique au Niger. Toutefois, la conjonction de plusieurs des éléments susmentionnés pourrait bien expliquer le discours agressif et ouvertement anti-français de certains jeunes.

À cela peuvent s'ajouter l'identification à l'islam, montée en flèche depuis le 11 septembre, et ses pratiques subséquentes – pratiques ostentatoires (nouveaux *hijabs* austères) et parfois causes de perturbations (prières dans l'espace public et durant les heures de travail). Quel peut bien être le rapport entre tout cela et Jean Rouch ? Ces phénomènes suggèrent, sans expression claire et consciente parfois, d'importantes problématiques post-coloniales sahéliennes : qui peut parler ? Pour qui ? à qui ? Où ? Comment ? Dans ce contexte, il me semble judicieux de revenir sur les Maîtres fous et la réception réservée à ce film pour éclairer certains aspects persistants mais méconnus de l'héritage colonial.

L'événement « Rouch 2014 : Mémoires vives » mentionné plus haut se montra édifiant au sujet des articulations entre l'héritage de Rouch et l'héritage colonial franco-nigérien et plus largement franco-africain. À la demande des responsables, j'ai aidé à organiser la partie niaméenne de cette célébration internationale d'un mois.

Au programme, il y avait une conférence internationale ainsi que des projections de films de Jean Rouch et de cinéastes nigériens (du 6 au 28 février). Ces manifestations eurent lieu au Centre culturel franco-nigérien (CCFN), à l'université Abdou Moumouni (UAM), à Harobanda, la rive droite de Niamey, mais aussi à Ayorou et Firgoun, deux autres villes du Niger, et à Bandiagara, au Mali (du 3 au 7 mars). Le CCFN Jean-Rouch monta également une exposition photographique. Des événements furent organisés à Paris par l'Association des amis de Jean Rouch, dont trois membres assistèrent aux événements de Niamey. Deux d'entre eux, Bernard Surugue et Andréa Paganini, présidèrent la séance inaugurale des projections cinématographiques. Les partenaires de cet événement enrichissant furent, entre autres, le Centre culturel américain, l'Institut de formation aux techniques de l'information et de la communication (IFTIC) et le Centre national de la cinématographie du Niger (CNCN). Je suis d'avis que les organisateurs envisageaient l'ensemble de l'événement, y compris la conférence, comme un juste hommage rendu à Jean Rouch. Durant les étapes préparatoires, il a donc fallu à de nombreuses reprises faire preuve de fermeté pour imposer le principe d'un débat libre et ouvert au cours de la conférence. En effet, les partenaires français me firent l'impression de vouloir éviter le remous des voix critiques. La plupart des intervenants se rendirent physiquement à Niamey ; mais Paul Stoller et Frank Ukadike firent leur présentation par vidéoconférence depuis les États-Unis. Les admirateurs de Rouch furent forcés d'écouter ses détracteurs. Plus d'une fois, l'un ou l'autre des amis de Rouch quitta la salle, sans doute en réaction à des remarques jugés désobligeantes. Visiblement, ils étaient venus lui rendre hommage et n'avaient pas l'intention de débattre, d'écouter les remarques de Jean-Marie Teno, présent à Niamey, ou de Frank Ukadike, qui s'exprimait depuis l'université Tulane à la Nouvelle-Orléans, ni même d'ailleurs les miennes à propos du silence des acteurs africains dans *Les Maîtres fous*. Pourtant, j'occupai à mes yeux une position neutre, sans parti à défendre ni ennemi à combattre. Andréa Paganini et moi échangeâmes quelques clins d'œil et commentaires *sotto voce* amusés sur le ciné-réalité durant la présentation de *Moi fatigué debout, moi couché* (1997), dans lequel la mise en scène très directive de Rouch et ses relations hiérarchiques avec ses « copains » nigériens demeurent visibles. C'est d'ailleurs Michel Marie qui met le terme « copains » entre guillemets lorsqu'il les évoque (2008). Contrairement aux présentations des spécialistes, les interventions du public se limitèrent essentiellement à des propos élogieux, des défenses personnalisées et des points de biographie nostalgiques. Le public non spécialiste fut sans doute déconcerté par les tensions du débat.

L'histoire re-visionnée : *Les Maîtres fous*

Les Maîtres fous est probablement le film le plus controversé que Jean Rouch ait jamais réalisé. Pour Michel Marie (2008), ce film marque un tournant dans l'histoire du cinéma. Frank Ukadike (1994 : 50) le décrit comme « le plus discutable [des films de Jean Rouch] pour les Africains et le plus controversé de ses films africains au vu des discussions polémiques qu'il a soulevées ». Maxime Scheinfeigel (2008 : 3) évoque le « scandale » des *Maîtres fous*, qu'il décrit de façon intéressante comme de « l'ethno-fiction » (2008 : 13) et situe dans la même catégorie qu'*Afrique 50* (Vautier, 1950) et *Les statues meurent aussi* (Marker, Resnais et Cloquet, 1953). Selon cette auteur, *Les Maîtres fous* ont brisé le mur du silence entourant les relations coloniales et ont perturbé la tranquillité de celles-ci (2008 : 85). Réda Bensmaïa (1996 : 66) décrit cette œuvre comme « provocatrice » et « inclassable ». Le premier de ces termes semble désigner le manque d'innocence du film. Marc-Henri Piault (1996 : 53) remarque que Jean Rouch fut à la fois un « témoin lucide [et un] spectateur enchanté ». On pourrait ajouter qu'il fut, par ailleurs, un cinéaste et un ethnographe clairvoyant, conscient de la subjectivité et du pouvoir de son imagination créative sur la « matière première » qu'il filmait. Bien entendu, il savait que son œuvre participait à l'aventure coloniale. Ses *Maîtres fous* frappent au cœur l'aspect le plus vicieux de l'histoire coloniale par son choix, lourd de symboles, de filmer un rite dérangeant pratiqué par les colonisés. Cependant, le point de vue, le commentaire et le discours de ce film sont ceux d'un homme issu de la France colonisatrice. Jean Rouch fut un ethnographe doté d'un « œil mécanique » (Rouch 1982 : 43), ayant accès à tout un matériel technique qui lui permit de capturer, de fixer et de diffuser ce rite haouka bien au-delà des lieux fréquentés par les protagonistes africains de ce film. Leurs voix ne s'y entendent que comme un murmure indistinct couvert par la « voice-over », lyrique et puissante, ample et assertive de Rouch.

On sait très peu de chose, presque rien, sur la mise en scène et le montage des *Maîtres fous*, et le peu que l'on en sait provient de Rouch lui-même, à l'exception de fragments non publiés de rumeurs locales. Ce qui précède est une introduction abrupte à une série de questions complexes et imbriquées. Rien ici n'est simple ni innocent et rien de ce qui s'y joue ne risque de changer de sitôt, compte-tenu de l'aventure ambiguë que représente la rencontre de Jean Rouch avec l'Afrique, mais aussi de l'épopée coloniale elle-même — sans parler de ses scénarios actuels.

En 1957, le film *Les Maîtres fous* remporta le premier prix de la catégorie films ethnographiques, géographiques, touristiques et folkloriques du Festival international du cinéma de Venise. Le film força l'attention d'un certain nombre de cinéastes, critiques et universitaires formant le public international, spécialisé, circonscrit et polarisé de l'œuvre de Jean Rouch (Prédal 1996 : 58 ; Stoller 1996 : 76 ; Bensmaïa 1982 : 59 ; Marie 2008). Comme nous le savons, ce public inclut d'un côté des cinéastes et des critiques de cinéma, et de l'autre des ethnologues, des anthropologues (visuels) et des chercheurs en études culturelles. Dans sa contribution à *Jean Rouch : un griot gaulois* (1982), Réda Bensmaïa remarque qu'il fut incapable de trouver un seul chercheur français travaillant en France qui consentît à se faire interviewer pour le numéro spécial de *CinémAction* dédié au cinéma de Jean Rouch vu sous l'angle des sciences humaines. Ce fut finalement le professeur américain Georges de Vos, alors à l'université de Berkeley en Californie, qui accepta cette proposition.

Depuis sa première projection en 1954, *Les Maîtres fous* n'a cessé de choquer et d'intriguer, de soulever des questions et des enthousiasmes, de dégoûter et de scandaliser ses spectateurs. C'est un fait bien connu qu'à sa première projection au musée de l'Homme à Paris, le film a « provoqué des réactions de colère » de part et d'autre de la barrière coloniale franco-africaine. Pour différentes raisons, l'ethnologue français (et directeur de thèse de Jean Rouch) Marcel Griaule et l'un des premiers cinéastes africains, Paulin Vieyra, jugèrent tous deux que le film devrait être détruit (Stoller 1996 : 70-71 ; Rouch 1996 : 83). Le premier, manifestement, parce qu'il considérait que l'Europe y était tournée en ridicule, et le second, par peur que ses images violentes ne renforcent et n'exacerbent les stéréotypes raciaux présentant les Africains comme des sauvages. Cet épisode des aventures rouchiennes est aussi connu que l'objection de Sembène Ousmane à l'encontre des films ethnographiques de Jean Rouch et des études africaines en général, auxquels il reprochait de regarder les Africains « comme des insectes ». Nous savons tous que Jean Rouch ne détruisit point le film. Ce qu'on ne dit pas souvent, en revanche, c'est que les deux hommes semblent avoir entretenu une relation spéciale de camaraderie ironique. L'auteur des *Maîtres fous* expliqua d'ailleurs lui-même qu'il décida d'en limiter la diffusion et de ne le projeter que dans « des cinémas d'art et d'expérimentation et dans des festivals de cinéma » (Stoller 1996 : 71), pour éviter que les images ne soient mal comprises. Jean Rouch se serait également résolu à faire d'autres « films de ce genre "ethno-fictionnel" qui aborderaient plus frontalement la question du racisme européen et du colonialisme » (*ibid.*). Une autre réaction de Rouch – pour écarter les critiques de la part d'Africains l'accusant de révéler des secrets religieux et de manquer d'objectivité – fut de dire qu'il n'avait aucune objection à ce que les Africains lui rendent la pareille en passant les Européens et leur réalité au crible d'une ethnographie à tendance entomologiste (Hennebelle 1996 : 78-79). Une telle réplique semble bien correspondre au personnage, mais la réalité du contexte colonial et post-colonial rend la faisabilité de ce remède bien improbable.

Quoi qu'il en soit, du côté Africain, on considéra que *Les Maîtres fous* aggrava le malentendu colonial : on jugea que filmer une scène sanglante de sacrifice animal, montrant des Africains l'écume aux lèvres et marchant comme des zombies, ne pouvait apaiser le racisme anti-Noir, peu importe les explications universitaires s'appesantissant sur la créativité artistique, la parodie, la *catharsis* et l'incarnation de la violence coloniale (Stoller 1995). Par ailleurs, Jean Rouch conscient et provocateur, fournit lui-même des éléments suggérant que le film pourrait bien, de façon involontaire, alimenter le racisme anti-Noir. Il défendit l'inévitable subjectivité de son regard cinématographique. Sa fascination pour les mythes et les contes, ainsi que sa manière d'incarner le trope colonial de « l'aventurier » sont, par ailleurs, aussi bien connus. Tous ces éléments se confondent dans Les Maîtres fous. Indéniablement, ce film préserve toute une période de l'histoire africaine, mais il reste difficile à digérer pour le spectateur avisé d'Afrique subsaharienne. Aujourd'hui encore, celui-ci semble incapable d'adopter pleinement certains arguments pro-Rouch en ce qui concerne les nombreux mérites de ce film, vu d'ailleurs.

Les images en sont dures. Nonobstant, on peut s'accorder avec Réda Bensmaïa, Marc-Henri Piault, Paul Stoller et d'autres universitaires, sur les valeurs plus profondes, subtiles, symboliques et mémorielles du rituel et de l'histoire que le film préserve. Il faut également reconnaître qu'une fois devant l'écran, on est bien obligé de faire face à ces images et de se confronter à l'éthique, à l'esthétique filmique et à l'ambiguïté coloniales à l'œuvre dans Les Maîtres fous. L'histoire coloniale y remet en question le présent – notre présent partagé. Est-il possible de (ré)envisager certaines des questions soulevées par ce film provocateur ?

Les universitaires utilisent souvent Les Maîtres fous comme support d'enseignement ou de recherche, sans nécessairement prendre en considération les rapports entre le cinéaste et les acteurs du film. De même, le cinéaste et les acteurs ne sont pas toujours resitués franchement dans le contexte de l'histoire coloniale concernée. Pour certains universitaires, il s'agit d'exonérer Jean Rouch, de le louer, ou d'expliquer la valeur positive de sa contribution à la créativité cinématographique, malgré un matériel de qualité inférieure, sa compréhension ethnographique de l'Autre dans un contexte colonial, ou encore sa promotion du cinéma africain et des Africains qu'il a rencontrés (tels Damouré Zika ou Oumarou Ganda). Pour d'autres, il s'agit de lui reprocher d'avoir dressé un portrait néfaste des Africains, d'avoir révélé dans un film ce qui devrait n'être réservé qu'à la connaissance des initiés, d'avoir montré, capturé et préservé sur pellicule des manifestations rituelles et choquantes d'Africains s'efforçant de faire face à la violence coloniale, et surtout de l'avoir fait hors contexte, sans contextualisation. Un historien utilisa le film pour étayer l'idée que le rituel haouka dissimulait en réalité une tentative de révolte anti-coloniale (Idrissa 1996). D'autres réactions de spécialistes voient le rituel lui-même comme une incarnation de la violence coloniale (Stoller 1995), une manifestation du regard occidental (blanc et masculin) (Cooper 2006) sur un rituel (noir), une parodie, une imitation du pouvoir blanc (désiré) de la part des colonisés, une révélation de la mondialisation culturelle ajoutant des divinités occidentales aux répertoires mythiques de l'Afrique francophone post-coloniale (Tidjani Alou 2010).

À l'occasion d'un séminaire de second cycle en études africaines centré sur l'histoire coloniale au cinéma, j'ai inclus *Les Maîtres fous* à un corpus de films documentaires et de fiction, comprenant également de *L'Homme du Niger* de Jacques de Baroncelli (1940), *Sarraounia* de Med Hondo (1986), *Capitaine des ténèbres* de Serge Moati (2005), *Blancs de mémoire* de Manuel Gasquet (2004) et *Le Malentendu colonial* de Jean-Marie Teno (2005). L'un des objectifs principaux de ce séminaire fut de revisiter les discours historiques coloniaux et post-coloniaux dans le Sahel, des deux côtés de la barrière franco-africaine. De 2009 à 2014, les réactions de mes étudiants me forcèrent à revoir les interprétations de ce film. N'étant pas protégés par la double cuirasse d'une position (relativement) étrangère et de la distance académique, ils furent très affectés par le film.

Quoique chaque film du corpus susmentionné revêt une importance significative par rapport à la politique mémorielle franco-africaine, et bien que le corpus ait inclus deux autres documentaires, le documentaire *Les Maîtres fous* provoqua des réactions étonnamment puissantes, voire viscérales, de la part des étudiants. Sensibilité mise à part, étant donné ma situation, je pouvais considérer le film comme un ensemble de « données culturelles », « historiques », « portant sur l'oralité », etc. Je n'étais pas, pour ma part, tiraillée entre la foi musulmane – qui interdit le « shirk », c'est-à-dire les pratiques religieuses associant d'autres entités spirituelles à Allah, et dont les fanatiques et puristes, de plus en plus nombreux, définissent les religions africaines comme « *jahilchi* », terme haoussa signifiant « l'ignorance », « l'obscurantisme » – et une croyance profondément enracinée dans le pouvoir et l'efficacité des pratiques religieuses ancestrales.

J'avais visionné *Les Maîtres fous* à maintes reprises avant de le présenter dans mon cours. J'avais trouvé le commentaire intrigant. Certaines images m'avaient inspiré du dégoût, mais la perspicacité des réflexions sur la violence coloniale et la *catharsis* m'avaient semblé valoir la peine, tandis que je prenais des notes sur la mondialisation culturelle dans le Sahel. Je n'avais jamais ressenti le besoin de baisser la tête, de fermer ou de détourner les yeux. Bien que j'aie éprouvé bien d'autres sensations, la nausée et l'écœurement excessif n'en ont pas fait partie. Pourtant, par un après-midi que je ne suis pas près d'oublier, l'un de mes étudiants s'est évanoui de dégoût. Il a baissé la tête, incapable de regarder les sanglantes séquences du sacrifice, incapable de supporter l'extrême transgression que représente pour les sensibilités locales la consommation de chair et de sang canins.

Que se passait-il donc? Je ne suis pas assez naïve pour proposer une réponse toute faite à une question aussi complexe. Le contexte décrit plus haut évoque des changements susceptibles d'éclairer quelque peu la question. Malgré tout, pourquoi ce documentaire demeure-t-il si dérangeant? Comment le spectateur nigérien vit-il cette approche filmique de l'expérience coloniale? Ce film, comment présente-t-il la voix et le corps post-coloniaux? Quelle est la position de Rouch dans ces rapports franco-africains post-coloniaux si saturés d'ambiguïté? Les propos qui suivent dressent une rapide esquisse de quelques pistes de réponses.

Georges de Vos (Bensmaïa 1982 : 61) reprocha aux *Maîtres fous* de ne pas montrer clairement ce que font les « acteurs ». Il souligna, de même, un manque de clarté dans les transitions. Mais l'un des éléments qui m'a le plus gênée relève de la problématique de la voix et du silence. Je l'ai déjà dit : la seule voix que l'on y entend est celle de Jean Rouch – dans une exégèse prononcée distinctement, sur un ton « savant » et assuré. C'est lui « l'ordonnateur », celui qui tire les ficelles et qui maîtrise les codes ; c'est lui qui construit le récit d'une journée entière résumée en moins de quarante-huit minutes de film monté. Avec un peu de recherche, on y découvre des erreurs factuelles ; un visionnage attentif révèle des contradictions et des trous dans l'intrigue, et les parallèles bien trop nets dressés par le film poussent à réfléchir. Alors que la « *voice-over* » explique que les adeptes haouka se rassemblent en dehors de la ville d'Accra tous les dimanches, la traduction des propos de l'un des adeptes évoque en réalité une séance particulièrement réussie d'un rituel *annuel*.

On imagine bien les défis techniques rencontrés sur le terrain lors du tournage, avec des outils rudimentaires. De même, on n'a aucune peine à admettre que des membres du culte haouka ont pu demander à Jean Rouch de faire un film sur leur cérémonie annuelle, comme l'affirment la présentation paratextuelle du film et l'ouvrage de Scheinfeigel datant de 2008. Cependant, je ne pense pas que ces éléments suffisent pour déduire que le film ait été une « commande venue du terrain » (Scheinfeigel 2008 : 137), ou qu'il témoigne nécessairement du rôle actif (*ibid.* : 85) des Africains qu'il représente. En réalité, de nombreux référents du film sont inaccessibles au spectateur, qui n'est pas toujours à même de décoder les éléments qui lui sont présentés. Il existe très peu de documentation sur le tournage des *Maîtres fous*. Les rapports entre Rouch et sa « tribu » (*ibid.* : 79) étaient ambigus, et il n'existe aucun témoignage publié de la part de ses « copains » nigériens ayant joué dans ses films. Par conséquent, que peut-on savoir au juste de la nature de leur participation ? Le documentaire *Les Maîtres fous* met surtout en avant le rôle d'auteur et de technicien de Jean Rouch, et le regard de l'Occident. Loin de considérer le rituel en soi, le film se concentre surtout sur le discours du cinéaste, qui choisit à cette fin discursive des images lui permettant de donner libre cours à son imagination et de préserver ses propres schémas mythiques. Le cinéaste ethnographe, suivant « l'invitation » initiale de faire un film sur le rituel haouka, choisit « naturellement » la façon de mener son expérience créative ; quels acteurs suivre, et comment. Le « *deus-ex-machina* » du montage de Suzanne Baron ordonne le récit selon les instructions de Jean Rouch (*ibid.* : 137). Ce sont là les astuces du métier de ce cinéma-vérité, dans lequel des séquences filmées en dehors du rituel, et par la suite interprétées de manière subjective et fantaisiste, sont incluses dans le film, sans prise de son directe, ce qui permit à Jean Rouch d'écrire sa propre version poétique et fantasque d'un chapitre de l'histoire coloniale.

Tout cela s'accompagne, par ailleurs, d'une esthétique de narration sur mesure, à en croire Scheinfeigel (*ibid.* : 138) et Rouch (1996 : 84). Le cinéaste ne renonça jamais à narrer ses films lui-même, même en anglais, malgré son fort accent qui rendait ses propos presque incompréhensibles (Bensmaïa 1982 : 61). En outre, il mémorisait son texte et travaillait sa voix afin d'obtenir l'intonation et le rythme qu'il jugeait adaptés à son statut de maître « raconteur ». Par conséquent, l'impact psychologique et l'expression personnelle qui viennent s'ajouter au film entrent en compétition avec l'exactitude que le spectateur pourrait attendre d'un documentaire. La liberté de l'imagination avance sur un terrain humain et historique miné. Peut-on se contenter de conclure, avec Scheinfeigel (2008 : 138) que les « puissances du faux » accomplissent ainsi « leur œuvre de vérité » ? La littérature critique sur *Les Maîtres fous* suggère avec force que c'est là une chose quasi impossible pour de nombreux spectateurs africains et non occidentaux.

Du point de vue de ces derniers, ce film, réalisé au cours d'une mission de l'Institut français d'Afrique noire (IFAN) financée peut-être par le Centre national de la recherche scientifique (CNRS) français, représente les Africains d'un Niger colonisé et s'adresse à des spectateurs européens.

Il raconte l'histoire de la France à partir de l'un des territoires africains de son ancien empire (et actuel pré carré). Ce point de vue est facile à défendre en se fondant sur le paratexte du film lui-même.

Dans *Les Maîtres fous*, la géographie et le territoire sont réduits à des dimensions monolithiques et « mythiques » : la brousse africaine, les villes de l'Afrique noire, et une « Accra » de convention. Cette métropole africaine est présentée comme la simple incarnation de l'exportation de la civilisation mécanique européenne en Afrique. Les Africains, tels que le commentaire l'explique, tentent de s'adapter à cette nouveauté post-coloniale traumatisante en se réfugiant dans le savoir-faire rituel ancestral. Si l'on s'en tient au film, on pourrait croire que la ville en Afrique subsaharienne n'est qu'une invention européenne. La culture du nomadisme au Sahel, et les « aventures » migratoires entreprises de leur plein gré par les Africains que le film représente, ne sont pas évoquées. De même, l'Histoire est sacrifiée au récit : la secte des Haouka, née dans le Sahel suite au rejet sahélien du pouvoir colonial français (Idrissa 1996), est présentée dans une légende qui défile en lettres blanches sur un écran noir comme étant le résultat du choc de la culture urbaine pour les migrants issus de la brousse sahélienne. Comment est-ce possible, alors, que l'un des prêtres, décrit comme « fier » de son « art » religieux, soit propriétaire de la plantation de cacao où le rituel est filmé, comme nous l'apprend par la suite la « *voice-over* » ? Comment l'un des adeptes a-t-il réussi à devenir caporal dans l'armée coloniale britannique au Ghana ? Comment passe-t-on de 1927 aux années 1950, et de l'invention de la secte des Haouka au Niger à sa propagation au Ghana ? L'idée d'une diffusion décontextualisée des « secrets » de « l'initiation » est rejetée, et le rituel est présenté dans le paratexte comme habituellement ouvert à « ceux qui veulent bien jouer le jeu ». Le rituel est décrit sommairement comme « un jeu violent » qui « n'est que le reflet de *notre* civilisation » (c'est moi qui souligne). En lettres capitales, soulignées pour une emphase accrue, le producteur Pierre Braunberger s'adresse au « public » visé et précise son intention de présenter, « SANS CONCESSION NI DISSIMULATION », un cinéma de violence et de cruauté, offrant cependant une participation complète, en vue, premièrement, de révéler « une solution particulière au problème de la réadaptation » et, deuxièmement, de découvrir la façon (peu flatteuse) dont « certains Africains se représentent notre civilisation occidentale ». Jean Rouch lui-même affirmait que le cinéma ne connaît aucun tabou, que ce qui existe doit être montré. Pourtant, tout ce qui est filmé ne peut être montré dans le produit final. La « dissimulation » peut dès lors relever d'un péché par commande, d'un péché par omission, ou des deux. Par exemple, est-ce simplement par oubli que jamais le commentaire ne mentionne l'usage de substances hallucinogènes – pratique rituelle fort répandue, voire universelle – pour entrer en transe ? Or, ce sont ces substances qui, en grande partie, provoquent l'hypersalivation et les comportements désinhibés et disloqués que le film montre sans fards, et sans éclairage.

De même, la « *voice-over* » de Jean Rouch clôt le film sur cette « interrogation » : « Ces hommes d'Afrique [que l'on voit à l'écran] ne connaissent[-ils] pas certains remèdes qui leur permettent de ne pas être des anormaux mais d'être parfaitement intégrés à leur milieu – des remèdes que *nous* [la « *voice-over* » insiste] ne connaissons pas encore » ? Clairement, la question ne s'adresse pas au public africain. Au contraire, les Africains sont soumis au regard de l'Autre comme un exemple réifié et stéréotypé de dépositaires du célèbre « supplément d'âme ».

En fin de compte, par ce qu'on a appelé une « narration dénarra-tivisée », Jean Rouch le conteur s'impose ; il occupe l'avant-scène, en éclipsant tout le reste, tous les autres. Il est non seulement « photothète » (Bensmaïa 1996 : 67), mais aussi, apparemment, « logothète ». Il décréta d'ailleurs que son style verbal était un genre de glossolalie personnelle. Le lecteur peut déduire des déclarations enthousiastes mais néanmoins confuses du cinéaste sur la glossolalie (Rouch 1996 : 84) que la langue des Haouka lui donna du fil à retordre quand il lui fallut élaborer son commentaire des *Maîtres fous*. Jean Rouch, « griot cinématographique » d'après Paul Stoller, ne sut jamais parler couramment le songhay-zarma. Bien des subtilités du langage ordinaire devaient lui échapper, et à plus forte raison le possible syncrétisme linguistique du langage rituel des Haouka, mélange de différentes langues africaines et de pidgins mon-dialisés. Moukayla, l'un des officiants du rite haouka, vint donc à son secours, après deux jours d'efforts infructueux de la part du cinéaste. Par conséquent, le commentaire assisté mais néanmoins assuré de Rouch fut dépendant de l'intermédiaire d'un acteur dont la contribution n'est apparente que pour le chercheur attentif ou chanceux.

Artiste, poète, iconoclaste, Jean Rouch ne suivit pas toujours les consignes de la rigueur académique, ce qui poussa des universitaires agacés à le considérer comme « peu sérieux » dans certains aspects de son travail. Cependant, ce qu'il préserva sur pellicule demeure d'une valeur inestimable à bien des égards. Mais, au-delà de l'homme et de son œuvre, et même au sein de l'un et de l'autre, apparaît un système encore bien ancré, un système qui se permet toujours de créer des œuvres, de revendiquer des libertés, de satisfaire des curiosités et de se livrer à des aventures aux dépens – ou avec la collaboration – de personnes qui n'ont pas toujours voix au chapitre; des personnes astreintes au silence qui, perçues à travers un regard occidental, ne sont pas présentées comme des sujets à part entière, mais plutôt des individus dont les points de vue originaux sur le monde ne sont pris en compte qu'une fois plébiscités et diffusés par quelque mage bien intentionné.

Références bibliographiques

Bensmaïa Réda, 1982. « Les *Maîtres fous* et l'anthropologie américaine. Interview du Professeur Georges de Vos », *in* Prédal René (dir.), *CinémAction*, n° 17: *Un griot gaulois*, Paris: L'Harmattan, p. 59-61.

— 1996. « Un cinéma de la cruauté », *in* Prédal René (dir.), *CinémAction*, n° 81: *Jean Rouch ou le ciné-plaisir*, Condé-sur-Noireau: Corlet; Courbevoie: Télérama, p. 59-68.

Cooper Sarah, [2005] 2016]. « Knowing Images: Jean Rouch's Ethnography », *Selfless Cinema? Ethics and French Documentary*, Oxford: Legenda. En ligne: http://www.maitres-fous.net/Cooper.html [lien valide 2 septembre 2017].

Diawara Manthia, 1992. *African Cinema: Politics and Culture*, Bloomington / Indianapolis: Indiana University Press.

Hennebelle Guy, 1996. « L'éthique du cinéma ethnographique », *in* Prédal René (dir.), *CinémAction 81: Jean Rouch ou le ciné-plaisir*, Condé-sur-Noireau: Corlet; Courbevoie: Télérama, p. 76-79.

Idrissa Kimba, 1996. « Une révolte paysanne et anticoloniale: la prêtresse Chibo et le mouvement des baboulés/hawka au Niger (1925-1927) », *Sociétés africaines et diaspora*, n° 3, Paris: l'Harmattan, p. 31-69.

Marie Michel, 2008. « Préface », *in* Scheinfeigel Maxime, 2008, *Jean Rouch*, Paris: Éditions du CNRS, p. vii-x. En ligne: http://books. openedition.org/editionscnrs/378 [lien valide 2 septembre 2017].

Piault Marc-Henri, 1996. « Une pensée fertile », *in* Prédal René (dir.), *CinémAction 81: Jean Rouch ou le ciné-plaisir*, Condé-sur-Noireau: Corlet; Courbevoie: Télérama, p. 46-55.

PRÉDAL René (dir.), 1982. *CinémAction*, n° 17 : *Un griot gaulois*, Paris : L'Harmattan.

— 1996, « La place du surréalisme », *in* PRÉDAL René (dir.), *CinémAction*, n° 81 : *Jean Rouch ou le ciné-plaisir*, Condé-sur-Noireau : Corlet ; Courbevoie : Télérama, p. 56-58.

ROUCH Jean, 1982 [1973]. « La caméra et les hommes », *in* PRÉDAL René (dir.), *CinémAction*, n° 17 : *Un griot gaulois*, Paris : L'Harmattan, p. 41-44.

— 1995, « Jeu sacré, jeu politique », *in* THOMPSON Christopher W. (dir.), *L'Autre et le Sacré : surréalisme, cinéma, ethnologie*, Paris : L'Harmattan, p. 422-431.

— 1996, « Jean Rouch parle des *Maîtres fous* », propos recueillis par Joëlle Mayet-Giaume », *in* PRÉDAL René (dir.), *CinémAction*, n° 81 : *Jean Rouch ou le ciné-plaisir*, Condé-sur-Noireau : Corlet ; Courbevoie : Télérama, p. 83-84.

SCHEINFEIGEL Maxime, 2008. *Jean Rouch*, Paris : Éditions du CNRS. En ligne : http://books.openedition.org/editionscnrs/378 [lien valide 2 septembre 2017].

STOLLER Paul, 1995. *Embodying Colonial Memories. Spirit Possession, Power, and the Hauka in West Africa*, New York / Londres : Routledge.

— 1996, « Regarding Rouch : The Recasting of West African Colonial Culture », *in* SHERZER Dina (dir.), *Cinema, Colonialism, Postcolonialism. Perspectives from the French and Francophone Worlds*, Austin : University of Texas Press, p. 65-79.

TIDJANI ALOU Antoinette, 2009, « Niger and Sarraounia: One Hundred Years of Forgetting Female Leadership », *Research in African Literatures*, vol. 40, n° 1, printemps, p. 42-56.

— 2010, « Ancestors from the East, Spirits from the West. Surviving and Reconfiguring the Exogenous Violence of Global Encounters in the Sahel », *Journal des africanistes*, vol. 80, n° 1-2, p. 75-92.

UKADIKE Nwachukwu Frank, 1994. *Black African Cinema*, Berkeley : University of California Press.

Films cités

BARONCELLI Jacques de, 1940, *L'Homme du Niger*.
GASQUET Manuel, 2004, *Blancs de mémoire*.
HONDO Med, 1986, *Sarraounia*.

MARKER Chris, RESNAIS Alain, CLOQUET Ghislain, 1953, *Les statues meurent aussi*.

MOATI Serge, 2005, *Capitaine des ténèbres*.

ROUCH Jean, 1955, *Les Maîtres fous*.

— 1974, *Cocorico! Monsieur Poulet*.

— 1997, *Moi fatigué debout, moi couché*.

TENO Jean-Marie, 2005, *Le Malentendu colonial*.

VAUTIER René, 1950, *Afrique 50*.

Conversation avec Brice Ahounou :
les années rouchiennes

Propos recueillis par Rina Sherman

Jérôme Blumberg (caméraman), Jean Rouch, Tam-Sir Doueb, Brice Ahounou
et François Didio (ingénieur du son) dans *Liberté, Égalité, Fraternité, et puis
après...*[1] (1990).
© Françoise Foucault

---

1. Film de commande réalisé par Jean Rouch à l'occasion du bicentenaire de la
    Révolution française avec des Haïtiens qu'il a connus à Paris grâce à Brice Ahounou.
    Dans le film, ils entreprennent un rituel vaudou devant les Invalides pour concilier les
    esprits de Napoléon Bonaparte et de Toussaint Louverture, révolutionnaire haïtien
    mort prisonnier de l'Empereur français.

Rina Sherman – Brice Ahounou, comment as-tu connu Jean?

Brice Ahounou – J'ai tout d'abord été son étudiant. La complicité est venue plus tard, mais je me souviendrai toujours du jour de notre première vraie rencontre, au café *Le Bullier*. J'avais rendez-vous au petit matin et on est resté là, à discuter de mes études, de ce que je faisais, d'où je venais, bref, se genre de conversation qu'il peut y avoir entre un élève et son professeur. Avec Jean Rouch, ça tournait souvent autour de ça et on a parlé de beaucoup de choses, même de la politique en Afrique. Le fait que tous les pays africains aient échoué était une catastrophe pour lui. À la veille de leur indépendance, il y avait le grand espoir d'un développement du continent. Dix ans après, le bilan était selon lui catastrophique. Je n'étais pas d'accord, arguant que certains pays avaient mieux réussi que d'autres, mais je dois convenir aujourd'hui qu'il n'avait pas tout à fait tort…

Au moment de quitter *Le Bullier* et de nous séparer, le ciel s'est soudainement couvert et nous avons entendu le grondement du tonnerre. Rouch a souri et a psalmodié les devises de Dongo, le génie du tonnerre. Je connaissais moi aussi ces choses-là et lui ai récité en retour quelques devises similaires connues au Bénin. Dongo et Hêviosso, dieu de la foudre en pays fon, venaient de sceller, dans un commun orage, une amitié définitive. Puis il me dit : « Si tu as un peu de temps, je vais te montrer un film ; assieds-toi, je reviens te chercher. Nous irons au musée de l'Homme. » Une demi-heure plus tard, il klaxonnait au volant d'une 2 CV blanche. Au musée de l'Homme, il me montre *Yenendi, les hommes qui font la pluie* (1951) dans la petite salle en haut. Depuis ce jour-là, je n'ai plus quitté les parages de Rouch et du Comité du film ethnographique.

Le plus ahurissant pour moi, c'est lorsque j'ai compris, des années plus tard, que je ne connaissais pas encore Rouch. Quand j'étais petit garçon, j'avais deux livres de chevet que ma mère, institutrice, me lisait. C'était *Le Petit Dan*[2], un album illustré, qui m'a accompagné de très nombreuses années. On y racontait l'histoire d'un petit garçon ayant réussi à tuer le dragon qui menaçait un village en lui jetant des pierres chaudes dans la gueule ; il avait coupé et emporté un bout de la queue du dragon, en oubliant sur place une sandalette. Le lendemain le roi de la contrée avait fait rechercher celui qui avait tué le dragon. Tous les grands chasseurs

---

2.   *Le Petit Dan*, une des premières créations collectives et probablement l'unique contribution de Jean Rouch à l'édition pour la jeunesse.

du royaume s'étaient présentés mais aucun ne parvint à enfiler la petite chaussure, ni à produire le morceau de queue du dragon, jusqu'à ce que le petit Dan se présente à son tour. Le roi lui offrit alors de nombreuses récompenses, ainsi que la main de sa fille. J'étais été tellement fasciné par cette histoire que je finis par la rapporter un jour à Rouch.

> Je suis l'auteur du *Petit Dan*, me dit-il ; c'est moi qui ai recueilli ce conte-là.
> — Jean, tu racontes des histoires !
> — Tu ne me crois pas ?
> — Mais non, j'ai deux exemplaires du *Petit Dan*, celui à la couverture verte et l'autre avec la couverture bleue faite pour les pays d'Afrique.
> — Si tu ne me crois pas, viens avec moi, me répond-il.

Nous sommes alors montés à la bibliothèque du musée de l'Homme, où j'ai pu effectivement constater qu'il y avait bien son nom sur la couverture du *Petit Dan*, avec ceux de Pierre Ponty et Jean Sauvy (Rouch, Ponty et Sauvy 1948).

Rina Sherman – Petit à petit, en entrant dans le monde de Jean Rouch, j'ai compris qu'il y avait chez lui une grande recherche picturale. Il avait laissé une place importante à la peinture notamment dans *Enigma* (1988)[3] ; il a également filmé une exposition d'art africain à la Fondation Maeght à Saint-Paul-de-Vence[4]. Il aurait pu être peintre.

Brice Ahounou – Les deux frères de sa mère étaient peintres. Lui-même avait commencé à dessiner. Mais il n'a pas eu le temps de faire carrière dans la peinture. À peine était-il sorti de l'École nationale des ponts et chaussées que la guerre a débuté.

Né en 1917, Rouch se rend en Afrique en 1941. Il y reste un an à peine avant d'être expulsé par le gouvernement local qui lui reproche d'être

---

3.   Le livre qui a inspiré Jean Rouch pour *Enigma* est le *premier Livre du roi du diamant spectacle* : « *les grands-parents ou le théâtre à l'envers* » d'Éric Pide, écrit en 1972 pour commémorer le centenaire de *La Naissance de la Tragédie* de Nietzsche (voir Brunet 2000).

4.   Jean Rouch : « L'idée était d'y faire une promenade improvisée et de dire tout ce qui me passe par la tête. Malgré des conditions de tournage médiocres, je démarre devant un Calder, face à un mur d'enceinte de la Fondation. Je me suis alors souvenu de la folle expérience d'Henri Langlois qui avait organisé la projection de cent films à la fois sur les murailles de Carcassonne, en 1968. On pouvait faire l'histoire du cinéma en faisant le tour des murailles. De cette association m'est aussitôt venu le commentaire : "Devant les murailles de Carcassonne, la cavalerie immobile de Calder charge à grand tintamarre…" » (Marsolais 1989).

un agitateur politique. Remis à disposition du gouverneur de Dakar, il rentre néanmoins en France pour faire la guerre, participe à la libération de Berlin. Il n'a donc à aucun moment le temps de peindre.

Sa première expérience africaine des cérémonies a lieu en 1942. Il découvre alors quelque chose qui va littéralement remettre en cause les certitudes qui étaient jusque-là les siennes concernant le sacré. Désormais, il sera obsédé par l'idée de rendre compte des rituels qu'il peut observer, grâce à sa fabuleuse rencontre avec les Songhay. Il écrit à leur sujet une étude historique importante, *Contribution à l'histoire des Songhay* (Rouch 1953), qu'il est aujourd'hui difficile de se procurer. Quelque chose se joue dans cette rencontre avec les Songhay. Il se dit :

> Ce que j'ai vu, je ne peux pas le perdre, je ne peux pas le dessiner, je ne peux pas l'écrire sans risque de trahison. Ce que je viens de voir, c'est le cinéma.

Il veut conjuguer le cinéma avec la recherche ethnographique. C'est pourquoi, à la fin de la guerre, ainsi que le lui suggère Griaule, il s'inscrit en licence dans la perspective d'écrire une thèse.

On pourrait établir un parallèle avec l'histoire de Jean Renoir, dont le père, Auguste, était le peintre que l'on connaît. Le fils va s'emparer des techniques cinématographiques utilisées par le monde de la fiction. Il y a quelque chose d'un peu similaire dans l'environnement familial de Rouch : la photographie, le dessin, la peinture et même l'écriture. Jean est confronté, quant à lui, à un univers qui lui impose *de facto* l'usage de l'image animée. Il sait dessiner mais il est déjà dans une autre perspective. Il a compris très vite ce que le cinéma pouvait apporter aux recherches qu'il a prévu de faire[5].

En 1971, il participe au colloque organisé par sa complice, Germaine Dieterlen, sur la notion de personne en Afrique, et présente ce texte fondateur : « Essai sur les avatars de la personne du possédé, du magicien, du sorcier, du cinéaste et de l'ethnographe ». Il y explique ce qu'il a appris chez les Songhay dans la vallée orientale du Niger, et déclare avoir « compris tout de suite que le cinéma devait apporter quelque chose d'autre que le seul fait de noter les choses par écrit » (CNRS 1973 : 529-543). Il affirme alors qu'on ne peut pas envisager et comprendre

---

5.   En introduction du film *Les Magiciens de Wanzerbé* tourné en 1948, Jean Rouch explique : « La caméra n'a servi ici que de crayon pour enregistrer ce que la main ne peut noter. »

la recherche sans prendre en compte la personne de l'ethnographe-cinéaste. En entrant sur le terrain du rituel, la caméra provoque un certain nombre d'attitudes chez les gens filmés, qui l'intègrent au rituel, s'en inspirent, et, par conséquent, le font évoluer d'une façon ou d'une autre. La présence de l'observateur étranger n'est pas sans conséquence. Jean Rouch développe cette idée très vite en se souvenant qu'en projetant pour la première fois au Niger *Bataille sur le grand fleuve* (1951), les gens protestaient : une musique qui donne du courage aux chasseurs montée sur une scène de chasse ferait fuir l'hippopotame. Ce *feedback* lui sera très utile : désormais, il répétera systématiquement l'expérience. Parce qu'à partir du moment où les gens comprennent ce que vous faites, ils valident votre travail et c'est ainsi que votre recherche avance. Le cinéma était un passeport qui lui permettait de franchir un certain nombre de frontières, ce que la peinture ne pouvait pas lui permettre. Historiquement parlant, il était dans une autre perspective.

Rina Sherman – Dans le monde de Jean Rouch, les humains qui entrent en transe deviennent les dieux. Quel est ce monde ?

Brice Ahounou – Ayant quitté son pays en pleine Seconde Guerre mondiale, alors jeune ingénieur des Ponts et Chaussées, Jean Rouch découvre le Niger où il doit construire des routes et est contraint de recourir au *travail forcé*. Un jour, sur un chantier, la foudre tue une dizaine de personnes. Quand il demande à ce qu'on enlève les cadavres, les manœuvres refusent : « Non, on ne touche pas aux cadavres ou plutôt aux gens qui ont été foudroyés par le tonnerre ; le tonnerre est un génie, un dieu. » On lui explique qu'il faut faire une cérémonie pour purifier les corps avant de les enlever. Il assiste donc à cette cérémonie, ainsi qu'à d'autres qu'il appelle « les rituels de possession ». Il s'aperçoit qu'à un moment donné dans la cérémonie, brusquement, un ou plusieurs danseurs sont pris de crise... possédés par ceux qu'on appelle des dieux. Il découvre un univers fascinant, mais qu'il lui est impossible de raconter en France ni de décrire par l'écriture : la meilleure chose à faire est donc de filmer. On est en 1942, dans la boucle du Niger, chez les Songhay, le grand groupe Songhay-Germa qu'il a découvert en ce début des années 1940.

Après la guerre, dans le cadre des enquêtes ethnographiques qu'il réalise pour sa thèse sur la religion et la magie des Songhay, il filme tout de suite, rentre dans ce monde dans lequel des hommes, des femmes, en l'espace d'une cérémonie, ne sont plus eux-mêmes et peuvent devenir des dieux ; à travers ces personnes, des dieux peuvent enfin parler aux humains. Jean Rouch découvre un rituel de communication entre les hommes et les dieux. Rouch vient de France, et il découvre là-bas que des gens peuvent s'adresser à des divinités qui ne sont pas très éloignées, qui viennent les posséder et apporter des réponses aux grandes questions qu'ils se posent. Plus tard, quand il s'intéressera à la chasse aux lions, où il est fait usage de l'arc, il découvre que la question de l'invisible est également très importante et qu'on ne peut pas chasser le lion sans prendre un certain nombre de précautions, comme par exemple se mettre autour du cou la chaîne de l'invisibilité. Car dans le monde de l'invisible, résident les dieux, les divinités et diverses sortes d'entités auxquelles les individus peuvent s'adresser. Au nombre d'environ une centaine en tout, ces divinités mènent en général la même vie que les hommes, quelque part dans un monde parallèle, et sont en communication avec eux. Jean s'est intéressé particulièrement à Dongo, le génie du tonnerre, la première divinité à laquelle il se trouva confronté. Car, sur ce chantier de manœuvres que j'évoquais plus haut, sur lequel les gens étaient morts foudroyés, pendant le rituel de possession, Dongo vient ; le génie du tonnerre possède quelqu'un et cette personne parle. Il accuse Jean Rouch d'être sur place depuis un an, de construire des routes sur leurs terres, sans prendre des nouvelles de Dongo. Rouch dut payer et faire le sacrifice d'un bouc noir pour essayer de la lever. C'est depuis lors qu'est apparue son « inquiétude ethnographique ». Très fréquemment confronté à Dongo tout au long de son travail ethnographique, il fait un ciné-portrait du génie du tonnerre et tourne la série des *Yenendi*. En langue songhay, « *Yenendi* » signifie « rafraîchir », puisque c'est le tonnerre qui frappe. Il y a le tonnerre, Dongo, qui est le frère de la foudre, Kieray. En général, quand la foudre foudroie, le tonnerre frappe aussi ; à l'endroit des hommes, les deux agissent en tandem. On faisait souvent des cérémonies à Yenendi, pour demander au génie du tonnerre de donner une récolte favorable, pour le calmer ou pour l'apaiser… ce qui signifie, en fait, rafraîchir. Année après année, Jean Rouch a filmé toute une série de *Yenendi*.

Rina Sherman – Quel a été le parcours initiatique de Jean Rouch ?

Brice Ahounou – Dans ses travaux et dans ses dires, Jean Rouch explique que, pour le chercheur qui travaille avec des personnes en contact avec les divinités et pratiquant des rituels de possession, il est difficile de rester simple observateur et de ne pas prendre part à toute la chaîne du rituel. Ses longues enquêtes l'ont en tout cas mené aussi bien chez les personnes pratiquant les rituels classiques, comme le *Yenendi*, qu'auprès des chasseurs d'hippopotames accomplissant eux aussi des rituels spécifiques, ou bien auprès des Sohanti, les magiciens du village de Wanzerbé, où il a longtemps travaillé. Au cours d'un rituel de possession à Wanzerbé, la divinité qui a pris possession de l'un des danseurs insulte les membres de l'audience en disant : « Voilà quelqu'un devant vous [Jean Rouch, donc] qui vous réclame des choses, qui veut en savoir plus, et vous ne lui dites pas la vérité. » Dans la foulée, la divinité insulte le sexe de leur mère, ce qui est une insulte classique. Nous n'avons pas de preuves de l'initiation de Rouch, mais pouvons considérer qu'il a été initié par la somme de connaissances absorbées et rapportées.

Il y a quelques années, au musée de l'Homme, nous avions fait un programme qui s'appelait « La croyance de l'autre ». À cette époque, Jean développait l'idée selon laquelle croire en la croyance de l'autre ne veut pas dire qu'on est devenu croyant. Il est important de « jouer le jeu » de la croyance de l'autre, de rapporter ce qu'il dit, de l'admettre ; on joue ce jeu pour mieux comprendre, mais cela ne veut pas dire qu'on est devenu soi-même croyant. Pour Rouch, qui développe le concept d'anthropologie partagée, le regard des autres et la perception qu'ils ont de vous sont importants. Lui-même a partagé tellement d'aventures avec ces populations qu'elles l'ont admis comme l'un des leurs et le considèrent donc comme croyant. Pour elles, il est un croyant. C'est de cela qu'il s'agit, même si lui, chercheur de renom, pionnier dans son domaine, considère qu'il n'est pas devenu croyant au sens classique du terme.

Rina Sherman – Venons-en au film *Les Maîtres fous* (1955) et à la scène où Talou entre subitement en transe dans le film, *Jean Rouch et sa caméra au cœur de l'Afrique* (Philo Bregstein, 1978). Avant le tournage de cette scène, Talou s'était rendu avec Rouch chez les Haouka et il avait assisté à une cérémonie haouka. Que s'est-il passé ?

Brice Ahounou – Au départ, Rouch, dans son travail chez des Songhay, au Niger, s'intéressait d'une part à leur religion, d'autre part à leur magie, pour reprendre le titre de sa thèse (Rouch 1960). En observant leur religion, il voit les dieux et les hommes entrer en communication pour tenter de régler un certain nombre de problèmes en rapport avec les récoltes et la chasse, ou de socialiser des personnes ayant des transes sauvages. Puis il s'est intéressé aux magiciens de Wanzerbé, qui se considéraient comme les descendants de Sonni Ali Ber, le fondateur de l'Empire songhay.

Leur symbole, c'est le vautour. Les magiciens de Wanzerbé sont méfiants, ils n'aiment pas l'étranger. Ils sont repliés sur eux-mêmes, fiers de leur art et ils ne veulent pas d'histoire. Rouch a réussi à franchir cette frontière, d'abord grâce aux enfants, car, à son arrivée, il avait installé son campement à la sortie de la ville et les enfants venaient jouer avec lui. Petit à petit, ils ont entraîné leurs parents. Rouch expliquait que dans la magie, telle que Marcel Mauss l'a décrite, le magicien commande aux dieux ou aux divinités. Alors que dans la religion, ce même magicien les implore.

Rouch travaille sur le rituel classique, d'abord au Niger. Il constate rapidement l'apparition de certains personnages étranges. Déjà dans le film *Au pays des mages noirs*, on voit des personnes vêtues de blanc, portant un casque ovale, en train de baver : ce sont des « maîtres fous », des Haouka, les dieux de la force. On ne les aimait pas beaucoup dans les rituels traditionnels parce qu'ils ne venaient pas de la tradition nigérienne. Progressivement, la communauté les a acceptés, et, parce qu'il fallait leur donner un statut, a fait d'eux les enfants de Dongo, dieu du tonnerre et de la force.

Les Maîtres fous, c'est la perception dramatique du monde colonial ; les maîtres fous se disent : « Nous sommes des Blancs, nous sommes violents, nous sommes des Européens, nous sommes la force mécanique, etc. » Les premières manifestations des maîtres fous ont eu lieu à leur arrivée à Finingué en 1927. Quelques années après, l'administrateur colonial de Niamey, Corsassi, refuse qu'ils s'installent dans la ville, les emprisonne et les fait fouetter. Mais un soir d'orage, les Haouka entrent tous en transe, défoncent les murs de la prison, s'évadent et parviennent à gagner le Ghana, pays voisin. Dans les années 1950, Rouch s'intéresse au sort des Nigériens qui quittent le Niger pour aller en Gold Coast (actuel Ghana). Il suit leur migration jusqu'au Ghana et s'intéresse à leur vie d'un point de vue sociologique et religieux. Certains pratiquent l'islam, mais d'autres des religions traditionnelles et nombreux sont des maîtres fous, des Haouka. D'après les travaux de Rouch, c'est à Kumasi, au Ghana, qu'un certain Ousmane Fodé[6] regroupe tous les Haouka ; des cultes impressionnants s'y dérouleront longtemps. Rouch connaissait les maîtres fous depuis son premier film *Au pays des mages noirs*. Des années durant, il les a suivis et photographiés. Dans les années 1950,

---

6.   Ancien militaire et grand prêtre des Haouka de la Gold Coast, possédé lui-même par le génie du tonnerre, Dongo. Pour plus d'informations, voir Rouch (1956).

il est allé jusqu'à Kumasi. Après avoir vu ses films et compris son travail, les maîtres fous lui parlent de leur grande cérémonie annuelle et en 1953, l'invitent à les rejoindre. Il se rend alors au Ghana, assiste aux simulacres et tourne *Les Maîtres fous* (1955).

Revenons maintenant à l'histoire de Talou. Rouch avait trois amis : Damouré, Lam et Talou, le plus jeune ; « DaLaRouTa », comme Jean disait en prenant le préfixe des noms de chacun. À la charnière des années 1950-1960, quand Talou a rejoint la bande, les enquêtes de Rouch se déroulaient à la fois sur le Ghana et la Côte-d'Ivoire, car partis du Niger, les gens se rendaient au Ghana ou en Côte-d'Ivoire et revenaient chez eux. À l'époque, Rouch avait recueilli Talou parce qu'il était lépreux ; il l'avait fait soigner et une fois guéri, il le prit sous sa coupe. C'est à l'occasion d'un de leurs voyages que Talou dit à un maître fou : « Je ne crois pas à ton histoire de maître fou, c'est une plaisanterie. Tu fais ton cinéma, c'est du cirque. » « Tu verras ce qui va t'arriver », lui répondit l'un d'eux. Dans la semaine même, Talou fut pris d'une crise qui ressemblait à une crise de folie et il commença à essayer de déterrer des cadavres au cimetière d'Accra. Il fallut le ramener, le soigner et le prendre en charge. Ainsi Talou a-t-il été puni pour avoir exprimé son incrédulité. Depuis, on le pense poursuivi par les Haouka.

La scène du film de Philo Bregstein, *Jean Rouch et sa caméra au cœur de l'Afrique*, se déroule sur le toit d'une maison à Niamey, dans laquelle Damouré, Lam, Talou évoquent leur rencontre. Contrarié par une allusion de Damouré aux Haouka, Talou entre soudain en transe. Chez les Songhay, souvent, le possédé ne se souvient pas de sa possession et l'évoquer peut déclencher une nouvelle crise. Je parle spécifiquement du terrain que pratiquait Jean Rouch. Dans d'autres sociétés, les possédés se souviennent ou voient leur image sans réagir. Dans ce cas précis, il est question du souvenir : Talou a été mis en présence non pas d'une image de sa possession, mais du souvenir du récit de sa possession. Le récit ou l'allusion au récit peut déclencher un état de transe passager chez quelqu'un qui a été une victime directe d'une moquerie quelques années auparavant.

Rina Sherman – Qu'est-ce qui a choqué dans *Les Maîtres fous*, lorsque Jean Rouch a présenté son film à Paris ?

Brice Ahounou – Griaule, mais également les Européens qui s'intéressaient à l'ethnologie et les Africains ont été choqués. Nous sommes en 1954. La guerre n'est pas loin. Les pays africains ne seront indépendants qu'à partir de 1960. La politique coloniale de la France est clairement remise en cause. Après avoir pour certains combattu pour la France pendant la guerre, ces pays veulent leur indépendance, mais on ne tient pas à la leur donner. Quand on montre ce film au musée de l'Homme, certains intellectuels Africains, qui sont à la Sorbonne, comme Senghor, ou à l'IDHEC, refusent cette image parce qu'elle leur semble participer davantage à leur dévalorisation. L'heure était à la réhabilitation de l'image de l'homme noir. Or, Rouch montre des Africains qui bavent, qui mangent un chien et jouent un simulacre repoussant... Mais il s'agit de modestes personnes, des gens qui vont travailler en Gold Coast, qui ont vécu la colonisation dans leur chair et qui tournent en dérision les deux systèmes coloniaux français et anglais. De l'esclavage à la colonisation, les Africains, mis aux fers et asservis, ont été traités de tous les qualificatifs pouvant indiquer leur animalité. On en faisait des sous-hommes. Cela fait partie de l'univers de ceux qui ont accompagné ou qui ont fait la colonisation. Griaule demande la destruction du film parce qu'il comprend bien que c'est l'Européen, le Blanc, le colon, le maître blanc – on est en 1953-1954 – qui est ridiculisé. Cette bave est la sienne, elle exprime sa colère. Le casque colonial est celui qu'il porte, les saluts militaires, ce sont les militaires... Les Africains les ont vus, les ont mentalement enregistrés et les reproduisent dans leurs rituels.

Cette histoire constitue l'essence des études post-coloniales. Des chercheurs à Oxford, à Cambridge dans les *Subaltern Studies* (critique post-coloniale de la modernité)[7], ont théorisé la question du rapport de domination que les Anglais ont eu avec leurs sujets. Des chercheurs indiens ont repensé leur histoire à l'aune de leur expérience avec la Grande-Bretagne. Ils se sont inspirés de la *French Theory* en s'appuyant sur des gens comme Derrida, Guattari ou Foucault et ont mis à contribution des auteurs comme Frantz Fanon ou Edward W. Saïd avec *L'Orientalisme : l'Orient créé par l'Occident* (Saïd 2005). Les anciens colonisés élaborent une pensée qui réfléchit sur les conséquences de la colonisation. Or les maîtres fous sont les premiers à avoir dénoncé l'Afrique post-coloniale. En ce qui concerne l'Afrique, on ne peut pas réfléchir sur le post-colonialisme sans faire le lien avec l'histoire des maîtres fous. Il y avait énormément de Haouka au Niger, au Ghana,

---

7.   Les *Subaltern Studies* sont une série de volumes collectifs publiés par Oxford University Press-Delhi depuis 1982, portant le sous-titre « Writings on South Asian History and Society ». L'historien bengali Ranajit Guha (né en 1923) est le fondateur du collectif de chercheurs responsable de l'entreprise. Voir Pouchepadass (2000).

à Kumasi et ailleurs, et ils disaient déjà la fin du système colonial. Les maîtres fous mettaient en scène les deux colonisations en se faisant appeler le général Marseille, le méchant commandant Mougou, appelé aussi « Corsassi », c'est-à-dire « le Corse », « madame docteur » ou bien la reine de Grande-Bretagne, dans le cadre de rituels à répétitions et sur de nombreuses années ; autant dire qu'ils proclamaient déjà la fin du colonialisme. Rouch lui-même dit que *Les Maîtres fous* est le premier film anticolonial[8]. Le film résume d'une certaine façon la transition vers la fin de la colonisation. Les Haouka ont fait les deux dernières guerres, disons les trois si on remonte à 1870. Ils sont allés au front, ils ont vécu avec les Européens, ils sont allés au front pour les Européens. Ils ont tué des gens, ils connaissent la chaîne de commandement de l'armée coloniale. Ils ont transbordé tous ces éléments dans le système de croyance rituel et ils ont créé des dieux nouveaux, qui n'ont plus rien à voir avec ceux de l'Afrique traditionnelle, si ce n'est qu'ils sont créés dans un cadre rituel. C'est l'Afrique de la force mécanique qui parle de la colonisation[9].

Rina Sherman – Quel était le rapport de Jean Rouch avec Germaine Dieterlen ?

Brice Ahounou – C'était un rapport de grande sœur à petit frère, un rapport de fraternité, d'amitié, particulièrement important pour Rouch. Pendant la guerre, Rouch venait au musée de l'Homme écouter des cours de Griaule ; Germaine Dieterlen, qui travaillait avec Griaule, montrait des diapositives, par exemple celles des objets venus de la mission Dakar-Djibouti pour une exposition. C'est ainsi qu'ils firent connaissance : d'Afrique, il envoya un jour un article à Griaule à propos d'un noyé retrouvé avec la base du nez sectionné et un trou au niveau du nombril. Au Niger, l'histoire raconte que quand on se noie, un serpent bifide lié à Harakoy Diko, le génie de l'eau, vous attaque : une des deux langues s'en prend au nez, la deuxième au nombril. Rouch demanda à

---

8. Le film *Les Maîtres fous* commence par ces mots : « Venus de la brousse aux villes de l'Afrique noire, de jeunes hommes se heurtent à la civilisation mécanique. Ainsi naissent des conflits et de nouvelles religions. Ainsi s'est formée, vers 1927, la secte des Haouka. Ce film montre un épisode de la vie des Haouka de la ville d'Accra. Il a été tourné à la demande de prêtres, fiers de leur art Mountyeba et Moukayla. Aucune scène n'en est interdite ou secrète mais ouverte à ceux qui veulent bien jouer le jeu. Et ce jeu violent n'est que le reflet de notre civilisation. »

9. Jean Rouch explique le double sens du titre, *Les Maîtres fous* : « Ceux qui sont maîtres de leur folie, mais dont les maîtres sont fous. »

Griaule si quelque chose de semblable court chez les Dogon… et celui-ci chargea Germaine Dieterlen de répondre au jeune homme en lui proposant de venir le voir quand il serait de retour en France. En 1951, au cours de l'une de ses missions en Afrique, Rouch passa par le pays dogon et alla saluer Marcel Griaule qui s'y trouvait, avec Germaine Dieterlen et d'autres personnes. À un moment, ils entendirent un bruit de tambour et des clameurs. Griaule expliqua qu'il y avait eu un noyé et qu'on l'avait probablement retrouvé. « Rouch, allez faire un film », suggéra-t-il. C'est comme ça que Rouch tourna *Cimetière dans la falaise* (1951).

Griaule meurt quatre ans après, en 1956, d'une crise cardiaque, à l'âge de 56 ans. Entre-temps, Rouch a fait sa thèse. L'amitié entre Rouch et Germaine se développe surtout après la mort de Griaule. Arrivant à la cérémonie militaire organisée aux Invalides (Griaule ayant été aviateur), Rouch trouve Germaine Dieterlen en train de pleurer. Il la console et la raccompagne chez elle. Elle lui demande quels sont ses projets et si cela l'intéresserait de continuer le travail entrepris avec Griaule. Dans le temps que j'ai passé avec Rouch, j'ai eu le privilège de classer des archives de Marcel Griaule et Germaine Dieterlen. Cela représentait un travail énorme ; des milliers de fiches et de cahiers. Germaine propose donc à Rouch de venir continuer avec elle le travail entamé en pays dogon et Rouch lui promet de venir filmer chaque fois qu'il y aura un événement important. Dès lors, ils ne se sont plus quittés. Germaine et Jean étaient tous deux directeurs d'études à l'École pratique des hautes études[10]. Rouch enseignait également à Nanterre et était directeur des recherches au CNRS. Il réalise ensuite, à partir de 1967-1968, une série de films consacrés aux *Sigui*, les cérémonies qui se déroulent chez les Dogon tous les soixante ans. En pays dogon, ces cérémonies permettent de commémorer l'invention de la parole et de la mort. S'appuyant sur les travaux antérieurs de Griaule, Jean et Germaine préparent minutieusement les tournages et les images qu'ils nous ont laissées sont irremplaçables. Ils font également des films sur les Hanaï. Ils étaient complices à la fois dans le parcours, dans le réseau universitaire et sur le terrain. Les dernières années, quand je travaillais avec Rouch, on allait souvent dîner chez Germaine Dieterlen. N'ayant plus de vie de famille chez lui, il était bien chez sa sœur Germaine… « Tante Germaine », comme il l'appelait.

---

10.   Pour la description de l'enseignement du cinéma à l'EPHE (École pratique des hautes études), voir Puiseux (2017).

J'étais à New York début octobre 1999. J'ai appelé Germaine : « Rentre vite, me dit-elle. J'ai des choses à te dire. » Et quand je suis rentré, Jean m'a appris qu'elle allait très mal.

Elle avait perdu son fils en juin, cette même année, peu avant la dernière séance du film ethnographique qu'elle devait animer avec Rouch au musée de l'Homme, et c'est à ce moment-là que tout a commencé. Elle a quitté Paris quelques jours après l'enterrement pour aller chez elle dans les Cévennes. Elle a commencé à se sentir mal, est rentrée en septembre à Paris et les médecins ont diagnostiqué une leucémie. Rouch allait chez elle presque tous les soirs ; c'était très compliqué, elle avait 96 ans.

Je suis donc allé la voir à mon retour des États-Unis. Nous avons parlé, elle m'a remis un certain nombre de choses, mais elle dépérissait à vue d'œil. Jean fut très affecté par sa mort en novembre 1999. Je me souviens... C'était la fin d'une époque.

On était au début des années 2000, il était aussi un peu fatigué, mais il se reprit et retrouva la forme. Il s'était marié entre-temps et avait retrouvé de l'énergie. Nous pensions l'avoir avec nous pendant un certain temps mais finalement cet épisode tragique du 18 février 2004 au Niger a eu lieu. Nous avions parlé de Germaine avant son départ... j'étais loin de penser qu'une semaine après, il ne serait plus là. Au mois de décembre, il se rendit ainsi en pays dogon pour demander à ses amis dogon de faire une cérémonie, une *dama*, pour Germaine. « Mais on ne fait pas de *dama* pour les femmes », lui avait-on répondu. Philippe Costantini l'accompagnait pour filmer ce parcours lié à la question du souvenir[11]. Jean rentre du pays dogon le 18 décembre 2003, avec l'idée d'y revenir en mars, pour la cérémonie. Il se rend au Niger en février pour participer à un hommage du cinéma nigérien, dont il est l'un des fondateurs. Mais il n'en est pas revenu. Quand on arrive à un certain âge, on a plus ou moins une idée de la sortie que l'on va effectuer. En tout cas je veux le croire.

---

11.   Fidèles au souhait de Jean Rouch, disparu avant la cérémonie prévue, en 2004, les Dogon rendirent hommage à Germaine, « Madame l'Éternelle » en inhumant un mannequin dans une grotte funéraire, élevant ainsi cette grande dame au rang d'ancêtre.

Références bibliographiques

BRUNET Philippe, 2000. « Dionysos et l'éternel retour », *Noesis*, n° 4, p. 269-289. En ligne : http://noesis.revues.org/1478 [lien valide 15 septembre 2017].

Centre national de la recherche scientifique (CNRS), 1973. *La Notion de personne en Afrique noire*, actes du Colloque international de Paris (11-17 octobre 1971). Paris : CNRS Éditions, pp. 529-543.

HAMA Boubou, 1973. *Le double de hier rencontre demain*. Paris : Union générale d'éditions.

MARSOLAIS Gilles, 1989. « Entretien avec Jean Rouch », *24 images*, n° 46, p. 23-25. En ligne : https://www.erudit.org/fr/revues/images/1989-n46-images1078408/24474ac/ [lien valide 15 septembre 2017].

POUCHEPADASS Jacques, 2000. « Les *Subaltern Studies* ou la critique post-coloniale de la modernité », *L'Homme*, n° 156, octobre-décembre. En ligne : http://lhomme.revues.org/75 [lien valide 15 septembre 2017].

PUISEUX Hélène, 2017. *Le cinéma et l'EPHE. Pour le 150e anniversaire de l'EPHE*. En ligne : http://helene-puiseux.fr/spip.php?article418 [lien valide 15 septembre 2017]

ROUCH Jean, 1953. « Contribution à l'histoire des Songhay », *Mémoires de l'Institut français d'Afrique noire*, n° 29, Dakar : IFAN, p. 137-259.

— 1956, « Migrations au Ghana (Gold Coast) : enquête 1953-1955 », *Journal de la Société des Africanistes*, n° 26, p. 33-196. En ligne : www.persee.fr/doc/jafr_0037-9166_1956_num_26_1_1941 [lien valide 17 septembre 2017].

— 1960, *La Religion et la Magie songhay*. Paris : Presses universitaires de France.

— PONTY Pierre et SAUVY Jean, 1948. *Le Petit Dan* [conte africain adapté et photographié]. Paris : Arts et métiers graphiques, album in-4° de 44 pages non chiffrées, cartonnage illustré d'éditeur, avec 35 photographies noir-et-blanc et 3 dessins hors-texte d'Oumarou Ousmane reproduits en couleurs.

SAÏD Edward W., 2005. *L'Orientalisme : l'Orient créé par l'Occident*. Paris : Seuil.

Films cités

Bregstein Philo, 1978, *Jean Rouch et sa caméra au cœur de l'Afrique* (*Jean Rouch en zijn camera in het hart van Afrika*).

Rouch Jean, 1947, *Au pays des mages noirs.*

— 1948, *Les Magiciens de Wanzerbé.*

— 1951, *Cimetière dans la falaise.*

— 1951, *Yenendi : les hommes qui font la pluie.*

— 1951, *Bataille sur le grand fleuve* (*Chasse à l'hippopotame*).

— 1955, *Les Maîtres fous.*

— 1958, *Moi, un Noir.*

— 1967, *Yenendi de Ganghel, le village foudroyé.*

— 1988, *Enigma.*

— 1990, *Liberté, Égalité, Fraternité, et puis après…*

Rouch Jean et Morin Edgar, 1961, *Chronique d'un été.*

Au-delà des critiques entomologiques: Rouch et le cinéma africain, un autre point de vue

Jamie BERTHE

Lors d'une discussion avec Jean Rouch en 1965, le réalisateur sénégalais Ousmane Sembène, considéré par beaucoup comme le « père » du cinéma africain, lui a adressé ces mots désormais célèbres: « tu nous regardes comme des insectes » (Cervoni 1965 : 17). Si le temps et l'espace n'ont rien ôté à la puissance de cette critique, le contexte de la conversation dont elle est tirée, en revanche, a été peu à peu oublié. Dans diverses archives historiques, on prêta à cette remarque un sens d'accusation lancée avec une force implacable par la plus haute autorité du septième art africain. Son écho, aujourd'hui encore, résonne. Partout[1].

Près d'une vingtaine d'années plus tard, la revue française *CinémAction* décidait de dédier un numéro spécial à Jean Rouch et son œuvre (Prédal 1982). Le critique français Pierre Haffner, en vue de sa contribution, choisit de se concentrer sur la relation qu'entretenait Jean Rouch avec le

---

1. Le célèbre réalisateur mauritanien Med Hondo, par exemple, a déclaré: « Je m'oppose à tout film de Jean Rouch. Cet homme qui ne nous a jamais regardé autrement que comme des insectes... » (Signaté 1994: 41). Et Teshome Gabriel, un spécialiste du cinéma africain, a lui avancé que Rouch les considérait comme des « sujets scientifiques », des « rats de laboratoire » (Gabriel 1982: 77). Le critique français, Guy Hennebelle, de son côté, organisa une table ronde avec pour thème « Jean Rouch: les Africains comme des insectes? » (1970). À cette table ronde avaient participé Rouch lui-même, le réalisateur sénégalais Mahama Traoré et le metteur en scène ivoirien Bassori Timité.

cinéma africain, et, ainsi, contacta différents réalisateurs du continent pour confronter leurs impressions et opinions de l'homme. À sa plus grande surprise, peu des cinéastes approchés furent enclins au dialogue. En effet, seuls ceux désireux de tempérer le débat au cœur duquel se trouvait Jean Rouch acceptèrent d'être enregistrés. D'après Haffner, Rouch, figure controversée dans le cercle des producteurs africain, déchaînait à la fois haine et passions (1982a : 62).

Sembène refusa l'interview proposée par *CinémAction*, mais les éditeurs réimprimèrent tout de même divers passages extraits de l'entretien Rouch-Sembène de 1965, sous le titre : « Une confrontation historique en 1965 entre Jean Rouch et Sembène Ousmane : "Tu nous regardes comme des insectes" » (Cervoni 1982b : 77). En introduction, il fut révélé au public qu'en plus d'avoir refusé l'interview de l'équipe, Sembène s'était abstenu de tout commentaire sur les films du réalisateur français (Prédal 1982 : 77). Dès lors, le terme « antagonistes » servit à les décrire : lorsque Rouch annonçait un film ethnographique, Sembène, en réponse, s'appliquait à produire une œuvre *contre*-ethnographique, c'était, du moins, ce que d'aucuns pensaient (Jonassaint 2009).

Cette critique de Jean Rouch, suscitée par Sembène et ses contemporains, dénote la charge politique manifeste dans l'univers de la représentation post/coloniale[2] et de ses paradigmes. L'œuvre de Rouch l'imposa, lui, un homme français travaillant pour le gouvernement français, comme une sorte de figure d'autorité au sein de la culture africaine. Pour Haffner, cela expliquait la réception mitigée de ses films par les réalisateurs africains (1982a : 62). Envoyé dans la colonie du Niger en 1941, Jean Rouch travaillait alors comme ingénieur des Travaux publics. Quand, des années plus tard, il regagna la France en tant que cinéaste et anthropologue en herbe, il demeurait toujours au service de l'Empire français. De ce point de vue-là, la suspicion, voire l'hostilité qu'inspira Rouch à un si grand nombre de réalisateurs post-coloniaux, n'est que peu surprenante. Ses collaborations et travaux participatifs, bien qu'ayant ébranlé le *statu quo* post/colonial,

2.   J'utilise ici une barre oblique comme manifeste de la présence de Rouch avant et après la décolonisation du sol africain ; en d'autres termes, son travail, survolant les périodes coloniales et post-coloniales, ne peut saurait être perçu comme appartenant plus à l'une qu'à l'autre.

se firent grâce au support de structures et de systèmes qui, justement, renforçaient la présence française sur les terres d'Afrique.

Par ailleurs, tandis que Rouch s'essayait à de nouvelles technologies et techniques sur ces mêmes terres, au début des années 1940, les natifs vivant dans les colonies françaises, eux, se virent interdire le droit de produire des films. Droit qu'ils n'obtinrent qu'une fois leur indépendance déclarée[3]. Dans le courant des années 1950, suivant la lutte de ce continent en quête d'une autonomie politique après la Seconde Guerre mondiale, de nouvelles perspectives d'avenir s'ouvrirent peu à peu pour le cinéma africain. Il semblait évident que les images et représentations de l'Afrique jusque-là véhiculées par l'Europe et les États-Unis avaient fortement contribué au développement de l'Empire occidental, perpétuant par là même d'éternels stéréotypes et clichés qui diminuèrent terriblement l'histoire et la subjectivité du continent africain. Ousmane Sembène, Paulin Soumanou Vieyra ou Oumarou Ganda, nombreux furent les pionniers désireux d'apporter leur pierre à l'édifice de la décolonisation. Ces artistes-activistes autoproclamés, déterminés à remplacer cette vision exotisée et racisée répandue par l'Occident, se lancèrent dans la création d'un code cinématographique spécifique à l'Afrique (Diawara 1992 ; Ukadike 1994). Aussi, les productions africaines des années 1960-1970 s'imposèrent comme une « révolte par l'image » (Harrow 2007 : 1), un cinéma d'opposition mû par l'envie d'affirmer son indépendance, sa différence, par rapport aux continents de l'Ouest, à la fois sur le plan politique, mais également esthétique. « On en a assez, des plumes et des tam-tams » avait déclaré Sembène (Pfaff 1984 : 43).

Dans un tel contexte, la colère – la haine, même – qu'inspira Rouch à certains réalisateurs agit comme un conducteur de lumière : nous sommes amenés à étudier ses films de plus près, à observer les conditions dans lesquelles ils furent produits et à remonter le fil de leur diffusion. Car c'est en traversant les frontières et les années qu'un film devient source de nouveaux débats. Au cours des dernières années, nombre de critiques et d'historiens se sont demandés si cette volonté

---

3.   Inquiété par le pouvoir subversif des images, l'État français promulgua, en 1934, le décret Laval qui exigea le contrôle de toute prise de vue dans les colonies d'Afrique et la minimisation des rôles joués par des Africains (Diawara 1992 : 22). Le décret, bien que contourné par certains réalisateurs (dont ceux formés par Rouch), ne fut abrogé qu'après la décolonisation. Pour plus de détails sur le sujet, voir le travail de Diawara (1992).

d'opposition, la racine même du cinéma africain, n'avait pas justement limité, étouffé les potentiels débats autour de la myriade de films sortis dans les années suivant la décolonisation (Harrow 2007 ; Murphy 2000 ; Niang 2014). De même, il fut remarqué que beaucoup de réalisateurs « africains » souffrirent de voir leurs œuvres et identités artistiques estampillées du terme « cinéma africain », derrière lequel le public s'imaginait un groupe homogène, aux idées communes (Tcheuyap 2011a, 2001b ; Thackway 2003 ; Ukadike 2002)[4]. À l'heure où le genre même de « cinéma africain » est remis en question, critiqué, refaçonné ; à l'heure où ce continent entre dans ce que certains dénomment l'ère « post-Sembène » (Diawara 2010 : 45), cet article se veut un appel à la réflexion, à la reconsidération de ce que nous pensons comprendre de l'héritage de Rouch et de sa manière de représenter l'Afrique. Mais avant tout, un retour en 1965 s'impose.

On ignore généralement que, lors de sa publication initiale dans la revue *France nouvelle*, la « confrontation historique » qui allait définir les rapports entre Rouch et Sembène s'intitulait alors, de façon beaucoup moins dramatique : « Le cinéma et l'Afrique » (Cervoni 1965 : 17). Dans l'optique d'aider ses lecteurs à bien saisir la teneur de cet échange, Albert Cervoni, le critique qui organisa et mena la rencontre, choisit d'introduire la retranscription par ces mots : « Entre ces deux hommes existent une estime réelle et même une amitié ». Il expliqua également, afin de mieux dépeindre cette étrange sympathie, que les vies respectives de Rouch et Sembène avaient toutes deux été influencées, même si de façons différentes, par leur appartenance à une seule et même culture coloniale[5]. Il acheva ensuite son introduction sur les mots suivants :

> Face à cette situation difficile et complexe, cette conversation franche revêt, nous semble-t-il, une valeur exemplaire, elle illustre les mérites de l'échange nécessaire, indispensable dans un plein esprit d'égalité.

4.   Avec la montée du cinéma nigérian – plus connu sous le nom de Nollywood – la définition même de « cinéma africain » s'est vue de plus en plus compromise. Pour plus de détails sur la façon dont Nollywood a cassé les codes et traditions du cinéma africain, lire Diawara (2010), Haynes (2000), Krings et Okome (2013), ainsi que Larkin (2008).
5.   Pour plus d'informations sur la vie de ces deux hommes après la décolonisation de l'Afrique, lire Mbembe (2000).

Cervoni, grâce à ses commentaires et au ton adopté dans ceux-ci, fournit au public un contexte essentiel à la compréhension de passages plus nuancés du dialogue introduit. Comme, par exemple, cet instant où Sembène dit à Rouch : « Il y a un film de toi que j'aime, que j'ai défendu et que je continuerai de défendre, c'est *Moi, un Noir* ». Tourné en Côte-d'Ivoire en 1957 – soit, trois ans avant la décolonisation –, *Moi, un Noir* (1958) est ce que l'on qualifie de « fiction ethnographique », ou « ethnofiction » ; le genre-signature si particulier de Rouch. L'histoire est celle de deux travailleurs migrants dénommés Edward G. Robinson (Oumarou Ganda) et Eddie Constantine (Petit Touré). Bien que la vie soit rude pour ces deux compères, chacun rêve de se fonder une vie meilleure ; de trouver amour et stabilité financière ; de mener une existence faite de fièvre et de paillettes, semblables à celles des héros de leurs films (occidentaux) préférés. À mi-chemin entre analyse, critique de la société, et fable fantastique, ce film dénote la dure réalité ainsi que la richesse intérieure des ouvriers exploités par le régime colonial. « Dans le principe, continua Sembène, un Africain aurait pu le faire mais aucun d'entre nous à l'époque ne se trouvait dans les conditions nécessaires pour le faire (Cervoni 1965 : 17) ». Un propos complexe, sans doute, mais dans la bouche de l'homme le plus respecté dans le milieu du cinéma africain, cela sonna comme un compliment[6].

Lors d'un autre moment fort, Rouch, piqué au vif par la célèbre phrase de Sembène, répondit de manière tout à fait surprenante. En effet, plutôt que de se défendre, il abonda dans le sens de son homologue :

Jean Rouch – Je voudrais que tu me dises pourquoi tu n'aimes pas mes films purement ethnographiques, ceux dans lesquels on montre, par exemple, la vie traditionnelle ?

Ousmane Sembène – Parce qu'on y montre, on y campe une réalité mais sans en voir l'évolution. Ce que je leur reproche, comme je le reproche aux africanistes, c'est de nous regarder comme des insectes…

6. Comme Steven Ungar l'a démontré, le commentaire de Sembène peut être compris de deux façons différentes : « Bien qu'il reconnût l'effort fourni par Rouch dans *Moi, un Noir*, il demeurait en colère contre ces ethnologues qui étudient les Africains comme "des insectes". Pour lui, Rouch n'était pas étranger aux dommages causés par la représentation des Noirs dans les films européens et américains (2007 : 118) ». J'ajouterai que cette colère résulte de l'interdiction qu'avaient les Africains, dans les colonies françaises, de réaliser des films suite au décret Laval (voir note 2).

Moi, un Noir (1958).
La culture *pop* occidentale colore la vie quotidienne dans l'Abidjan
du temps colonial.
© Fondation Jean Rouch

Jean Rouch – Comme l'aurait fait Fabre… Je vais prendre la défense des afri-canistes. Ce sont des hommes qu'on peut, bien entendu, accuser de regarder les hommes noirs comme des insectes. Mais, alors, ils seraient, si tu veux, des Fabre qui découvriraient chez les fourmis une culture équivalente, d'autant de portée que la leur[7]. » (17)

Que tirer de cette acceptation de la critique de Sembène, de cette déci-sion de la considérer comme parfaitement légitime ? Près d'une vingtaine d'années plus tard, Cervoni, dans l'édition de *CinémAction* consacrée à Rouch, ajoutait quelques anecdotes quant à cet entretien de 1965 :

« On connaît l'accusation de Sembène Ousmane : "tu nous regardes comme des insectes !" Il y a là de la boutade affectueuse mais aussi une part de reproche sérieux. Rouch se défendit sur le moment en jouant les Africains, en surajoutant ! Comme nous prenions un verre, il trempa son doigt dans l'alcool, secoua le doigt

---

7.   Jean-Henri Fabre (1823-1915), un naturaliste du XIXᵉ siècle passionné par l'étude des insectes, a inspiré de nombreux écrivains, scientifiques et naturalistes, notamment Charles Darwin, grâce à ses écrits descriptifs et imaginatifs sur les insectes. Pour plus d'informations sur Fabre et son œuvre, lire Fabre et Teale (1991).

et fit tomber une goutte par terre : "Pour nos ancêtres !" Et Sembène, qui continuait le jeu, cette comédie qu'ils se jouaient l'un à l'autre dans l'amitié et l'affection, d'enchaîner : "Moi, mes ancêtres, je les mange !!!" » (1982a : 108)

La majorité des critiques et historiens, en citant ce débat entre Rouch et Sembène, ont ignoré ces détails ; dans presque tous les écrits relatant Rouch et son œuvre, la relation entre les deux hommes est bien souvent sous-développée et simplifiée de façon drastique. Mon but, en faisant remonter à la surface ces oublis, n'est pas de prouver que Rouch et Sembène étaient, en réalité, de proches alliés. Ce que je souhaiterais démontrer, en revanche, c'est que contrairement à ce que pousse à croire tant de sources secondaires, il y avait plus entre eux qu'une simple inimitié[8]. D'une certaine manière, nous pourrions considérer que le sentiment de Rouch à l'égard du cinéma africain a souffert du même préjudice, car, dans un cas comme dans l'autre, une grande partie des annales ne semble composée que de quelques remarques incendiaires, et ce malgré une pléthore d'éléments suggérant des relations plus complexes. Et, en dépit de la contribution de certains spécialistes, conscients du caractère prismatique du rôle assumé par Rouch dans le développement du cinéma africain, l'importance du cinéaste, dans le monde de la recherche, ne se vit pas réévaluée de beaucoup[9]. Ainsi, et partout, Rouch continue d'apparaître en tant que figure d'opposition face à ses contemporains d'origine africaine – à supposer qu'il apparaisse tout court[10]. À retenir, cependant : les faits, déjà compliqués à

---

8. Pour une meilleure compréhension de leur relation du point de vue de Jean Rouch, lire Rouch et Haffner (1985).

9. Voir, en exemple, Andrade-Watkins (1989) ; Bikales (1997) ; De Groof (2013) ; Diawara (1992) et le film qu'il réalise en 1994, *Ousmane Sembene: The Making of African Cinema* ; Haffner (1982a ; 1982b) ; Hennebelle (1970) ; Rouch et Haffner (1985) et Ungar (2007).

10. Cette tendance est d'autant plus visible dans deux publications récentes : *Cinéma et Développement en Afrique de l'Ouest* (Genova 2013) et *Le Cinéma nationaliste en Afrique* (Niang 2014). Les deux auteurs, tout en évoquant l'évolution du cinéma africain à la suite de la décolonisation, ne mentionnent Rouch que brièvement. En effet, Genova, dans l'un des seuls moments où il nomme le cinéaste, cite un article écrit par celui-ci en 1948 sur la *littérature* africaine. Dans un plaidoyer stérile, basé sur un travail de recherche inexistant, Genova soutient maladroitement : « Rouch, à travers son œuvre, ne fit que perpétuer le dogme colonialiste » (2013 : 80). De manière assez curieuse, pourtant, Genova ne cite aucun des travaux cinématographiques de l'ethno-cinéaste, aucune, non plus, de ses nombreuses publications sur le cinéma africain, pas même dans sa biographie.

l'époque, ne le demeurent pas moins aujourd'hui. Toute personne connaissant un tant soit peu Rouch et son travail, saura son amour du travail collaboratif, de « l'anthropologie partagée », comme il l'appelait[11]. Un effort porteur d'espoir : celui de voir l'anthropologie passer d'une « discipline réservée à des nantis interrogeant des gens qui ne le sont pas » (1971 : 14) à une sorte de ciné-dialogue, soit un échange d'idées rendu possible par le biais du cinéma. Rouch insistait d'ailleurs souvent sur ce point auprès de ses critiques et spectateurs ; ses œuvres, bien que représentatives de sa vision du monde, de ses centres d'intérêt et de ses préférences, sont le produit d'un partage de procédés créatifs. Face à la flopée de critiques lancées à l'artiste suite à la décolonisation (comme celle de Sembène), d'aucuns envisagèrent d'user de cette pratique contributive comme d'un contre-argument (Bickerton 2004 : 7). Une approche pour le moins maladroite. En effet, la tendance de Rouch à collaborer pourrait, au lieu de servir à le défendre, permettre l'ouverture d'un dialogue (un ciné-dialogue, certes, potentiellement pénible) sur les traditions cinématographiques françaises et africaines. Car sa contribution au cinéma africain, et je le pense, n'est pas la seule à avoir souffert de cette distance sans cesse maintenue entre ses films et le florilège de ceux produits par des artistes noirs.

Imaginez, par exemple, les visages qu'auraient pris ses travaux, n'eût-il jamais rencontré ses contemporains du Niger, Damouré Zika et Lam Ibrahima Dia. Le talent, les idées et l'humour de ces deux hommes restés près de soixante années auprès de Rouch, ont impacté de manière radicale l'évolution artistique de l'ethno-cinéaste français. Et sans la voix, la perspective d'Oumarou Ganda, principal protagoniste de *Moi, un Noir*, ce film, d'une puissance inouïe, aurait-il pu faire ainsi vibrer les cœurs ? Et pourtant, le caractère collectif des œuvres du cinéaste aura, de manière générale, été ignoré dans la plupart des textes portant sur le cinéma africain. En soulevant ces questions, je n'insinue pas qu'il faille passer sous silence les dynamiques et asymétries propres à l'effort collaboratif de Rouch. Au contraire, il est, de mon avis, crucial de reconnaître la difficulté de sa situation de l'époque : produire, avec la participation d'artistes africains, des films provocateurs d'échanges tout en portant sur ses épaules le poids, héritage impérial, des réalités

---

11.   Le thème « d'anthropologie partagée » ayant déjà été longuement développé ailleurs, je présumerai de la connaissance de mes lecteurs à ce sujet. Pour plus de détails, voir Feld (2003), Henley (2009), Himpele et Ginsburg (2005), et Stoller (1992).

post/coloniales. Si l'on devait, alors, persister à voir ses films comme antagonistes de ceux réalisés par ses contemporains noirs, ou les considérer, au mieux, comme occidentaux, au pire, comme impérialistes, l'extraordinaire, l'inestimable et historique contribution de ses collaborateurs africains serait, de mon avis, tout simplement rendue nulle.

D'après le réalisateur Barbet Schroeder, Jean-Luc Godard aurait, un moment, envisagé d'intituler son film *À bout de souffle* (1960), *Moi, un Blanc*, en hommage à l'œuvre de Rouch (Bénoliel et Ropert 2003). Il est possible, en effet, d'attester de l'impact qu'a eu *Moi, un Noir* sur Godard, notamment grâce aux articles qu'il a rédigés dans les *Cahiers du cinéma* (Godard 1959 ; 1968). La tradition veut que l'on admette l'influence de Rouch sur Godard. Mais si nous décidions de croire Oumarou Ganda, qui affirme avoir coréalisé *Moi, un Noir* (Haffner 1982a : 70), cela ne voudrait-il pas dire que lui aussi a influencé Godard ? Aucun des autres films de Rouch ne s'éleva au niveau de *Moi, un Noir*. Il en fit bien sûr, mais aucun ne dégagea pareille énergie, ne présenta semblable dynamique. À cet égard, l'apport distinctif de Ganda est des plus évidents [12]. Pourquoi, dès lors, le mérite d'une quelconque influence sur Godard ne devrait-il revenir qu'à Jean Rouch ?

La même problématique s'applique aux collaborations entre Rouch, Damouré Zika et Lam Ibrahima Dia. De ce qu'avança un jour Jacques Rivette, le premier montage du film *Petit à petit* (1969) de Jean Rouch – long d'une durée de huit heures – l'a grandement inspiré pour son chef-d'œuvre hors-norme, *Out 1 : Noli me tangere* (1971) [13]. « Ce qui m'a poussé à tourner *Out 1*, c'est cette projection d'un montage similaire qu'a fait Jean Rouch pour son film *Petit à petit* », a expliqué Rivette lors d'une interview. « L'original m'a tant impressionné que je refuse de regarder les versions courtes » (Clarens et Cozarinsky 1974). Compte tenu

12.   Notion complexe et fascinante, la question de paternité de l'œuvre a déjà été soulevée par bien des théoriciens en ce qui concerne *Moi, un Noir*. L'article « Whose voice ? Whose film ? » de Steven Ungar creuse en détail ce sujet. Quant à Manthia Diawara, il semble qu'il ait souvent abordé ce point dans ses travaux (voir son film *Ousmane Sembene: The Making of African Cinema*, 1994) ; le réalisateur Arthur Jafa fait d'ailleurs beaucoup référence à ses idées : « De par sa nature même, *Moi, un Noir* nous oblige à voir de façon différente la relation entre artiste et sujet. Ici, l'artiste n'est ni le seul auteur, ni le seul élément fondateur de l'œuvre, mais un co-auteur en collaboration avec le sujet qui lui est actif » (Jafa 2001 : 15).

13.   Pour plus d'informations sur l'historique des diverses versions du film, voir Papanicolaou (2009).

de leur participation à la création du film, peut-on, alors, considérer que Damouré Zika et Lam Ibrahima Dia ont contribué à l'évolution du cinéma français ? Si Jean Rouch était, comme l'a soutenu Rivette, « le moteur de tout le cinéma français » dans les années 1960 (Aumont *et al.* 1968 : 20), que déduire d'une influence dont l'origine et la spécificité résultent de collaborations franco-africaines ? Sans ses collègues africains, jamais Jean Rouch n'aurait pu réaliser de films « africains ». Considérons un instant ce que les cinéastes Godard et Rivette avouent devoir aux travaux de Rouch sur l'Afrique de l'Ouest. Serait-il faux d'avancer que la Nouvelle Vague du cinéma français descend de son cousin africain[14] ?

Jean Rouch se lança dans le cinéma car il s'agissait, pour lui, d'un outil de dialogue. Il savait que ses films collaboratifs ne feraient pas l'unanimité. Exemple, ici, avec cette anecdote racontée par le réalisateur canadien Claude Jutra dans les *Cahiers du cinéma* (1961). Il se trouvait aux côtés de Jean Rouch quand celui-ci reçut ce reproche cinglant de la part d'un jeune Africain : « Quand je vois *Moi, un Noir*, j'ai l'impression une fois de plus que voilà un Blanc qui m'enfonce la tête dans l'eau pour me noyer. » De ce que raconte Jutra, Rouch ne chercha à défendre ni son œuvre ni sa personne. Il répondit simplement : « Si aucun film traitant de l'Afrique ne vous convient, c'est à vous de les faire. » (Jutra 1961 : 44) L'ethno-cinéaste se proposa par la suite d'aider à l'accomplissement d'une telle œuvre. Bien entendu, le fait même qu'il eut été en position de soumettre une offre pareille posa problème. Mais les dissentiments d'opinions provoqués par ses films et ses projets aventureux nous apparaissent alors sous un jour plus appréciable. Car, en y réfléchissant, la critique de ce jeune homme ne répondait-elle pas précisément aux attentes de l'anthropologie partagée ?

14.   Wes Felton, dans son article « Caught in the Undertow: African Francophone Cinema in the French New Wave » (2010), soulève une problématique du même genre et accuse les historiens de déprécier les mérites de nombreux réalisateurs africains francophones qui ont travaillé en France dans les années 1950 et 1960 (Paulin Vieyra, Ousmane Sembène, Med Hondo…). De son avis, leurs films devraient être considérés à la fois comme « africains et faisant partie de la Nouvelle Vague ». Rouch n'est mentionné qu'à une seule occasion, dans un passage sur le film *Afrique-sur-Seine* de Paulin S. Vieyra (1955) : « une réponse cinglante aux films ethnographiques, tels ceux de Robert Flaherty et Jean Rouch, qui, sans cesse, représentent les Africains comme des êtres exotiques venus d'un ailleurs étrange ». Une fois encore, Rouch et son œuvre, au lieu de servir de pont entre les septièmes arts français et africains, se retrouve utilisé en tant que figure d'opposition.

Petit à petit (1960).
Lam Ibrahima Dia (gauche) et Damouré Zika (droite) s'interrogent sur l'étrangeté des coutumes parisiennes.
© Fondation Jean Rouch

Une conversation, un échange d'idées et de points de vue entre différentes cultures, et sur différentes époques, s'étaient lancés. Pour Rouch, peu importait, finalement, que les débats soient amicaux et sereins. Le contraire valait même mieux.

« Un film doit être avant tout un objet inquiétant que l'on met en circulation » avait-il écrit (1999 : 143). Afin de rendre justice au potentiel hétérogène de ses travaux, il est impératif de laisser un espace de critique libre pour toute conversation s'étant tenue entre Rouch et d'autres réalisateurs africains de la période post-coloniale ; cela pour la simple et bonne raison que ces échanges constructifs représentent une part cruciale de son héritage. De plus, j'ajouterai ceci : accepter le fait que Rouch ne constituait pas l'unique force créative à l'origine de ses films, c'est accepter l'immense travail de recherche qu'il nous reste à effectuer sur son œuvre, et plus particulièrement (mais pas seulement) sur la contribution de ses collaborateurs et collègues nigériens au développement du cinéma africain. Entre autres, un tel travail pourrait avoir des retombées sur les réalisateurs et médias du Niger, qui dresseraient peut-être un lien entre cette expérience unique dans toute l'histoire du cinéma et le contexte actuel de leur production cinématographique[15].

Rouch et son œuvre ont été, et sont toujours, indissociables des machinations colonialistes françaises ; ses films, même lorsqu'ils cherchaient à en déjouer la logique, y furent directement associés dès leur parution. Mais le rôle joué par l'ethno-cinéaste au sein de la mécanique postcoloniale, qu'elle soit confirmée ou infirmée, ne change en rien la valeur de son travail. « Aucun héritage de l'époque coloniale n'est univoque, mais tous sont contradictoires et révèlent la complexité des relations entre colons et colonisés » a écrit l'anthropologue et historien français Benoît de L'Estoile (2008 : 277). Les critiques soulevées par divers réalisateurs africains suite à la décolonisation demeurent importantes et continuent de nous instruire, mais il reste néanmoins beaucoup à dire au sujet de Rouch et de ses rapports avec le cinéma africain. Les critiques comme les historiens devraient voir au-delà d'une simple (et ennuyeuse) histoire d'opposition, au-delà d'un reproche entomologique, et se consacrer à faire de Rouch et de ses contemporains africains des interlocuteurs dont le débat, épineux, tournerait autour de leur histoire commune, de la politique et de l'avenir d'une culture cinématographique post-coloniale. J'aime à penser que Rouch, en se lançant dans le cinéma, souhaitait lui aussi provoquer des échanges à ce point ambitieux et embrouillés. Sembène l'aura d'ailleurs dit lui-même : « Un film n'a d'utilité que s'il donne aux spectateurs de quoi débattre. » (Busch et Annas 2008 : 43).

Références bibliographiques

ANDRADE-WATKINS Claire, 1989. *Francophone African Cinema: French Financial and Technical Assistance, 1961 to 1977*, thèse de doctorat, Massachusetts : Boston University.

AUMONT Jacques *et al.*, 1968. « Le temps déborde : entretien avec Jacques Rivette », *Cahiers du cinéma*, n° 204, p. 6-21.

---

15.   Grâce à la naissance d'événements tels que le Forum africain du film documentaire de Niamey – crée en 2006 par le cinéaste nigérien et amoureux de la culture Inoussa Ousseini – le genre documentaire s'est vu renaître au Niger, au cours des dernières années. Pour plus d'informations sur le forum et l'évolution du film documentaire au Niger, voir Barlet (2012) et Manzo (2009).

BARLET Olivier, 2002. « La mémoire est audiovisuelle : entretien avec Jean Rouch », *Africultures*, n° 46. En ligne : http://www.revues-plurielles.org/php/index.php?nav=zoom&no=4&no_article=2397 [lien valide 3 septembre 2017].

— 2012. « Niamey 2012 : quel renouveau pour le cinéma nigérien ? », *Africultures*. En ligne : http://africultures.com/niamey-2012-quel-renou-veau-pour-le-cinema-nigerien-11223 [lien valide 3 septembre 2017].

BENOLIEL Bernard et ROPERT Axelle, 2003. « Les yeux grands ouverts : et entretien avec Barbet Schroeder. », *La Lettre du cinéma*, n° 24. En ligne : http://www.barbet-schroeder.com/interviews/interview2 [lien valide 3 septembre 2017].

BICKERTON Emilie, 2004. « The camera possessed », *New Left Review*, n° 27, p. 49-64.

BIKALES Thomas, 1997. *From Culture to Commercialization: The Production and Packaging of an African Cinema in Ouagadougou, Burkina Faso* , thèse de doctorat. New York : ProQuest.

BUSCH Annette, ANNAS Max (dir.), 2008. *Ousmane Sembène: Interviews*. Jackson : University Press of Mississippi.

CERVONI Albert, 1965. « Le cinéma et l'Afrique », *France Nouvelle*, n° 1033, p. 17-19.

— 1982a. « Chronique sur un griot gaulois », *CinémAction* , n° 17, p 108-110.

— 1982b. « Une confrontation historique en 1965 entre Jean Rouch et Sembène Ousmane : Tu nous regardes comme des insectes », *CinémAction*, n° 17, Paris : L'Harmattan, p 77-78.

CLARENS Carlos et COZARINSKY Edgardo, 1974. « Entrevue avec Jacques Rivette », *Sight & Sound*, vol. 43, n° 4, p. 195-198.

DE GROOF Mathias, 2013. « Rouch's Reflexive Turn: Indigenous Film as the Outcome of Reflexivity in Ethnnographic Film », *Visual Anthropology*, vol. 26, n° 2, pp. 109-131.

DIAWARA Manthia, 1992. *African Cinema: Politics and Culture*. Bloomington / Indianapolis : Indiana University Press.

— 2010. *African Cinema: New Forms of Aesthetics and Politics*. Munich : Prestel.

FABRE Jean-Henri et TEALE Edwin W., 1991. *The Insect World of J. Henri Fabre*. Boston : Beacon Press, traduit du français par A. Teixeira de Mattos.

FELD Steven, 2003. « Introduction », *in* FELD Steven (dir. et trad.), *Ciné-Ethnography: Jean Rouch*. Minneapolis : University of Minnesota Press, p. 1-28.

Felton Wes, 2010. « Caught in the Undertow: African Francophone Cinema in the French New Wave », *Senses of Cinema*, n° 57. En ligne : http://sensesofcinema.com/2010/feature-articles/caught-in-the-undertow-african-francophone-cinema-in-the-french-new-wave [lien valide 3 septembre 2017].

Gabriel Teshome, 1982. *Third Cinema in the Third World: Aesthetics of Liberation*. Ann Arbor (Michigan) : UMI Research Press.

Genova James, 2013. *Cinema and Development in West Africa: Film as a Vehicle for Liberation*. Bloomington / Indianapolis : Indiana University Press.

Godard Jean-Luc, 1959. « L'Afrique vous parle de la fin et des moyens », *Cahiers du Cinéma*, n° 94, p. 180-183.

— 1968. *Jean-Luc Godard par Jean-Luc Godard*. Paris : Éditions Belfond.

— 1998. *Jean-Luc Godard, 1950-1984*, tome 1. Paris : Cahiers du cinéma.

Haffner Pierre, 1982a. « Jean Rouch jugé par six cinéastes d'Afrique noire », *CinémAction*, n° 17 : *Un griot gaulois*. Paris : L'Harmattan, p. 62-76.

— 1982b. « *Petit à Petit* en question : Jean Rouch discuté dans deux ciné-clubs de l'Afrique noire », in Prédal René (dir.), *CinémAction*, n° 17 : *Un griot gaulois*, Paris : L'Harmattan, p. 79-91.

Harrow Kenneth, 2007. *Postcolonial African Cinema: From political Engagement to Postmodernism*. Bloomington/Indianapolis : Indiana University Press.

Haynes Jonathan, 2000. *Nigerian Video Films*. Athens : Ohio University Press for International Studies.

Henley Paul, 2009. *The Adventure of the Real: Jean Rouch and the Craft of Ethnographic Cinema*. Chicago : Chicago University Press.

Hennebelle Guy, 1970. « Jean Rouch : regarde-t-il les Africains comme des insectes ? », *Afrique littéraire et artistique*, n° 10, p. 66-80.

Himplele Jeff, et Ginsburg Faye (dirs.), 2005. « Ciné-trance : A Tribute to Jean Rouch (1917-2004) », *American Anthropologist*, vol. 107, n° 1, p. 109-111.

Jafa Arthur, 2001. « The Notion of Treatment: Black Aesthetics and Film », in Bowser Pearl, Gaines Jane et Musser Charles (eds), *Oscar Micheaux and His Circle: African-American Filmaking and Race Cinema of the Silent Era*, Bloomington / Indianapolis : Indiana University Press, p. 11-18.

JONASSAINT Jean, 2009. « Le cinéma de Sembène Ousmane, une (double) contre-ethnographie (notes pour une recherche) », *Ethnologies*, vol. 31, n° 2, p. 241-286. En ligne : https://www.erudit.org/fr/revues/ethno/2010-v31-n2-ethno3691/039372ar [lien valide 3 septembre 2017].

JUTRA Claude, 1961. « En courant derrière Rouch III », *Cahiers du cinéma*, n° 116, p. 39-44.

KRINGS Matthias et OKOME Onookome, 2013. *Global Nollywood: The Transnational Dimension of an African Video Film Industry*. Bloomington / Indianapolis : Indiana University Press.

L'ESTOILE Benoît de, 2008. « The Past as It Lives Now: An Anthropology of Colonial Legacies », *Social Anthropology*, vol. 16, n° 3, p. 267-279.

LARKIN Brian, 2008. *Signal and Noise: Media, Infrastructure, and Urban Culture in Nigeria*. Durham : Duke University Press.

MANZO Maman Sani Soulé, 2009, « Interview de M. Inoussa Ousseini ». En ligne : http://www.africine.org/?menu=art&no=8289 [lien valide 3 septembre 2017].

MBEMBE Achille, 2000. *De la postcolonie : essai sur l'imagination politique dans l'Afrique contemporaine*. Paris : Éditions Karthala.

MURPHY David, 2000. « Africains Filming Africa: Questioning Theories of an Authentic African Cinema », *Journal of African Cultural Studies*, vol. 13, n° 2, p. 239-249.

NIANG Sada, 2014. *Nationalist African Cinema: Legacies and Transformations*. Lanham : Lexington Books.

PAPANICOLAOU Catherine, 2009. « *Petit à petit* de Jean Rouch : montages et remontages », *Cinéma & Cie*, vol. 9, n° 13, p. 19-27.

PFAFF Françoise, 1984. *The Cinema of Ousmane Sembène, a Pioneer of African Film*. Westport : Greenwood Press.

PRÉDAL René (dir.), 1982. « Un griot gaulois » *CinémAction*, n° 17 Paris : L'Harmattan.

ROUCH Jean, 1971. « Je suis mon premier spectateur », *Le Monde*, 16 septembre, p. 14.

— 1999. *Dionysos*. Paris : Éditions Artcom.

ROUCH Jean et HAFFNER Pierre, 1985. « Sandy et Bozambo : entretien avec Jean Rouch sur Sembène Ousmane », *L'Afrique Littéraire*, n° 76, p. 86-94.

SIGNATÉ Ibrahima, 1994. *Un cinéaste rebelle : Med Hondo*. Paris : Éditions Présence africaine.

Stoller Paul, 1992. *The Cinematic Griot: The Ethnography of Jean Rouch*. Chicago: The University of Chicago Press.

Tcheuyap Alexie, 2011a. « African cinema(s): definitions, identity and theoretical considerations », *Critical Interventions*, vol. 5, n° 1, p. 10-26.

— 2011b. *Postnationalist African cinemas*. New York: Manchester University Press.

Thackway Melissa, 2003. *Africa Shoots Back: Alternative Perspectives in Sub-Saharan Francophone African Film*. Bloomington / Indianapolis: Indiana University Press.

Ukadike Nwachukwu Frank, 1994. *Black African Cinema*. Berkeley: University of California Press.

— 2002. *Questioning African Cinema: Conversations with Filmakers*. Minneapolis: University of Minnesota Press.

Ungar Steven, 2007. « Whose voice? Whose film? Jean Rouch, Oumarou Ganda and *Moi, un Noir* », *in* Ten Brink Joram (dir.), *Building Bridges: The Cinema of Jean Rouch*. Londres: Wallflower Press, p. 111-123.

Films cités

Diawara Manthia, 1994, *Sembène: les coulisses du cinéma africain (Ousmane Sembene: The Making of African Cinema)*.

Godard Jean-Luc, 1960, *À bout de souffle*.

Rivette Jacques, 1971, *Out 1: Noli me tangere*.

Rouch Jean, 1958, *Moi, un Noir*.

— 1970, *Petit à petit*.

Vieyra Paulin S., Sarr Mamadou et Mélo Kane Jacques, 1955, *Afrique-sur-Seine*.

Le jardin *extraordinaire* de Jean Rouch à Niamey

Lettre à Rina Sherman au sujet de Diouldé Laya (†)

Daniel MALLERIN

Diouldé Laya (Juulde Layya, 1937-2014), sociologue et ancien directeur de l'Institut de recherches en sciences humaines (IRSH) et du Centre d'études linguistiques et historiques par tradition orale (CELHTO) à Niamey.
© Gustave Deghilage

« Ma chère Rina,

Disons-le d'emblée : ton idée fixe – faire la lumière sur le tandem Jean Rouch-Dioulé Laya – est une entreprise bien périlleuse parce qu'elle implique la nécessité de considérer l'histoire nigérienne de Jean Rouch du point de vue nigérien. Aussi incroyable que cela puisse paraître, ta préoccupation est nouvelle. Mais elle survient trop tard : après la disparition de Dioulé Laya, le 27 juillet 2014, les « partenaires » encore vivants de l'aventure nigérienne de Jean Rouch se comptent sur les doigts d'une seule main.

Qui se soucie de ce « temps longtemps » ? Qui d'autre que toi, l'amie, l'élève et l'Africaine, songerait à sonder la légende du « Nègre blanc » dans son « pays d'adoption » ?

Je ne doute pas qu'un large faisceau d'informations t'ait poussée à nourrir cette idée fixe – une complicité avec un intellectuel, contrastant avec celle, légendaire, qu'il entretenait avec sa bande d'analphabètes – mais sache qu'elle était communément partagée à Niamey de leur vivant au prétexte qu'ils avaient longtemps dirigé ensemble, ou l'un après l'autre, ou l'un à la place de l'autre – on ne sait plus très bien – le centre de recherches de Niamey.

En 2007, comme tu le sais, je me suis retrouvé exactement dans la situation où tu es aujourd'hui, agacé par le sentiment de passer à côté du sens de cette amitié, mais Dioulé Laya était vivant et j'ai pu, en effet, lui poser certaines des questions que tu aurais aimé lui poser ! Tu as lu la transcription de cet entretien et c'est précisément parce que tu as découvert que sa publication, même accompagnée par des notes, redoublerait l'énigme plutôt que la résoudrait, que tu m'as demandé d'en tirer la substantifique moelle. Sacrée blagueuse ! Il est vrai qu'ayant eu la chance de fréquenter durant quelques années le mystérieux compagnon de Jean Rouch, j'ai pu – un tout petit peu – me familiariser avec son langage énigmatique. Ça n'empêche, plus les années passent et plus la réponse à la question sur la nature de leur collaboration et de leur amitié me semble une entreprise périlleuse, ou d'une délicatesse introuvable dans la glose des spécialistes. Il s'agit pour toi de faire confiance au hasard qui s'est présenté à toi sous la figure d'un authentique amateur ; et pour moi, d'oser interpréter le dit de l'érudit. Tu as bien remarqué l'art de botter en touche de Dioulé Laya et comment ses réflexions sur la place de Jean Rouch dans l'histoire du Niger soulignent notre ignorance sur la réalité du partage de ses expériences. Et pourtant, en scrutant sa langue sinueuse et vagabonde, tu as bien senti émerger une autre réalité de l'histoire nigérienne de Jean Rouch. Tu as senti l'écart avec celle, pleine de folklore, qui est communément admise.

En 2006, débarquant par hasard à Niamey, ne sachant presque rien sur Jean Rouch, je fus aussitôt curieux de tout savoir, aussitôt émerveillé par son conte autobiographique (écrits et entretiens) et fasciné par la profusion des épisodes autant que par leurs lacunes. J'étais plongé dans le chaudron nigérien, et je commençais à comprendre la langue franco-nigérienne. Dans l'entretien que je lui avais proposé, Diouldé s'était exprimé *comme si* j'étais un ami de Jean Rouch. Il avait des raisons de me parler de cette façon. Et c'est cela que je dois d'abord t'expliquer parce que les conditions dans lesquelles eut lieu notre conversation influèrent sur sa teneur : elle prolongeait une série de péripéties *extraordinaires*[1] qui eurent lieu au mois de décembre 2006, près de deux ans après l'accident mortel de Jean Rouch sur la route de Tahoua.

Le Centre culturel franco-nigérien (CCFN), surnommé « le Franco » – le plus important lieu culturel de la capitale –, était alors baptisé Jean-Rouch et accueillait la première édition du Forum africain du film documentaire, une manifestation comme on n'en avait jamais vu nulle part : une expérience culturelle directement inspirée par l'esprit Rouch. Son initiateur, Inoussa Ousseini, ambassadeur du Niger à l'UNESCO et ancien ministre de la Culture, avait rencontré Rouch à l'âge de 17 ans, en 1967, alors qu'il animait le ciné-club du lycée national à Niamey ; il l'avait ensuite suivi à Nanterre puis Chaillot et avait réalisé ses premiers films en France avant de se lancer dans une carrière naviguant entre la production culturelle et la politique.

Le lancement du Forum africain du film documentaire était la réalisation d'une promesse formulée durant les funérailles nationales de Jean Rouch, dont l'ambassadeur fut l'inspirateur. Conjuguées à la première exposition de ses photos sur le continent africain et au baptême du « Franco », ces péripéties serviront de catalyseur à bien d'autres qui s'enchaîneront durant quelques années à Niamey autour de sa mémoire revisitée. Péripéties « fabuleuses » parce qu'elles prolongeaient le « conte autobiographique de Jean Rouch », un système d'expression qui s'était naturellement imposé,

---

1.   Épithète en tête du « lexique de l'enthousiasme » de Jean Rouch, qui l'empruntait à Charles Trenet.

dès son retour au Niger en 1947, avec ses chroniques d'explorateur, auquel il resta fidèle à travers ses écrits disparates, jusque dans ses travaux « scientifiques », comme dans les commentaires de ses films, les documentaires dont il était l'objet et ces entretiens remarquables qu'il aura livrés tout au long de sa vie. Par la grâce du conte, Jean Rouch reliait entre elles les multiples facettes de ses aventures. La dernière – irréelle et brutale – en scellait le caractère africain. Au Niger, le conte se confondait avec la légende, que l'on colportait depuis plus d'un demi-siècle, de cercle en cercle, jusqu'aux îles les plus secrètes du fleuve : la légende de l'« *anasara* », le « Nègre blanc » qui en savait plus long sur les Songhay que les Songhay eux-mêmes.

Cela se passait à l'amphithéâtre de plein air du « Franco », le cœur battant du cinéma nigérien. Sous la voûte étoilée, « le Vieux » était réapparu, se livrant à des salutations interminables avec ses amis nigériens. C'étaient les images d'une vidéo[2] tournée dans l'amphithéâtre de plein air la veille de son accident mortel. C'était la mise en abyme d'un souvenir obscurci et pétrifié par le sentiment de culpabilité. Tous se reprochaient de l'avoir laissé filer sur la route vers le « pays de nulle part », comme il n'avait cessé de le répéter de manière provocatrice tout au long de son dernier voyage. Cette réapparition abolissait le temps qui s'était écoulé depuis, elle dénouait les esprits et libérait la parole. Dans les bouches, Rouch revenait de nouveau au présent de l'indicatif : le parent *anasara*, figure d'une légende qui faisait du bien. Le souvenir pouvait peut-être reprendre sa plénitude, échappant à la malédiction du silence, une grande crainte au Niger. Au cours des « inoubliables soirées dans l'amphithéâtre de plein air » du mois de décembre 2006, le cinéma s'était substitué au griot. On avait vu « le Vieux » à l'écran tel qu'on l'avait quitté la veille, on avait revu certains de ses films, on avait découvert le dernier de Christian Lelong – *Avec Damouré Zika, un acteur au pays de nulle part* (2007) – qui semblait relancer l'avenir de la légende, on avait entendu les pionniers du cinéma nigérien psalmodier des louanges au disparu, et alors, le souvenir, ardent, pétillant, était devenu « surréel ». Hier bousculait aujourd'hui, qui jetait une passerelle pour demain : de jeunes étoiles – Malama Saguirou et Sani Magori – relançaient la bataille du cinéma documentaire nigérien tandis que l'ambassadeur réinventait l'expérience Nanterre-Maputo,

2.   *Le double d'hier a rencontré demain*, vidéo de Bernard Surugue reprenant le titre d'un livre de Boubou Hama que Jean Rouch avait confié à l'éditeur Christian Bourgois en 1970.

une école de cinéma de huit jours où une poignée de jeunes gens avaient pu s'initier à la réalisation. Chacun d'eux avait écrit, réalisé, monté et projeté un film documentaire de quelques minutes qui avait été diffusé par la suite sur les chaînes du continent. Le Forum africain du cinéma documentaire, en ce mois de décembre 2006, avait modestement ouvert une voie dans le décloisonnement des genres que les incursions d'Inoussa Ousseini dans le domaine de la sociologie ou de l'anthropologie avaient inspiré. La fidélité à l'esprit de Jean Rouch, comme à sa mémoire, ne pouvait prendre que des formes mouvantes.

Une fois la manifestation conclue, il paraissait impossible à la nouvelle équipe du « Franco », dirigée par ma compagne Delphine Boudon, de ne pas concevoir toute une série de suites. Nous ne voulions pas que la fièvre retombe. Pérenniser la mémoire de Jean Rouch dans son pays d'adoption était un défi considérable. Il s'agissait de s'interroger sur la façon dont le Niger pourrait exploiter l'héritage de tous les films qu'il y avait tournés depuis 1948 – le socle de sa « mémoire audiovisuelle ». C'était l'obsession de Damouré Zika, le premier et le plus indispensable des complices nigériens de Jean Rouch. Lui, à l'inverse de l'ambassadeur, voulait tout ignorer des réalités politiques. Si le baptême du CCFN Jean-Rouch avait reçu l'onction des hautes autorités, il fallait alors qu'il devienne un lieu dévolu à sa mémoire. Que la France et le Niger s'en débrouillent. Damouré Zika refusait obstinément de se laisser entendre dire qu'aucun des ministères de tutelle, français et nigérien, n'avait l'esprit à cette affaire ni le début d'un budget. Il était impératif de « continuer », comme l'avait clamé Diouldé Laya lors des veillées funèbres que l'ambassadeur avait organisées au lendemain de l'accident mortel – la bande *off* des funérailles nationales. « Continuer » était une formule de Jean Rouch. « Continuer », pour Damouré Zika, était une façon de déclarer l'état d'urgence, le risque étant que l'avenir abolisse le passé, que l'œuvre-vie de Jean Rouch disparaisse de l'espace collectif. Il était le mieux placé pour savoir que les cinquante années d'allers-retours au Niger du « patron » avaient laissé une profusion de traces – notes, écrits, photographies, films et pactes secrets transmis de père en fils – qui pouvaient s'imbriquer les unes aux autres comme les pièces d'un puzzle démesuré que personne, jusque-là, au Niger, n'avait encore tenté de reconstituer. À sa mort, Damouré Zika avait eu le réflexe de mettre à l'abri toutes les archives personnelles de Jean Rouch.

Il ne faisait confiance à personne. Il craignait que l'un des cinq carnets qu'il y avait trouvés ne recèle le nom de la mère de Dieu qu'un magicien de Wanzerbé leur avait confié par mégarde et que tous deux avaient juré de ne jamais révéler. C'est pour cela que nous avons hérité un jour des archives nigériennes de Jean Rouch et c'est comme cela que je suis entré de plain-pied dans le « conte des contes » de Jean Rouch au Niger, frappé par l'authentique sceau du hasard.

Je dois ouvrir une parenthèse pour dire la singularité de notre implication : c'est, en effet, par hasard que Delphine avait été nommée à Niamey, où était née sa mère, et apprit dans la foulée que son grand-père adoptif, Jacques Pinson, n'était autre que le « deuxième papa » de Damouré Zika – celui à qui, en 1942, Jean Rouch avait confié son protégé et qui lui avait délivré une véritable assurance-vie en le formant au métier d'infirmier. Le pêcheur sorko était donc notre parent, comme son premier « papa ». C'est dans le prisme de ce hasard que nous avons découvert et le Niger et l'aventure de Jean Rouch, telle que la rapportait Damouré Zika, ce « raconteur du ciel », ainsi que l'appelait Jane Rouch.

Petit à petit, je me suis lancé sur les traces laissées par Jean Rouch au Niger. Une enquête d'amateur qui m'a permis de vivre maintes péripéties fabuleuses en compagnie de mon grand-père africain. Nous avons inventé ensemble, avec l'appui du Cinéma numérique ambulant (CNA), la caravane Jean-Rouch pour projeter des films dans les villages mêmes où Jean Rouch les avait tournés, reproduisant les scènes d'émotion collective que le cinéaste suscitait en montrant ses films aux filmés. Le *feedback* répété – Damouré Zika en maître de cérémonie – et l'anthropologie partagée cédaient la place à la mémoire partagée. C'était tout à fait autre chose. Et c'était l'affaire des Nigériens hors des villes, ceux pour qui le monde d'avant était encore plein de sens. La caravane Jean-Rouch a sillonné le pays songhay durant deux ans, jusqu'au jour où Damouré Zika considéra qu'il était temps de tirer sa révérence et de retrouver le « patron ». Celui-ci avait sans aucun doute terminé de construire la route pour l'accueillir là-haut. Le vieux complice crânait. Depuis décembre 2006, il défiait méthodiquement la mort : « un couillon », disait-il.

Je referme la parenthèse – il faudrait tout un livre pour rapporter les singuliers détails de ces péripéties – pour revenir à la question des archives nigériennes et à la place de Diouldé Laya dans la mosaïque du souvenir.

Le « Franco » avait transmis les cinq carnets de mission, avec quelques autres précieuses pièces du puzzle, au Comité du film ethnographique (CFE), qui les avait ensuite transmis à la Bibliothèque nationale de France, attelée à la constitution du fonds Jean Rouch. Pour la bande du CFE, comme pour Inoussa Ousseini, comme pour Damouré Zika, la mort de Jean Rouch était un défi. Le mouvement de l'œuvre entraînait celui de la mémoire revisitée. Lequel poussait à rattraper un certain retard du regard rétrospectif. Jean Rouch ne pouvant plus semer ses poursuivants au Niger, il était temps de remonter le labyrinthe jusqu'à son point de départ. Le projet Jean-Rouch qui s'était imposé aux animateurs du CFE dépassait largement le cadre savant ou patrimonial : il était d'abord mû par la fidélité amicale et le désir de perpétuer l'enthousiasme rouchien.

À quelques milliers de kilomètres de Niamey, un tout petit cercle de personnes suivait les activités du « Franco » avec gourmandise et bienveillance. Nous nous étions attelés à la question institutionnelle de la mémoire de Jean Rouch au Niger. La situation était désastreuse. On comptait sur les doigts d'une seule main les publications de ou sur Jean Rouch dans la bibliothèque du « Franco », la plus importante de la capitale. Ne parlons pas de la conservation des films ! Il n'y avait presque aucune archive valable à la disposition des Nigériens, rien à l'usage des jeunes générations. C'était un profond sujet d'affliction. L'histoire de Jean Rouch appartenait à celle du Niger, ne serait-ce que parce qu'elle avait été à l'origine de celle du cinéma nigérien. À Niamey, le puzzle Rouch était en vrac. Témoins et complices devenaient de plus en plus rares. Damouré Zika était le dernier survivant de « DaLaRouTa ». Rien n'avait été prévu, par personne, pour éviter que l'incendie, au sens que lui donnait Amadou Hampâté Bâ, ne se propage[3].

Je m'y étais appliqué autant que pouvait le faire un amateur, en recueillant le témoignage de tous ceux qui avaient fait un bout de chemin avec Jean Rouch. Le jeu n'était pas forcément aisé, à cause de mon ignorance, mais il était naturel, porté par la contagion de l'amitié. Le cercle des amis de Jean Rouch – Inoussa Ousseini, Damouré Zika et sa « cousine », Mariama Hima, la « fille de Jean Rouch » – nous avait

---

3.   « Pour moi, je considère la mort de chacun de ces traditionalistes comme l'incendie d'un fond culturel non exploité. » (Amadou Hampâté Bâ, discours prononcé le 1er décembre 1960 lors de la onzième conférence générale de l'UNESCO.)

adoptés. Et c'est fort de ce soutien que je suis allé trouver Diouldé Laya, considéré comme un expert dans une large étendue de domaines.

On avait pris l'habitude de consulter Diouldé Laya sur tout et n'importe quoi ayant trait au Niger : il était le « sociologue national ». Il s'en était gaussé dans une sorte de confession publique publiée sur internet où il évoquait avec amertume le fiasco de ses missions de conseiller dans les grands chantiers de développement du pays. Dans un langage codé que seul un Nigérien serait à même de véritablement déchiffrer, Diouldé Laya pointait la panne des esprits dans la panne sociale et économique, exprimant une révolte dont les termes étaient si ambigus qu'elle paraissait sacrificielle.

Quant à la connaissance de la saga nigérienne de Jean Rouch, Diouldé Laya bénéficiait du poids de l'ancienneté – un demi-siècle de complicité placée sous le signe de l'érudition et emballée dans la prestigieuse fonction de directeur scientifique du centre de recherches de Niamey – l'IFAN[4] devenu l'IRSH[5] – qu'ils avaient exercée l'un après l'autre – de 1960 à 1971 pour Jean Rouch, de 1970 à 1977 pour Dioudé Laya. Mais la réalité était plus confuse parce que le second avait assisté le premier dans la totalité de son mandat, parce que le centre resta jusqu'à la fin de sa vie le port d'attache de Jean Rouch au Niger – il y disposait en permanence d'une chambre-bureau –, parce que Diouldé Laya, lui aussi, hanta jusqu'à son dernier souffle ce lieu d'élection au cœur de la capitale que constitue l'enclos jumelant l'IRSH et le CELHTO[6] : une sorte de presque-île en forme de promontoire au-dessus du fleuve, un « jardin *extraordinaire* » où les deux complices avaient l'habitude, disait-on, d'organiser des sacrifices rituels pour inviter les divinités songhay à leurs conférences. Ce grain de folie indiquait la nature de l'alliance passée entre les deux hommes dans la conduite du centre de recherches. L'un camelot catalan, l'autre peul nationaliste, l'un extraverti, l'autre introverti, l'un dispersé, l'autre bénédictin, l'un conteur, l'autre secret, etc. Ce surprenant tandem n'étonnait personne à Niamey.

---

4.   Institut français d'Afrique noire
5.   Institut de recherches en sciences humaines.
6.   Centre d'études linguistiques et historiques par tradition orale dont Diouldé Laya fut le directeur de 1977 à 1997.

Diouldé Laya, directeur de l'Institut de recherches en sciences humaines, dans *Jean Rouch et sa caméra au cœur de l'Afrique* de Philo Bregstein, (1978).
© Philo Bregstein

La légende l'emportait peut-être sur la réalité. Selon Jean-Pierre Olivier de Sardan, la vérité était toute autre : l'IRSH, durant une quinzaine d'années, avait été dirigé non pas par un tandem mais par un triumvirat dont le pilier central n'était autre que le « numéro 2 » du régime qui avait mis en place l'indépendance du pays : Boubou Hama, conteur, philosophe, historien, traditionniste, visionnaire et redoutable stratège politique.

Je n'ai jamais entendu personne d'autre que Jean-Pierre Olivier de Sardan avancer une telle hypothèse, dont l'objectif était de minimiser le rôle de Rouch dans le travail accompli par le centre au cours des quinze premières années de l'indépendance. Elle paraît pourtant très plausible et bien plus fertile que ne le laissait supposer son auteur. Mais pour en saisir tout le relief, je suis bien obligé d'ouvrir une autre parenthèse.

Quelque temps avant ma rencontre avec Diouldé Laya, en vue d'ajouter son témoignage à ma collection, j'avais eu un entretien avec l'éminent anthropologue. Une « pièce de choix » puisque Jean-Pierre Olivier de Sardan, comme tu le sais, a démarré sa carrière dans le sillage de Rouch et n'a plus quitté Niamey depuis la fin des années 1960.

Le doctorant, maoïste fiché par toutes les polices, avait été chargé de mener une enquête sur les Wogo, une subdivision des Songhay – le « terrain » de Rouch, son pays de cocagne. Il avait si brillamment réussi sa mission qu'il l'avait poursuivie bien au-delà de son cadre initial en écrivant plusieurs livres remarquables sur la société songhay, au point d'en devenir le meilleur spécialiste. Il avait réalisé également une poignée de films renouvelant l'approche du cinéma ethnographique. Dans le mouvement de son immersion radicale au cœur de la société nigérienne, il s'était fâché avec Jean Rouch pour des raisons morales qu'il justifiait avec force et clarté si on les lui demandait. Sinon, il avait d'autres chats à fouetter. Les conséquences du différend furent spectaculaires : Jean-Pierre Olivier de Sardan avait rompu avec le cinéma, frayé une toute nouvelle voie pour la recherche en Afrique – l'anthropologie du développement –, créé un « laboratoire » indépendant, un foyer de matière grise exerçant un rôle de veille sur les fonctionnements du pouvoir et, pour finir, il avait acquis la nationalité nigérienne. Il disposait d'une légitimité évidente pour se montrer critique sur l'action de Jean Rouch au Niger. S'il lui concédait quelques mérites – son étude sur la religion songhay (de l'« ethnologie à la papa »), un travail de pionnier sur l'immigration et une poignée de films –, il jugeait son bilan pauvre et, surtout, tributaire de méthodes trop peu rigoureuses. Le plus choquant était de l'entendre dire que ses relations avec les Nigériens, à commencer par ses « informateurs », relevaient d'un système « clientéliste ».

Mon entretien avec Jean-Pierre Olivier de Sardan ne dissipa nullement la griserie dans laquelle me plongeait la découverte des mille et une histoires *extraordinaires* nées des rencontres de Jean Rouch. Celle-là donnait davantage de relief à ma collection, plus poétique que savante. Je passais surtout mon temps avec Damouré Zika, Sganarelle méfiant à l'égard de la gente intellectuelle. Si le versant institutionnel des activités de Rouch me semblait hermétique, je m'étais quand même empressé de poser la question du triumvirat à Diouldé Laya. Celui-ci, ne voulant aucunement entrer dans des considérations de personnes, avait évidemment botté en touche, mais il avait, toutefois, utilisé cette phrase éloquente : « l'IFAN était Boubou Hama ».

Une autre parenthèse s'impose, qui est peut-être le cœur de notre sujet parce qu'elle met en exergue les lacunes étonnantes du conte autobiographique de Jean Rouch concernant l'étroite implication des Nigériens dans son œuvre-vie. Boubou Hama en est l'illustration fracassante : son rôle véritable a été, jusque-là, largement escamoté.

La rencontre de Jean Rouch avec cette grande figure de l'histoire nigérienne remontait à sa première découverte des rites religieux des Songhay. C'était en 1941 lorsque, tout juste sorti de l'École nationale des ponts et chaussées, le jeune homme, imprégné de surréalisme, avait fait ses premières armes d'ingénieur des colonies au Niger, situation qu'il abhorrait. C'est Damouré Zika, ainsi que le rapporte la légende, qui l'avait tiré de l'ennui en l'initiant aux *holley*. Ayant ferré sa prise, le gamin pêcheur avait ensuite présenté « monsieur l'ingénieur » à Boubou Hama, martingale pour l'ethnographe amateur. L'ingénieur des Ponts et Chaussées, inspiré mais aussi stratège, ne pouvait s'engouffrer dans la voie ethnographique et décrocher la timbale auprès de Griaule, Dieterlen et Monod que parce d'autres avant lui avaient déjà déblayé la voie. Or la connaissance de la mythologie songhay de Boubou Hama pesait tout de même bien davantage que celle des administrateurs blancs contaminés par le virus ethnographique : il était songhay et son niveau d'éducation était au moins égal aux bons élèves de l'école coloniale. Mieux encore : il était passionné par le sujet dont il fera plus tard, en même temps que Rouch, la matière de ses premières publications.

À l'époque, Boubou Hama n'avait pas encore tout à fait entamé sa carrière politique, mais il était déjà un personnage considérable : il était le premier instituteur nigérien, sorti de l'École normale William-Ponty à Gorée – la pépinière des cadres africains acteurs de la décolonisation. Le long et épique chemin de l'aventure ambiguë qu'il avait parcourue ressemblait à celui d'Hampâté Bâ. Il s'imposait déjà par sa stature culturelle – la vastitude de ses connaissances africaines et gauloises – auprès des populations comme auprès des institutions coloniales.

Escamotée du conte autobiographique, dont les premiers rôles reviennent toujours à Damouré Zika et sa grand-mère Kalia, l'onde de choc de cette rencontre est cependant perceptible dans maints écrits dispersés du *toubab*. Rappelons qu'il dédiera à Boubou Hama sa monographie, en même temps qu'à Hampâté Bâ – ses « deux grands-pères africains ». Cependant Boubou Hama n'avait que dix ans de plus que le jeune ingénieur et se trouvait dans la force de l'âge, manifestant probablement déjà son ascendant, signe de la montée en puissance de sa destinée politique.

Boubou Hama, une sorte de géant, un Mali Béro des temps coloniaux, personnage hors du commun, surdimensionné, conversant aussi bien avec un Kwame Nkrumah qu'avec une bande d'*atakurma*[7]. Conteur de sa propre vie, confondant dans les mêmes enjeux son histoire et celle de l'Afrique. Penseur des indépendances, historien et musulman, immergé dans les croyances animistes – des histoires dignes de Lovecraft, dira Rouch. Boubou Hama dévoré par une immense ambition littéraire – bientôt un fleuve de publications charriant les siècles de culture orale. Un maître de l'invisible qui, osons le dire, pouvait bien prendre la place du marquis André Breton dans l'esprit du jeune-homme de 23 ans imprégné de surréalisme. Déjà « en voie de bougnoulisation », il découvrait, avec Boubou Hama, la revendication de la culture africaine, l'enthousiasme et la détermination martiale de sa réappropriation. En rapprochant certains documents, on devine qu'il aimerait faire de l'électron libre apprenti-ethnographe, son disciple occidental. Le jeune Rouch, émerveillé par les génies songhay, ne pouvait être que médusé. Quelques mois plus tard à Dakar, il fera la connaissance d'Hampâté Bâ et de Théodore Monod. Son destin d'africaniste avait pris tournure.

La première rencontre entre Jean Rouch et Boubou Hama engendrera une amitié fertile de plus de 40 ans. Malgré ses conséquences notoires sur l'histoire du Niger et des documents édifiants, elle n'aura pas échappé à l'omerta dont fut victime Boubou Hama après le coup d'État militaire d'avril 1974, qui mit fin à la Première République du Niger et l'envoya trois années en prison. Jusqu'à sa mort, en janvier 1982, Boubou Hama fut « soustrait à la vie publique du Niger[8] ». Mais le mal a perduré bien au-delà, contaminant Paris, depuis longtemps déjà indifférent au sort de son ancienne colonie, et l'histoire de cette relation *extraordinaire* est donc restée à l'état de puzzle, désordonné et incomplet, comme bien d'autres aspects de l'aventure nigérienne de Jean Rouch.

Pourtant, quel ensemble édifiant obtiendrait-on en superposant les éléments biographiques retraçant, année après année, le parcours de l'un et de l'autre jusqu'à l'accès du Niger à l'indépendance, l'arrivée au

---

7.   Petits nains rouges à grands cheveux de la brousse, alliés des chasseurs et porteurs de nouvelles.

8.   « On se tait, on n'en parle plus, on ne doit plus en parler, son nom disparaît des lèvres et, vrai moteur de l'oubli, les jeunes ignorent tout de lui, ce qui représente un véritable effacement social, le pire qui soit pour une communauté qui se prive délibérément de son passé. » (Laya, Pénel et Namaïwa 2007).

pouvoir de Boubou Hama et la nomination hautement symbolique de Jean Rouch à la direction scientifique du centre de recherches! Vingt années décisives pour l'un et l'autre, vingt années marquées par la guerre pour l'un, les combats politiques pour l'autre. Vingt années de conquêtes culturelles pour l'un et pour l'autre, d'allers-retours incessants entre Niamey et Paris, et même Versailles pour le « broussard » de Fonéko qui y siégeait comme conseiller de l'Union française. Se rendait-il au Bal nègre comme Houphouët Boigny? Vingt années où l'un et l'autre publient leurs premiers ouvrages sur les Songhay. Vingt années au cours desquelles Boubou Hama devient aussi le « chef de l'Institut fondamental d'Afrique noire (IFAN) » – formule saisissante utilisée par Jean Rouch dans sa monographie, qui n'est pas sans rappeler la phrase de Dioul, Laya. Lequel, tout comme Jean-Pierre Olivier de Sardan, avait « pris le train en marche », ignorant tout de ces vingt années de relations étroites entre Jean et « Mogo[9] » qui, de pactes tacites en pactes officiels, visaient à terme une renaissance culturelle africaine dont l'IFAN serait l'instrument privilégié.

Il faudrait évoquer toute la charge affective que véhiculait l'IFAN et dont me parlera longuement Dioulé Laya. L'IFAN de Niamey était un maillon du réseau que dirigeait depuis Dakar Théodore Monod, auquel s'était ralliée la nouvelle génération de chercheurs français et, par la suite, africains, qui fit sauter le couvercle colonial pesant sur la connaissance africaine. L'IFAN de Niamey était la première pièce de la stratégie culturelle de Boubou Hama dans le passage du Niger à l'indépendance.

Autour du centre, au cœur de la capitale, le président de l'Assemblée nationale avait fait surgir une « vallée de la culture » qui remodelait le schéma légué par la colonisation en enrichissant la vie urbaine par de multiples symboles associant les cultures traditionnelles à la modernité. Trois foyers de culture, servis par une architecture remarquable contrastant avec l'épidémie d'immeubles de haut standing qui s'emparait alors de l'Afrique, structuraient la vallée: le musée national Boubou-Hama (avec un zoo), très beau musée de plein air réalisé sur le modèle du musée national des Arts et Traditions populaires du bois de Boulogne, le « Franco » – carrefour des cultures – et l'IFAN reconstruit sur un modèle andalou.

---

9.   *Merveilleuse Afrique*, le dernier ouvrage de Boubou Hama paru avant le coup d'État militaire de 1974, se conclut par un long dialogue entre Jean et lui-même, dit « Mogo » (« l'homme » en bambara) (Hama 1971).

Dans son enclos, vint s'adjoindre, en dernier lieu, le CELHTO[10], qui achevait le geste architecturel et symbolique par la création d'une institution rare, une démonstration exemplaire : un conservatoire de la culture orale. Cette « vallée de la culture » mériterait un long développement pour la présentation de ses qualités et de son usage, lieu par lieu, mais ce qui compte ici c'est le geste d'ensemble, un manifeste urbain qui accompagne le pari national d'une réappropriation de la culture, comme symbole de décolonisation. Une réussite confondante d'intelligence, dont le succès populaire, *via* le musée national Boubou-Hama, ne s'est jamais démenti, et à laquelle Jean Rouch fut si étroitement associé que l'on peut la considérer comme le fruit le plus étonnant du pacte d'amitié passé entre les deux hommes.

Si la « vallée de la culture » était évidemment une œuvre collective, une réalisation nationale initiée par la classe dirigeante, on y reconnaît cependant la patte de Rouch et cela laisse bien rêveur : Jean Rouch, salarié du CNRS, était devenu l'*anasara* providentiel de la Première République du Niger ! Logique pour le centre de recherches de Niamey : dans l'attente de nouveaux diplômés nigériens, il assurait une transition indispensable. Mais pour le reste ? Il faut un peu d'imagination pour concevoir la délicate habileté dont Rouch fit montre pour jouer un rôle officieux de conseiller dans le vaste projet national dont la « vallée de la culture » était le plus saisissant emblème. Il y parvint grâce à ses qualités d'ingénieur, qui lui permirent de s'impliquer dans la conception des bâtiments, mais également grâce à ses qualités de représentant du musée de l'Homme, à son réseau africaniste, et enfin en raison du rôle qu'il était en train d'accomplir en bouleversant de fond en comble le septième art tout en introduisant ses machines, sa technique et sa magie au Niger. Une des premières actions de Rouch au centre de recherches de Niamey fut de créer un département audiovisuel. De ce laboratoire, sortirent les premiers cinéastes nigériens, pionniers du continent.

Jean Rouch, l'électron libre, l'anarchiste catalan, amoureux du désordre, pétri de surréalisme et dadaïste sans y penser, s'était ainsi trouvé associé à l'expression majeure d'un gouvernement épris de francophonie et qui misait son avenir sur l'amitié franco-nigérienne[11]. Rien d'étonnant au

---

10.   Centre d'études linguistiques et historiques par tradition orale de Niamey.
11.   Le 3 août 1960, à l'occasion de la proclamation de l'indépendance du Niger, le président Hamani Diori déclarait : « Ce que nous aurons appris ensemble, ce que la tradition française aura apporté à notre tradition nigérienne, ce mariage de cultures diverses heureusement accompli, constitue le gage le plus solide de notre mutuelle estime et

fait qu'il se soit chargé de mettre en musique une idéologie naïve, presque kitsch, en assurant la maîtrise d'œuvre du film *Niger, jeune république* (Claude Jutra 1961), œuvre de propagande dont les seules figures interrogées étaient le président Hamani Diori et... le pêcheur-infirmier Damouré Zika ! Son apparition est presque aussi loufoque que dans *L'An 01*, le film de Jacques Doillon (1973), adapté de la bande dessinée anarchiste de Gébé.

Dans l'enthousiasme soulevé par les indépendances africaines, la collaboration entre Boubou Hama et Jean Rouch dura près d'une quinzaine d'années – jusqu'à ce que Mogo soit jeté en prison par la junte militaire. Ce désastre eut pour conséquence de raffermir leur cause commune – l'héritage de l'Empire songhay à travers la tradition orale –, qui connut son point d'orgue avec les trois extraordinaires colloques de la Société commerciale de l'Ouest africain (SCOA) – à Bamako, puis à Niamey, de 1974 à 1976 – dont Amadou Hampâté Bâ et Boubou Hama étaient les figures tutélaires. Geste hautement symbolique qui permit à Jean Rouch de révéler dans son discours inaugural (une pièce d'anthologie négligée par les commentateurs) l'existence d'un pacte scellé entre les trois hommes. Le premier colloque avait entraîné le retour d'Hampâté Bâ au Mali après douze ans d'exil et le troisième, à Niamey, la sortie de prison de Boubou Hama.

Je referme ma parenthèse, dont tu ne manqueras de relever la forme minimale, m'en étant seulement tenu au cadre de la relation Hama-Rouch au regard de l'hypothèse du triumvirat dirigeant le centre de recherches de Niamey évoquée par Jean-Pierre Olivier de Sardan.

Dioulalé Laya avait contourné la question en décrivant une tout autre réalité. Selon lui, le bon fonctionnement de la ruche IFAN-IRSH était imputable à un quatrième acteur, peut-être plus déterminant que les trois autres : Suzy Vianès Bernus.

Suzy est à elle toute seule une pièce essentielle du puzzle. Complice de la première heure, elle avait atterri à l'IFAN dès la prise de fonction

---

de notre profonde amitié. Nous entendons l'offrir au monde en exemple de ce que peuvent produire d'indestructible deux civilisations qui au lieu de s'ignorer, se rencontrent et se confondent. » Hamani Diori concluait son discours par cette envolée : « Vive le Niger indépendant, vive la France émancipatrice, vive l'amitié franco-nigérienne, fraternité des peuples. » En ligne : http://www.lesahel.org/index.php/ component/k2/item/837-discours-prononce-par-le-president-hamani-diori-chef-de-letat-a-loccasion-de-la-proclamation-de-lindependance-le-3-aout-1960 [lien valide 16 septembre 2017.

de Jean Rouch, qui en avait fait la condition de sa nomination. Diouldé Laya m'avait expliqué comment, en suppléant à toutes les tâches du centre de recherches de Niamey, en organisant son pôle de publication, dont le rôle fut déterminant dans son rayonnement international, Suzy Bernus en avait été la pièce maîtresse. Seulement, atteignant le cœur de l'histoire, Diouldé Laya s'était retrouvé devant un obstacle conditionnant tout son exposé : tous les souvenirs de la présence de Suzy au centre de recherches de Niamey étaient occultés par celui de sa disparition tragique, avec sa dernière fille, lors d'un accident sur une route du Mali en 1990. J'ai cependant pu clairement entendre une petite musique de fond qui disait : « Suzy était l'IFAN ». Une musique que je retrouvais dans un *Salut d'irrémédiable* écrit par Jean Rouch (Rouch, Échard et Ferry 1990) au lendemain de sa mort. Texte délicat et subtil, tendu en un arc d'émotions où la joie, le bonheur, l'enthousiasme et l'amour résistent au ravage. Suzy Bernus « toujours partante, dans l'enthousiasme, mais aussi dans la rectitude de la trajectoire projetée ». Texte fascinant qui condense le talent de Rouch pour la vie, son goût pour le mouvement – une folie douce – et semble révéler l'essence de son aventure nigérienne. Texte constitué lui-même comme un puzzle lacunaire où l'apparition fugitive de Boubou Hama interpellant sa couvée de chercheurs depuis les fenêtres de son bureau de l'Assemblée nationale, qui surplombait la maison de banco où habitaient Jean, Suzy et leur dizaine d'hôtes, en dit long sur la nature des liens qui s'étaient établis entre les membres de la petite troupe du CNRS autour du noyau originel Jean et Mogo.

J'ai pris conscience après coup que toute ma conversation avec Diouldé Laya était imprégnée par cette petite musique ineffable – *Suzy, I like the way you walk*[12] –, marque sentimentale de sa fidélité à l'histoire du centre de recherches de Niamey, indiquant qu'il était lui-même resté un personnage du conte autobiographique de Jean Rouch. N'étant ni orateur ni conteur, Diouldé Laya s'était abandonné à une conversation sans queue ni tête qui était avant tout dominée par l'émotion. Deux ans après la disparition de Jean Rouch, il était encore obsédé par ses dernières heures à Niamey. Il se sentait coupable de n'avoir su protéger « le Vieux », d'apparence si fragile, de n'avoir su l'empêcher de prendre la route fatale de Tahoua. Il était encore dans la sidération de sa disparition – boucle

---

12. Chanson de Dale Hawkins, *Suzy-Q* (1957), interprétée par les Rolling Stones et Creedence Clearwater Revival, parmi bien d'autres.

de son destin nigérien. À sa stupéfaction se mêlait une frustration qui lui interdisait de se lancer dans de doctes commentaires sur le rôle de Jean Rouch au Niger. Diouldé Laya attendait son retour de Tahoua pour lui poser certaines questions qu'il jugeait essentielles et qu'il n'avait encore jamais eu l'audace de formuler. Jusqu'à ce mois de février 2004. À 60 ans, il estimait qu'il était désormais en âge de le faire. Et puis, comme tant d'autres amis de Niamey, il pressentait la fin prochaine de son ami.

Mais avant de te dire quelles étaient ces questions qui ne pourraient plus avoir de réponse, je dois faire une dernière parenthèse pour revenir à la nature de la relation qui s'était d'emblée établie entre nous. Elle avait influencé le style de notre entretien et encouragé l'équipe du « Franco » à poursuivre l'exploration de l'histoire de Jean Rouch au Niger. Diouldé Laya avait immédiatement épousé notre cause. Il s'agissait de constituer un fonds documentaire Jean Rouch, première étape d'un long chemin qui aboutirait, un jour, à rendre accessible tous les films réalisés par Jean Rouch au Niger dans un cadre qui permettrait de les mettre en connexion avec toutes sortes de documents : publications, photographies et témoignages, ainsi que tous les films dont il était le sujet, ceux de ses émules, les premiers films nigériens, les documentaires tournés au Niger par d'autres cinéastes et, bien sûr, l'ensemble du patrimoine cinématographique nigérien. Malgré le pessimisme lié à la très grande pauvreté du pays, malgré l'échec de tant de projets de développement, malgré l'anémie de la vie culturelle, malgré l'absence de tout soutien institutionnel, notre ardeur était récompensée par la solide reconnaissance des plus fidèles complices de Jean Rouch. Nous faisions le jeu nigérien : le souvenir de Jean Rouch restait vivant à travers quantité de petits signes de sa présence au « Franco » et nous rêvions de construire un pont entre Paris – la Bibliothèque nationale de France, le musée de l'Homme, le Comité du film ethnographique – et Niamey.

Suite à notre entretien, Diouldé Laya prit sa part à ce programme en intercédant auprès de l'IRSH et du CELHTO pour établir avec le CCFN[13] Jean-Rouch une base de données informatique commune sur les documents disponibles à Niamey. Et puis, avec sa discrétion légendaire, il m'exhuma des archives de l'IRSH un document – forcément *extraordinaire* – daté de 2001, qui donnait toute sa légitimité à notre pari. C'était, en quelque sorte, le testament nigérien de Jean Rouch : quatre ou cinq

---

13.   Centre culturel franco-nigérien Jean Rouch à Niamey.

pages dactylographiées mettant en scène le projet de construction d'un pavillon de la recherche parachevant le dessein de la « vallée de la culture ».

> En vue de perpétuer le souvenir de tous ceux qui ont fait de Niamey un phare de la recherche, et de mettre en valeur les archives sonores et visuelles accumulées par Jean Rouch sur les cultures africaines, un pavillon sera édifié sur le terrain de l'IRSH, en un lieu symbolisant à la fois l'histoire de la ville de Niamey et celle de la recherche scientifique au Niger.

Présenté dans un style théâtral conforme à la personnalité de Rouch et à l'histoire de l'IFAN-IRSH, le document est un pacte futuriste passé entre trois directeurs du centre – Jean Rouch, Dioudé Laya et l'archéologue Boubé Gado (alors en fonction) – intitulé « Renforcement des capacités de l'Institut de recherches en sciences humaines ». Une sorte de « manifeste » qui commence par un hommage aux « bâtisseurs » (Théodore Monod, Hampâté Bâ, Boubou Hama, Suzy Bernus, etc.) en faisant référence à la devise inventée par Jean Rouch et Suzy Bernus – une « recherche d'intérêt national mais de valeur internationale » – et décrit ensuite sobrement le dispositif de fonctionnement du pavillon de la recherche. Lequel intégrait « une salle spéciale contenant le fonds documentaire Rouch (cinéma, traditions orales, manuscrits, articles et ouvrages) », véritable objectif du manifeste.

Une deuxième partie[14] consiste à lier sa construction à un « plan de sauvetage » du patrimoine de l'IRSH (2 000 heures d'enregistrement des traditions orales) par la relance de ses politiques de collecte, d'édition, de documentation et de recherche archéologique.

Le document n'avait fait l'objet d'aucune publicité et Dioudé Laya me l'avait communiqué en catimini pour des raisons qui semblaient évidentes. Les trois vieux signataires étaient déjà hors-jeu – Dioudé Laya était à la retraite, Boubé Gado s'apprêtait à prendre la sienne – et ne pouvaient revendiquer plus que ça un tel investissement dans un pays exsangue.

Mais il y avait une autre raison à cette discrétion et elle était malicieuse : Jean Rouch misait sur le temps – au moins soixante ans, l'unité dogon – pour que Niamey découvre son testament… Si Dioudé Laya m'avait vendu la mèche c'est qu'il savait que seule une poignée de fidèles retiendraient l'information, aussi capitale que dérisoire.

---

14.   « Appui à l'IRSH ».

Dans le travail de mémoire que nous avons accompli durant cinq ans, Diouldé Laya a joué un dernier rôle d'importance en m'aidant à la préparation éditoriale d'un entretien inédit de Jean Rouch (six heures!) datant de 1993, que Damouré Zika avait exhumé des tiroirs de sa table de nuit. Je crois bien que c'est le document le plus extraordinaire qui existe dans cette catégorie. Ce *Jean Rouch par lui-même* (Bembello 1993) est la meilleure version que je connaisse de son conte autobiographique. On y retrouve bien sûr nombre d'épisodes bien connus de sa vie aventureuse (avec des variantes inédites), mais cet entretien reste différent de tous les autres – indispensables à la compréhension du bonhomme – parce que réalisé à Niamey par une sociologue nigérienne, Fatoumata Agnès Diaroumèye Bembello, n'ayant aucune relation particulière avec le cinéma ni l'ethnologie. C'est d'ailleurs le seul entretien où Jean Rouch évoque longuement sa femme, Jane Rouch, écrivain magnifique dont les livres ont été « soustraits » de la mémoire collective française et nigérienne bien que jetant un éclairage décisif sur l'aventure africaine de Jean Rouch – un mystère de plus, le plus important[15].

Le travail d'annotation était particulièrement conséquent parce que Jean Rouch faisait allusion à maintes réalités nigériennes sans se donner la peine de les expliciter. Il nous semblait utile d'apporter des éclaircissements aux lecteurs non nigériens mais aussi, dans la perspective d'une publication franco-nigérienne, d'en faire autant sur le versant français pour les lecteurs nigériens. Nous nous sommes attelés à cette tâche avec beaucoup de plaisir et le sentiment d'être au cœur de la vérité biographique en trouvant maintes clefs dans l'analyse de l'aventure nigérienne de Jean Rouch.

Ce faisant, la réalisation de notre énorme appareil de notes nous a éloignés d'un approfondissement de notre entretien liminaire (que nous remettions toujours au lendemain). La publication du *Jean Rouch par lui-même* au Niger occupait pleinement nos esprits, elle était le premier objectif à atteindre pour engranger un travail de mémoire au Niger. L'entretien avait donc été réalisé par Fatoumata Agnès Diaroumèye Bembello, qui avait d'abord pensé à une publication sonore. Hélas,

---

15.   Jane Margareth George Rouch (1922-1987) était une journaliste franco-américaine. Elle est auteure notamment de : *Le rire n'a pas de couleur* (1956), récit du voyage en compagnie de Damouré et de Lam au Ghana à la poursuite des migrants djerma, de *Ghana* (1964) et de *Nous n'irons plus aux bals nègres* (1984).

la Fondation Rouch, *via* Bernard Surugue, s'opposa à notre projet pour des raisons restées obscures jusque-là. Dioulcé Laya prit ce camouflet post-colonial comme prétexte pour ne pas se rendre en France à l'invitation du Comité du film ethnographique pour le colloque consacré au projet Jean-Rouch. Cette dépossession illustrait une impuissance que Dioulcé Laya était déterminé à ignorer. D'ailleurs, cette contrariété s'était ajoutée à bien d'autres qui, au final, nous ont empêchés de développer un début de système patrimonial.

À ce point de mon exposé, je dois te dire que je ne suis pas mécontent de ne plus disposer de place suffisante pour m'étendre en commentaires sur notre conversation première. J'en arrive même à la conclusion que trop de zèle pourrait en trahir la spontanéité.

J'avais compris, dès les premiers mots, que Dioulcé Laya me faisait partager une réflexion qui ne pouvait pas se borner aux seuls critères occidentaux. Pour le suivre dans ses méandres, il fallait faire un effort qui n'était plus d'actualité, même chez les anthropologues. Lui-même était d'ailleurs allergique à l'anthropologie.

D'une manière générale, il s'efforçait d'échapper à la logique hagiographique, à la légende, au folklore rouchien. La relation entre le Niger et Jean Rouch lui donnait simplement l'occasion de méditer sur l'histoire de l'IFAN et de la recherche ici. Cependant l'ex-directeur de l'IFAN et du CELHTO ne cédait pas aux penchants narcissiques habituels des institutions, toujours promptes à se célébrer elles-mêmes. Son point de départ était la « charge émotionnelle » attachée à l'histoire de l'IFAN, prise en main en 1938, à Dakar, par Théodore Monod, le premier à avoir ouvert la voie de la recherche au Niger en créant un satellite à Niamey, qui fut à l'origine de l'affectation de Mamby Sidibé, Georges Mahaman Condat et, enfin, de Boubou Hama. La charge émotionnelle expliquait les contorsions qui avaient été nécessaires pour en garder les initiales dans des appellations débarrassées de l'empreinte coloniale[16]. Ensuite, sous l'influence de Jean Rouch, l'IFAN devint un clone du CNRS en prenant le nom de CNRSH (Centre nigérien de recherche en sciences humaines), avant de passer à sa forme définitive d'Institut de recherches en sciences humaines (IRSH). Dioulcé Laya était bien placé pour savoir à quel point ce clonage des institutions françaises ne signifiait pas grand-chose, sauf pour les Français.

---

16.   L'Institut français d'Afrique noire se transforma d'abord en Institut du folklore et de l'art nigérien, puis en Institut fondamental d'Afrique noire.

Ce qui comptait pour lui, c'était de rendre hommage à toutes les personnes qui y avaient apporté leurs singulières connaissances. D'où son désir de rendre hommage à Suzy Bernus, aux chercheurs du CNRS et à ceux qui, à leur suite, vinrent du monde entier à Niamey pour étudier la civilisation africaine. Ce qui comptait pour lui, c'était la vérité historique du slogan inventé par Suzy et Jean : « une recherche d'intérêt national et de valeur internationale ». Les acteurs de la première république avaient réalisé un modèle d'ouverture et d'exigence culturelle qui n'avait jamais fait l'objet de réflexion collective. Dioulдé Laya offrait chaque jour sa disponibilité mais il ne comptait mâcher le travail de personne : il avait trop à faire, prenant visiblement son parti de l'ignorance ou de la paresse, qu'elle soit nigérienne ou française.

Bien que piètre narrateur et orateur, Dioulдé Laya ne cherchait pas à se soustraire aux sirènes du conte autobiographique de Jean Rouch. Il en faisait partie et l'admettait. Cependant il tenait à donner un peu plus de substance à la légende de leur rencontre – lorsque le « non disciple », alors étudiant en sociologie à Dakar, avait abordé le « non maître » par une provocation de fanfaron, en lui reprochant la désinvolture d'une traduction. Leur amitié et leur collaboration à l'IFAN avaient commencé de cette façon. Les rencontres sont une clef du conte autobiographique de Jean Rouch, toute son aventure au Niger et en Afrique est marquée par leur succession – personnages *extraordinaires* et conséquences *extraordinaires* en cascade. Celle avec Dioulдé n'y échappait pas ; elle était même plus surprenante que ce qu'en avait rapporté Jean Rouch.

Dioulдé Laya l'avait d'abord rencontré par le truchement de ses travaux ethnographiques, dont il avait décidé de faire la matière quasi exclusive de sa licence de sociologie. C'était sa revanche envers le système d'éducation coloniale dont il avait été le jouet, comme Boubou Hama et Hampâté Bâ. Lui, le petit peul de Say, avait été « forcé » de faire du latin et du grec. Au bout du parcours, l'étudiant révolutionnaire exalté par le vent des indépendances découvrait les devises et coutumes songhay : un « cadeau des génies », une perche pour renouer avec la culture populaire, ciment de la mosaïque des peuples du Niger. Dioulдé Laya resta fidèle toute sa vie à cette idée de proximité à creuser, préférant la recherche appliquée à la recherche fondamentale, ce qui le différenciait de Rouch, toujours méfiant vis-à-vis des projets de développement. L'anthropologie, non merci. C'était un truc de Blanc. Lui, il avait fait le choix de la sociologie africaine, qui n'avait peut-être rien à voir avec l'idée que s'en font les Occidentaux. Quoi qu'il en soit, la tradition orale restera le socle de leur passion commune – Diouldé Laya sera le directeur du CELHTO de 1977 à 1997 –, jusqu'à ce mois de février 2004 où il se décida enfin à poser des questions à Rouch, des questions qui avaient une importance essentielle pour pouvoir « continuer ».

> Il n'y a pas de production écrite, c'est l'une des difficultés. Je me demandais donc ce qu'il pourrait ajouter et j'avais prévu de l'interroger à son retour de Tahoua. Je l'attendais, je m'étais préparé pour lui poser des questions. Et d'abord celle-ci : comment avait-il fait pour être si bien accueilli dans tous ces milieux extrêmement difficiles à pénétrer… ? Avait-il appris des choses importantes qu'il lui aurait été interdit de me dire ? Je voulais lui demander ce que je devrais entreprendre pour progresser dans mes travaux avec les gens, dans quelle direction devrais-je pousser pour bien connaître le système. Ce sont les questions que je voulais lui poser à son retour… pour avoir des indications sur la direction que nous devrions prendre, pour réfléchir. Et nous en sommes tous là, comme des imbéciles, et nous n'avons pas la clef !
>
> Le contact entre les peuples africains est une dimension essentielle. Je dis toujours : « vous êtes complexés et parlez toujours de nos contacts avec les Européens, commencez par parler des contacts entre les peuples africains ! Qui a emprunté quoi et à qui ?… Mais comme nous n'avons pas la clef de la lecture de la mythologie, on est embêtés. Je pense qu'on la trouvera, d'abord en approfondissant les recherches et en regardant aussi ce qui se passe chez les peuples africains… Il faut que nous continuions à recueillir les textes des devises, les textes qui sont récités, comme Rouch l'a fait dans un certain nombre de régions. Il faut que nous allions dans toutes celles où il n'a pu en recueillir, que nous approfondissions son travail.

La simplicité du propos de Diouldé Laya n'était que pure apparence… Pendant des années j'ai pu méditer sur cette *extraordinaire* question : « Comment avait-il fait pour être si bien accueilli dans des milieux extrêmement difficiles à pénétrer ? » Elle m'étonnait beaucoup parce que je n'avais pas tardé à en connaître la réponse : Damouré Zika, seul, savait très exactement comment Jean Rouch avait frayé son chemin. La question de Diouldé Laya était purement rhétorique. Il en était aussi persuadé que moi. Mais comment pouvions-nous aller plus loin, sachant les limites de tout ciné-portrait signé par un Blanc ? Il fallait d'urgence – l'incendie guettait – qu'un cinéaste nigérien s'attaque à la vérité en langue zarma. Diouldé était entièrement d'accord avec moi pour considérer cette tâche comme prioritaire, d'autant que certains cinéastes blancs n'avaient pas les mêmes scrupules que Christian Lelong, ne reculant devant aucune manœuvre pour exploiter la légende pour leur propre compte, jusqu'à tenter de filmer Damouré Zika sur son lit de mort. Trop tard, il nous avait lâchés au moment où le projet commençait à prendre forme...

La question resterait sans réponse et le défi du puzzle deviendrait plus délicat que jamais. »

Références bibliographiques

BEMBELLO Fatoumata Agnès Diaroumeye, 1993. *Jean Rouch par lui-même*, entretien inédit.

HAMA Boubou, 1971. *Merveilleuse Afrique*. Paris : Présence africaine.

LAYA Diouldé, PÉNEL Jean-Dominique et NAMAÏWA Boubé (dir.), 2007. *Boubou Hama, un homme de culture nigérien*. Paris : L'Harmattan, coll. « études africaines ».

ROUCH Jean, ÉCHARD Nicole et FERRY Marie-Paule, 1990. « *Foo da tilas*, Suzy ! Salut d'irrémédiable à Suzanne Bernus (1928-1990) », *Journal des africanistes*, vol. 60, n° 1, p. 7-8.

Films cités

DOILLON Jacques, 1973, *L'An 01*, adapté de la bande dessinée de Gébé.

JUTRA Claude, 1961, *Niger, jeune république*.

LELONG Christian, 2007, *Avec Damouré Zika, un acteur au pays de nulle part*.

SURUGUE Bernard, 2004, *Le double d'hier a rencontré demain*.

« *Fofo Anasara** »

Inoussa OUSSEINI

Inoussa Ousseini dans son bureau à l'UNESCO, Paris, 2009.
©Rina Sherman

*   « *Fofo Anasara* », selon le contexte, pourrait être une salutation de tendresse, une salutation soulignant un constat de différence fondamentale – religieuse, culturelle et, dans certains cas, raciale – certes, une salutation complexe. Le terme « *anasara* » signifie « nazaréen », c'est-à-dire « christian », non musulman. Il désigne également un infidèle. En outre, il connote faiblement la personne blanche, même si j'ai vu les personnes de Songhay appeler les Afro-Américains, *Anasara*. – Paul Stoller (correspondance privée avec Rina Sherman).

En décembre 2003, Jean était revenu au pays dogon pour préparer les funérailles rituelles de son amie et mentor Germaine Dieterlen, que nous surnommions « Madame Éternelle ». Évoquant devant la caméra de son complice, Philippe Costantini, ses décennies de compagnonnage sur les falaises de Bandiagara avec la fameuse anthropologue, il demandait « avec une pointe d'inquiétude » aux vieux Dogon qui en avaient été les témoins ce que serait maintenant l'« avenir du souvenir[1] ».

Quelques mois plus tard, bouclant la boucle de son destin nigérien, Jean disparaissait sur la route de Tahoua et notre pays célébrait son souvenir par des funérailles nationales...

J'en avais été l'ordonnateur presque involontaire : le statut national de la cérémonie s'était imposé de lui-même par la présence spontanée du président de la République, Mamadou Tandja, que je m'étais contenté d'avertir sans autre forme de procès. Lors des veillées funèbres réunissant ses amis, j'avais fait la promesse solennelle de rendre hommage à son œuvre et sa mémoire, d'une manière plus conforme à son style, par la création d'un festival de cinéma documentaire[2] qui aurait, à Niamey, la vocation d'un espace de liberté et d'agitation culturelle.

J'ai tenu ma promesse moins de deux ans plus tard et, depuis 2006, l'esprit de Jean Rouch continue de souffler de mille manières nigériennes sur la tenue, contre vents et marées, de cette manifestation atypique.

Au Niger, quels que soient l'attachement, l'affection et l'amitié qu'on lui porte, Jean Rouch est un homme qu'on ne pleure pas car nous considérons, tout simplement, qu'il n'est pas mort : il reste à nos côtés grâce à ses films.

Si je me suis posé la question de ce que serait au Niger l'« avenir du souvenir » de Jean Rouch pour les nouvelles générations, je n'avais jamais recensé les miens, innombrables, attachés aux moments magiques où les parallèles de nos trajectoires bifurquaient pour se rejoindre dans des actions communes qui étaient portées par la double cause du cinéma et du Niger. J'en suis tellement pétri que je garde l'impression confuse d'être accompagné par son esprit – frondeur, anarchiste, fidèle – dans toutes les tâches que je continue d'entreprendre dans la défense de la production audiovisuelle du Niger.

---

1.   Le titre du film que Philippe Costantini a fait de ce moment, *Jean Rouch et GermaineDieterlen : l'avenir du souvenir* (2011).
2.   Le Forum africain du film documentaire.

La toute première empreinte que Jean Rouch a laissée dans mes souvenirs, c'est sa voix. Je l'avais entendue au *Cinéma forba* (le cinéma ambulant et gratuit) durant l'année 1962. Il n'y avait pas encore la télévision et le service de l'information du Niger organisait tous les soirs des projections dans les espaces publics. C'est ainsi que j'ai vu mon premier film de Rouch : *Bataille sur le grand fleuve Chasse à l'hippopotame* (1951). Cette marque suave de conteur n'a pas seulement un caractère anecdotique. Dans ses films, le son et la voix sont aussi importants que l'image qui, parfois, ne paraît qu'une illustration du commentaire. C'est particulièrement éloquent dans *Bataille sur le grand fleuve* mais aussi dans *Tourou et Bitti* (1971), ou encore dans *La Chasse au lion à l'arc* (1967).

Puis un jour, j'ai vu un Blanc en culotte et coiffé d'une espèce de casque colonial en train de filmer une scène de possession depuis le toit d'une maison dans le quartier Zongo de Niamey. C'était Rouch. Cette scène insolite a excité ma curiosité et j'ai attendu qu'il descende pour me présenter. Je lui ai dit que j'avais entendu parler de lui, que je connaissais bien sa voix. Je tenais à le saluer et lui présenter mes respects.

Mais la véritable rencontre eut lieu lorsque j'étais interne au lycée national de Niamey. J'y animais le ciné-club et je l'avais invité pour nous présenter *Les Maîtres fous*, objet de scandale en Afrique. C'était un vrai défi que d'organiser la projection d'un film que tous détestaient parce qu'on y voyait des Africains égorger un chien et boire son sang. Les Blancs, pensaient-ils, voulaient jeter à la face du monde l'image d'un continent barbare. Je voulais m'inscrire en faux contre ces jugements et m'adresser à ces contempteurs en leur demandant : « Est-ce Rouch qui a demandé à ces Africains de tuer le chien pour le plaisir sadique de les filmer ? Est-ce lui qui leur a ordonné de boire du sang ? » Il n'avait pourtant été qu'un témoin... Il nous fallait regarder notre culture et notre histoire en face...

La veille, j'avais passé un communiqué dans *Le Temps du Niger* en annonçant la présence au CNAV (Centre national de l'audiovisuel) du fameux trio de la recherche scientifique au Niger : Jean Rouch, Diouldé Laya et Charles Pidoux[3]. L'avis avait rencontré un écho formidable :

3.   Le « jumeau de Rouch », disait-on à Niamey. Charles Pidoux était de ceux qui, ébloui par ses premiers films suivirent le sillage de Jean Rouch jusqu'au Niger. Psychiatre, disciple de Jacques Lacan, il avait été fasciné par les danses de possession et en devint un spécialiste. Décédé quelques mois après son jumeau, le docteur Pidoux a été

près de 200 personnes s'y étaient déplacées, fait extraordinaire pour une séance de ciné-club de lycéens ayant lieu un samedi après-midi.

C'était la première fois que le film était projeté à Niamey. Et bien que la séance fût aussi houleuse que lors de sa mythique première projection au musée de l'Homme, le débat avait permis de décomplexer les Nigériens, et plus particulièrement les semi-lettrés. Je le souligne en pensant à la mauvaise foi de Sembène Ousmane reprochant à Rouch de filmer les Africains comme des insectes...

Plus tard, dans les années 1969, 1970, *Les Maîtres fous* (1955) allait faire l'objet d'une interdiction officielle en Afrique. Les Africains n'avaient pas encore soldé leurs complexes de colonisés. Ils n'avaient pas encore accepté d'être beaux pour eux-mêmes, comme les Noirs américains l'avaient décidé dans leur révolution.

Malgré les apparences, les choses ont peu changé sur ce plan : l'élite ne s'est toujours pas libérée de l'image que la colonisation a projetée des Africains par méconnaissance du monde rural.

Depuis cette fameuse séance de ciné-club, en 1966, le cinéma est devenu pour moi une cause d'émancipation pour l'Afrique. J'avais compris qu'il nous offrirait bientôt la capacité de révéler des images réelles du continent, allant à l'encontre des nombreux préjugés qu'il nourrit. Je m'y suis engagé à travers les expériences que ma jeunesse m'a offertes durant les premières années de l'indépendance. Les conditions historiques et politiques ont leur importance : la jeunesse se sentait portée dans ses espoirs par l'élan culturel qu'avait voulu donner à la construction nationale la Première République du Niger – une république dirigée par ses premiers instituteurs. Sur le plan personnel, j'avais découvert les expériences cinématographiques nigériennes de Jean Rouch en même temps que les effets bénéfiques de la communication sur la connaissance.

Les activités de Jean Rouch à Niamey et l'engouement que suscitaient, parmi les jeunes nigériens, l'appropriation de l'outil cinématographique et le projet d'un développement imminent du cinéma (soutenu personnellement par le président de l'Assemblée nationale, Boubou Hama, et le président de la République, Diori Hamani), m'avaient poussé à rejoindre une petite équipe de jeunes coopérants dirigée par le réalisateur Serge Moati qui,

enterré dans un village de l'archipel de Tillabéri, là où l'aventure de l'ethnocinéaste avait commencé en 1941.

en marge de sa mission officielle, enseignait les premiers rudiments de réalisation à quelques jeunes cinéphiles passionnés. Jean Rouch avait convaincu Oumarou Ganda, docker à Abidjan qui avait inspiré son fameux *Moi, un Noir* (1958), de revenir à Niamey pour y saisir sa chance. Il y avait aussi poussé Moustapha Alassane, un jeune virtuose de lanterne magique, qui conclura sa formation improvisée à Montréal auprès de Norman McLaren[4], défricheur déjanté du dessin animé. Cette effervescence naissante engendrera la vague des pionniers du cinéma nigérien, qui jouera un rôle décisif dans la fabrication de l'identité culturelle de notre pays.

Lorsque les jeunes coopérants, mes amis Serge Moati et Gérard de Battista, sont partis en mai 1968 rejoindre leur révolution, j'ai ressenti un grand vide : je ne pouvais me résoudre à abandonner le cinéma. Ces professionnels étaient devenus mes « profs » principaux et je suis allé faire ma terminale en France.

Après l'obtention de mon bac à Orléans, j'ai poursuivi des études de sociologie, sur les conseils de Rouch, auprès de son ami Jean Duvignaud à la faculté de Tours, où j'ai réussi à monter une cellule cinéma, et même un ciné-club, à la cité universitaire, comme je l'avais fait en terminale au lycée de Pithiviers. Par la suite, j'ai suivi pendant deux années consécutives les cours de cinéma de Jean Rouch aussi bien à l'université de Nanterre qu'à la Cinémathèque française.

C'est donc en France que j'ai pu enfin réaliser mes premiers films : des fictions ficelées avec une visée d'anthropologie inversée, dont l'audace m'était inspirée par la liberté absolue perpétuellement professée, à la va-comme-je-te-pousse, par Jean Rouch. C'est de cette façon que j'ai été amené à réaliser *La Sangsue* ou *Clitoris, fille de personne* (1970). J'avais été choqué par le caractère destructeur des relations amoureuses entre les hommes et les femmes dans la France post 1968 et j'en avais tiré un film que je n'ai jamais osé montrer en Afrique.

Certains furent primés[5] et je suis revenu en 1974 à Niamey auréolé de gloire avec le désir renforcé de réaliser des images d'Afrique véhiculant

---

4.   Le réalisateur canadien Norman McLaren (1914-1987), fondateur du volet de l'animation à l'Office national du film du Canada, fut le pionnier d'un grand nombre de techniques qui ont marqué l'animation : dessin et gravure sur pellicule, animation par fondus enchaînés, pixilation, son synthétique, etc.

5.   *Paris c'est joli* (*Paris is Pretty*, 1974), prix de la critique au FESPACO (Festival panafricain du cinéma et de la télévision de Ouagadougou), 1976 ; Grand Prix du Festival de Dinard, 1974.

l'identité de ses peuples. Mon idée était alors de réaliser des films sur les fêtes et traditions populaires du Niger. En me consacrant au profane, je voulais prendre le contre-pied de Rouch, passionné avant tout par le sacré. Mais l'un ne va pas sans l'autre dans la perspective patrimoniale du Niger. Préserver la mémoire des traditions orales par les moyens audio-visuels était alors une préoccupation que partageaient de très nombreux intellectuels africains. Elle est restée pour moi un défi majeur. Rouch nous a laissé un socle irremplaçable en héritage. Je ne crois pas que l'on puisse se représenter son importance en ne connaissant pas le Niger. Si, aujourd'hui, des traditions comme le *yenendi*, le *horendi*, la chasse au lion ou à l'hippopotame n'ont plus cours, elles sont cependant restées vivaces dans nos mémoires, grâce à ses films qui ont pu préserver de l'oubli une part de notre précieux patrimoine immatériel, le socle de la mémoire audiovisuelle de notre pays. Entretenir et fortifier la flamme de notre identité culturelle par le média du cinéma reste une tâche toujours aussi pressante. Depuis la première projection des *Maîtres fous* à Niamey, je n'ai cessé de considérer cette bataille comme une cause nationale. C'est elle qui m'aura poussé à troquer la réalisation contre la promotion et l'organisation de la production cinématographique du Niger et c'est à elle encore que je consacre mes dernières forces.

Notre pays est bourré de paradoxes fertiles et l'histoire de son lien avec l'œuvre de Jean Rouch n'y échappe pas. Allez expliquer aux jeunes générations son rôle dans notre mémoire collective! La gageure me paraît parfois une source de désespoir mais elle ne met essentiellement en cause que l'extrême pauvreté des moyens dont nous disposons pour assurer la transmission de nos ressources culturelles, y compris celle du cinéma puisque le Niger en fut un pionnier sur le continent africain. À la veille de la célébration – mondiale, je l'espère – du centenaire de la naissance de Jean Rouch, je souhaiterais que la question de l'« avenir du souvenir » se pose aussi de manière concrète. Défendra-t-on assez la cause du Niger ? Cette célébration sera sans doute pour moi la dernière possibilité de rappeler ce que l'œuvre de Jean Rouch doit au Niger et ce que le Niger doit à cette œuvre, sachant que de cet universel patrimoine audiovisuel, il ne nous reste que des miettes.

En 1974, engageant ma carrière à l'IRSH[6], auprès de Diouldé Laya, pour diriger le département audiovisuel créé par Jean Rouch, j'ai retrouvé

---

6.   Institut de recherches en sciences humaines.

la star de Chaillot dans son élément nigérien. Ce qui me frappait le plus c'était sa connaissance profonde de la culture songhay qu'il explorait depuis plus de vingt ans déjà. Rouch parlait relativement bien le djerma et nous rapportait souvent des proverbes. On se disait que cet homme connaissait mieux que nous-mêmes notre culture et son effet sur nos personnalités. Nous étions donc très attirés par la sienne autant que nous avions soif de savoir d'où nous venions et qui nous étions. Certains nourrissaient même des idées superstitieuses quant à l'étendue de sa science. Au lendemain de sa mort, il avait été un moment question de l'enterrer sur une île de l'archipel de Tillabéri et Tallou[7] s'en était alarmé, craignant qu'on ne vienne le déterrer pour s'emparer de son omoplate, cet os représentant la connaissance et passant pour être un ingrédient fabuleux dans la fabrication de certaines potions magiques...

Il nous étonnait d'autant plus qu'aucun de nous, même parmi ses plus vieux complices, ne pouvait prétendre connaître entièrement sa personnalité. Il était un homme de mystères et, malgré toutes les exégèses passées et à venir, il le restera à jamais. Jean Rouch renfermait plusieurs Jean Rouch.

En Côte-d'Ivoire, il n'était pas le même qu'au Niger, et il était encore différent en France, en Europe, en Afrique du Sud ou aux États-Unis. Le Jean Rouch que j'avais vu assis au milieu des étudiants sur la pelouse d'un campus d'université américaine n'était pas le même que celui du British Columbia de Londres. Il savait adapter sa personnalité à l'environnement humain où le poussait l'ubiquité de son destin. Combien avais-je été frappé, en l'accompagnant filmer le *Yenendi de Simiri* (1967), par la transformation de son visage lorsqu'il était entré dans la case de la « *koumbao* », le sanctuaire du culte animiste : c'était encore une autre personne, c'était Jean Rouch filmant les cérémonies de possession comme s'il était prêt à entrer dans la transe.

Enfin, parmi toutes ces facettes de sa personnalité, je ne saurais oublier celle émouvante de l'homme sentimental, Jean Rouch me racontant ses souvenirs de jeunesse sur les falaises de Bandiagara ou le toit de la maison de la « tante Germaine » à Sanga, en pays dogon.

Rouch accordait une place prioritaire à l'amitié. Elle était sa force motrice et le sésame de ses libres incursions dans le mille-feuille de la

---

7. L'un des trois « acteurs » fétiches avec Lam et Damouré Zika, membre de la société DaLaRouTa avec Jean Rouch.

mentalité africaine. Il pouvait être l'ami d'Hamani Diori, le président de
la République, et en même temps des gens du peuple comme Damouré
Zika, Daouda Sorko ou, encore, la petite vendeuse de beignets du Gaweye.

Quant à l'amitié entre Rouch et les réalisateurs africains, elle était
d'une nature presque incestueuse, oserai-je dire. En tant que pionnier,
initiateur et découvreur de l'Afrique profonde, il était un père en situation de concurrence puisque les deux partis aimaient la même femme.
Cette femme, c'est l'Afrique, c'est le Niger, c'est Bandiagara, c'est le
Mali, c'est Abidjan, c'est le port de pêche! Chacun aurait voulu être
à la place de Rouch. Le défi qu'il personnifiait a conduit une poignée
de jeunes Nigériens à prendre la caméra pour lui donner la repartie.
Ce fut mon cas. La somme des expériences auxquelles il m'a conduit
et celles que nous avons partagées a constitué la base de ma culture
professionnelle, de ma philosophie pratique et de ma conception de
la vie et de la relativité des choses...

Pour ma part, je n'ai pas eu de mal à le considérer comme un « papa » :
à la fleur de l'âge, il m'a donné nombre de conseils éclairés qui m'ont
été profitables jusqu'ici. Mais il était aussi un ami à qui je pouvais me
confier... Il poussait toujours ses étudiants, tôt ou tard ses copains, à
aller le plus loin possible dans leurs potentialités.

Travailler à ses côtés était sans doute la meilleure façon de profiter
des connaissances qu'il avait accumulées sous une apparence de légèreté
ou de *commedia dell'arte*. Il ne pouvait y avoir de journée sans causerie.
Sa créativité était toujours assortie de poésie et de simplicité. Il voulait
toujours mettre chacun à son niveau ou peut-être même à un niveau
supérieur. Jamais il ne cherchait à rabaisser ses amis, ses étudiants et
ses collaborateurs.

Son détachement des questions identitaires revenait toujours à la
surface, ramené par une lame de fond venant de très loin... Jean était
d'une grande famille d'explorateurs, c'est pourquoi il avait tellement
le sens de l'aventure ; mais il faut reconnaître aussi qu'il était né avec
une cuillère en or dans la bouche. Son père, météorologue et amiral
de marine, avait terminé sa carrière comme conservateur du musée
Océanographique de Monaco. Cela explique son esprit de révolte mais
aussi, peut-être, une sorte de complexe dont il semblait embarrassé
tant il était désireux de s'affirmer dans la précipitation des expériences
humaines. Dans cette autre forme d'aventure, il suivait les traces de ses
parents évidemment. Il en avait retiré le goût de l'excellence en même

temps que ce détachement qui se traduisait d'abord par la volonté de réussir, d'être le premier dans tout ce qu'il engageait. Ses multiples expériences lui avaient forgé un caractère de gagneur. Jean n'abandonnait jamais un projet. Rappelons-nous que certains de ses films ont été réalisés sur cinq, six ou sept années.

L'humilité qui transparaissait dans sa façon de vivre frappait durablement les esprits. Combien avais-je été étonné de constater qu'il partageait son bureau du Comité du film ethnographique avec sa secrétaire alors qu'il était directeur de recherche au CNRS! À Niamey, c'est sa chambre qui lui servait de bureau. En fait, sa simplicité traduisait une forte assurance: il avait le sentiment d'être parmi les grands et quand on est grand, il faut savoir se rendre petit. Il ne cherchait jamais la bagarre avec les petits et répétait qu'il fallait plutôt défier plus grand que soi.

Les fameux petits-déjeuners avec les chercheurs de l'IRSH et « sa bande », qu'il organisait dès potron-minet, en étaient l'heureuse illustration. Ce n'était pas tant qu'il était aussi à l'aise avec les uns et les autres, éprouvant certainement un certain plaisir à afficher aux yeux des universitaires sa connivence avec « ses petits », ce n'était pas seulement qu'il se sentait chez lui à Niamey et au Niger, c'est aussi parce que nous pouvions alors emprunter, « chevaucher » son enthousiasme, qui était le carburant de sa « quête » au quotidien.

Son enthousiasme était communicatif parce qu'il était nourri en grande partie par sa passion de l'histoire africaine, et plus particulièrement celle des empires songhay et mandingue dont nous sommes intimement imprégnés. Sa fascination pour les récits épiques et les sources mythologiques s'exprimait dans une langue vive à laquelle chacun de nous, quelle que fût son origine sociale, ne pouvait que souscrire: lors des indépendances, la réappropriation de l'histoire du continent africain fut l'une de nos premières conquêtes. Rouch revitalisait nos traditions orales et notre reconnaissance était spontanée. Il est frappant de constater combien les exégèses ou commentaires critiques de son œuvre méconnaissent cet aspect incontestable de son rôle au Niger. Je tiens d'autant plus à souligner cette lacune que ce domaine de l'esprit, contrairement à l'ethnologie et au cinéma, se dispense d'empiler les catégories exclusives et les classifications discriminatoires.

Dans le milieu des années 1970, Rouch avait fait jaillir de son chapeau de prestidigitateur une fondation à l'américaine consacrée à l'étude des empires songhay et mandingue, et financée par la SCOA, Société commerciale de l'Ouest africain, implantée depuis le xixe siècle sur le continent et symbole de la puissance coloniale française. Les travaux de la Fondation SCOA pour la recherche scientifique en Afrique noire ont duré trois années marquées par trois mémorables colloques, à Bamako et Niamey[8]. Des chercheurs, savants et historiens de grande renommée s'étaient joints à des griots, traditionnistes et prêtres animistes pour resserrer la trame éclatée des traditions orales.

Ces manifestations successives eurent d'autant plus de portée symbolique qu'elles avaient donné l'occasion à Rouch de mettre en scène le retour d'Amadou Hampâté Bâ à Bamako après douze ans d'exil en Côte-d'Ivoire et, pour le dernier *round*, d'extraire Boubou Hama de la prison où l'avait jeté la junte militaire désormais au pouvoir au Niger. La force des émotions s'ajoutait à la fièvre du travail ; elle est palpable dans les retranscriptions qui furent publiées par la suite : les enjeux historiques s'y expriment sous des formes épiques, lyriques et labyrinthiques.

Rouch m'ayant confié différentes missions dans ce cadre (animer un ciné-club, réaliser des ciné-portraits des intervenants), j'ai pu ainsi être le témoin privilégié, et exalté, des échanges exceptionnels fusant entre toutes ces hautes figures africanistes que furent Hampâté Bâ, Germaine Dieterlen, Jean Devisse, Raymond Mauny, Bocar Cissé, Alpha Konaré, Filifing Sako, Youssouf Tata Cissé, Diouldé Laya, Djibril Tamsir Niane, Wa Kamissoko, Badyé, et d'autres encore dont le nom s'efface sur l'ardoise du temps.

Ces événements auront par la suite une grande influence sur ma façon de défendre les causes culturelles au Niger. Les colloques de la Fondation SCOA sont restés pour moi un modèle de brassage des cultures, des idées, des disciplines, des classes sociales, des niveaux d'éducation, etc. Un modèle où les traditions orales auraient toujours une place centrale. Le plus amusant était qu'il pouvait s'appliquer à l'œuvre cinématographique de Jean Rouch.

Et c'est ce que j'ai commencé à faire en 1987 en montant la plus grande rétrospective de ses films qui n'ait jamais eu lieu. Je l'avais intitulée « Jean Rouch, 70 ans, 70 films ». C'était une suite épique à la première projection des *Maîtres fous*, organisée vingt ans plus tôt. Jean en a fait le récit lyrique dans la postface de la deuxième édition de son opus, *La Religion et la Magie songhay* (Rouch 1989). J'avais fait réaliser une affiche libellée

---

8.   1975, 1976, 1977.

« Cinémathèque nigérienne » pour annoncer le programme. L'impulsion était donnée à la « nationalisation » de son œuvre et, bientôt, l'idée d'un lieu qui rassemblerait à Niamey l'ensemble de ses films nigériens allait cheminer dans son esprit jusqu'à son ultime séjour.

Précisément, Jean revint en février 2004 pour soutenir la première rétrospective des « pionniers du cinéma nigérien ». Il en faisait évidemment partie. Sauf Oumarou Ganda, ils étaient tous présents, rassemblés autour des deux grands-pères, les deux premiers cinéastes nigériens, Jean Rouch et Moustapha Alassane. On retiendra que la dernière volonté de Jean Rouch fut d'exprimer sa solidarité avec le cinéma nigérien et sa reconnaissance heureuse pour notre pays. La réciproque ne peut avoir de fin ; elle reprendra de nouvelles forces lorsque le peuple nigérien aura à sa disposition le socle de sa mémoire audiovisuelle…

Référence bibliographique

ROUCH Jean, 1989. *La Religion et la Magie songhay.* Bruxelles : Éditions de l'université de Bruxelles (deuxième éd., revue et augmentée).

Films cités

COSTANTINI Philippe, 2011, *Jean Rouch et Germaine Dieterlen : l'avenir du souvenir (Jean Rouch and Germaine Dieterlen: the Future of Remembrance).*
OUSSEINI Inoussa, 1970, *La Sangsue.*
— 1970, *Clitoris, fille de personne.*
— 1974, *Paris c'est joli (Paris is Pretty).*
ROUCH Jean, 1951, *Bataille sur le grand fleuve Chasse à l'hippopotame.*
— 1955, *Les Maîtres fous.*
— 1958, *Moi, un Noir.*
— 1967, *Yenendi de Simiri (Sécheresse à Simiri).*
— 1967, *La Chasse au lion à l'arc.*
— 1971, *Tourou et Bitti, les tambours d'avant.*

Jean Rouch, le cinéma direct
et *Chronique d'un été*

Entretien avec Michel Brault (†)
Propos recueillis par Rina Sherman (février 2011)

Rina Sherman – Vous avez souvent dit que vous fonctionnez par instinct. Quel est cet instinct ?

Michel Brault – L'instinct se manifeste à chaque situation, à chaque réaction instinctive. C'est un instinct qui s'adapte, que je ne peux nommer. « Quel instinct ? », demandez-vous… Je suis venu au monde avec, j'imagine.

À la fin des années 1950, il y eut une grande vague d'embauche à l'ONF (Office national du film du Canada). Il y avait comme une priorité donnée à la littérature. Je veux dire, à ceux qui écrivaient bien. Mais il y avait des candidats, comme moi, qui venaient de l'image, et non pas d'une expérience littéraire. Personnellement, j'ai toujours eu un problème avec les mots, je n'écris pas très facilement. Je le peux quand j'ai un bon sujet et que je m'y mets vraiment, mais spontanément, j'ai un gros problème avec l'écriture, avec les mots.

En revanche, je n'ai aucun problème avec l'image. Et, ça s'est vérifié dès mes débuts, avec *Les Raquetteurs* (1958). C'était l'occasion rêvée, qui a tout enclenché, tout le reste de ma carrière, grâce à Jean Rouch notamment que j'ai rencontré à Santa Barbara. Dans la foulée, il m'a invité à Paris pour *Chronique d'un été*, la deuxième partie d'une certaine façon, parce qu'il avait déjà commencé à tourner avec des caméras lourdes.

Rina Sherman – En juin 1960, Jean Rouch a dit :

> Il faut le dire, tout ce que nous avons fait en France dans le domaine du cinéma-vérité vient de l'ONF du Canada, c'est Brault qui a apporté une technique nouvelle de tournage que nous ne connaissions pas et que nous copions depuis. D'ailleurs vraiment on a la « Braultchite », ça c'est sûr, même les gens qui considèrent que Brault est un emmerdeur ou qui étaient jaloux sont forcés de le reconnaître. (Rohmer et Marcorelles 1963 : 17).

Qu'est-ce donc, la « Braultchite » ?

Michel Brault – C'est un jeu de mot. Jean adorait les calembours et en faisait tout le temps ; c'en était un de plus, c'est tout, je ne crois pas que vraiment le cinéma français ait été influencé par ce qu'il appelle la « Braultchite ». Il faisait allusion à ma capacité de porter la caméra. Il a dit cette phrase en 1960, mais nous nous étions rencontrés un an auparavant au séminaire Flaherty à Santa Barbara en Californie. J'y suis allé uniquement parce que Jean était là, j'avais envie de rencontrer ce personnage dont me parlait mon ami Claude Jutra, qui était pour sa part allé plus loin que moi puisqu'il était allé à la recherche de Jean en Afrique ; et il l'avait trouvé au Niger dans les années 1957 je crois. Claude m'écrivait des lettres pour me parler de Rouch. On était un peu « aiguisés » au sujet de ce cinéma spontané, le « cinéma direct », un peu stimulés par Alexandre Astruc qui avait mentionné cette expression-là.

On pensait à la « caméra-stylo » : c'était pour nous une caméra très mobile, presque aussi mobile qu'un stylo. Cette idée nous trottait dans la tête et nous rêvions de l'expérimenter. On peut écrire un chef-d'œuvre avec quelques feuilles de papier et un crayon, alors qu'au cinéma c'était impossible. Pour faire votre chef-d'œuvre vous deviez dépenser des centaines de milliers de francs. Aujourd'hui la caméra-stylo est arrivée, c'est celle qui me filme, là, elle est grosse comme mon poignet, et puis elle produit une image aussi bonne que du 35 mm autrefois.

J'étais donc allé là-bas pour rencontrer Jean ; j'avais vu *Moi, un Noir* (1958) et *Les Maîtres fous* (1955). Je suis arrivé avec mon film *Les Raquetteurs* sous le bras, film entièrement tourné à l'épaule. À cette époque, tout ce qui était fait à l'épaule était nouveau et souvent malvenu. Jean a quand même redonné ses lettres de noblesse à cette façon de tourner : travailler à l'épaule était en effet beaucoup plus souple et nous permettait de nous dégager de la servitude du trépied, de la tête panoramique, etc. Je ne sais pas si, à cette époque-là, Jean connaissait beaucoup de directeurs photos qui portaient la caméra à l'épaule. Il y en avait d'autres, en France, comme Pierre Lhomme et Étienne Becker; je n'étais pas tout à fait le seul.

Rina Sherman – Revenons à votre style de réalisation: on vous attribue le style « angle large », le style à la fois réalisateur et caméraman.

Michel Brault – Ce n'est pas une religion. C'est une attitude que j'ai eue à une certaine époque, c'est tout. On se sert de tout, du grand-angulaire, et puis de la télé-photo. J'ai beaucoup utilisé le téléobjectif lors du tournage des *Petites Médisances* (1953-1954). C'était un des premiers tournages auxquels je participais. Il s'agissait de filmer des gens dans la rue pour rire d'eux après. C'était très amusant, on essayait de trouver des situations où les gens seraient embarrassés, ou même, on les provoquait. On faisait ça au téléobjectif. Mais je me suis vite aperçu que rire de ses concitoyens ne pouvait être une mission. Il devait y avoir autre chose à faire. Et l'autre chose, c'était peut-être de se rapprocher d'eux, de se faire accepter et de les filmer tout en étant près d'eux. C'est une approche qui est au cœur de la démarche anthropologique ou ethnographique. On est fidèle à la réalité, mais on dérange aussi en même temps parce qu'on est présent. Il faut donc se faire accepter, ne pas prendre notre présence pour acquise. Et si on choisit de filmer des individus totalement accaparés par leurs activités, alors la caméra n'a plus aucune influence sur leur comportement.

Quand dans la pêche aux marsouins, à l'Île-aux-Coudres (*Pour la suite du monde*, 1963), les hommes se précipitent sur les « marsouins » (belugas), ils ont oublié la caméra. Ça faisait quarante ans qu'ils n'avaient pas vu cette grosse bête-là. Ils se jettent dessus. Puis ils font leur prière, la religion prend le dessus. Les cinéastes sont là mais ils demeurent très discrets. Ils n'ont pas souhaité se faire remarquer comme cinéastes. Ils ont même l'air de pêcheurs. Ils parlent leur langage, etc. Ce sont des observateurs, si vous voulez, mais de l'intérieur. Ils ne sont pas des observateurs cinéastes, comme malheureusement le sont souvent ceux qui reviennent avec des documentaires… presque mis en scène.

Toute ma carrière est colorée par ce besoin instinctif de vérité et de vraisemblance. Mais je ne suis pas le seul: tous les documentaristes recherchent une certaine vérité. Ils veulent transmettre la vérité qu'ils découvrent dans des contrées lointaines, au reste du monde. C'est ça le besoin fondamental pour le documentariste: partager avec ceux qui ne connaissent pas son éblouissement pour les peuples lointains… ou voisins? Ce n'est pas moi qui l'ai inventé!

Je vais vous expliquer une chose : jusqu'en 1960, tout le cinéma documentaire et ethnographique est muet. Image et son ne sont pas synchrones. Toutes les bandes sonores sont reconstituées et faites avec des commentaires ou de la musique. Jusqu'en 1960, aucun plan ne vous fait entendre les gens parler dans leurs langues telles qu'elles sont. Ce « telles qu'elles sont » est très important : il correspond à la recherche de la vérité. Le terme a changé, et l'objectif était peut-être un peu vain, mais c'est ce que nous cherchions à l'époque.

Jusqu'en 1960, le cinéma documentaire est donc muet. Il n'y pas au cinéma de prise de vue sonore... sauf en fiction. C'est vrai pour la moitié de l'œuvre de Jean Rouch, avant 1960, c'est-à-dire, avant *Chronique d'un été*. Il tournait avec sa petite caméra Bell & Howell Filmo à ressort, portable mais très bruyante. Il n'y avait pas alors de magnétophones qu'on pouvait emporter dans la brousse, cela n'existait pas. C'est en 1956, me semble-t-il, que les premiers magnétophones commencent à apparaître entre les mains des journalistes. Maihak, Nagra et Perfectone sont les fabricants des premiers magnétophones portables vers 1957. Les cinéastes les découvrent non sans une certaine jalousie. Ils essaient à leur tour et parviennent à les utiliser dans la brousse. Mais ces magnétophones n'étaient pas synchronisés avec la caméra. Le résultat à l'écran, si vous filmiez et enregistriez en même temps, était complètement désynchronisé et ainsi ne pouvait être d'aucune utilité aux ethnologues... donc le cinéma document était muet. Par conséquent, presque tous les films étaient accompagnés d'une voix hors champ.

Même en 1958, quand j'ai tourné *Les Raquetteurs*, il n'y avait pas de caméra synchrone, portable et insonore. Ce sont là les trois conditions requises pour une caméra qu'on puisse porter à l'épaule et avec laquelle on puisse faire du cinéma direct. Dans toute cette histoire, il y a un plan qui est très important, c'est le plan où Marcel Carrière, mon preneur de son, qui est venu nous retrouver sur le tournage des *Raquetteurs*, entre dans le champ pendant que le maire donne les clefs de la ville au club américain ; et que le voit-on déposer ? Un Maihak... qui est un magnétophone à ressort, mais avec un circuit électronique pour le micro. Avec ce principe de ressort, il n'est techniquement pas possible de synchroniser le son avec la pellicule d'une caméra. Mais Gilles Groulx, qui a fait le montage des *Raquetteurs*, a eu le génie de retrouver l'image et le son et de les mettre ensemble. Nous avons commencé à le faire aux alentours des années 1958-1959. C'est ce que l'on appelait la « fausse synchro » ou la « synchronisation artificielle ». Mais il n'y avait pas de synchronisation mécanique à la prise de vue. Il fallait corriger tous les dix mots. Dans *Les Raquetteurs*, il y a ce gros plan dans le film, où on voit le micro de Marcel dans le bas de l'image, et je me réjouis de ces « accidents » imputables au hasard car ils sont la preuve qu'il n'y a pas de doublage, pas de mise en scène. Ils authentifient la « vérité », d'une certaine manière, ce qui s'est passé réellement. Son et image ensemble, voilà ce que nous cherchions.

Quand Flaherty a fait *Louisiana Story* (1948), les prises de vue n'étaient pas synchrones. Pour la majeure partie du tournage, les opérateurs avaient une Arriflex portable qui faisait un bruit terrible, et ils ne disposaient pas de magnétophone non plus. Ils ont tout filmé comme pour du muet, excepté quelques séquences. Rickey Leacock m'a raconté qu'ils avaient fait venir de New York une grosse caméra de studio, une Arri blimpée, la seule caméra qui pouvait se synchroniser avec le son. Ils avaient un gros magnétophone pour tourner une petite séquence où le père du garçon lui offre une carabine. Le jeune homme reçoit la carabine, et on l'entend dire, en synchrone : « oh, c'est beau ça. » Ce son authentique est déterminant pour la compréhension car il trahit les origines françaises du jeune homme, puisqu'il parle en français, avec ce merveilleux accent cajun parce qu'il vit en Lousiane dans les bayous.

Considérez en revanche toutes les prises de vue pendant la dernière guerre : elles ne comportent aucun son synchrone ; les explosions des bombes que vous entendez sont montées en studio. Toute la bande sonore des *Raquetteurs* a ainsi été faite en studio, par des spécialistes de la fabrication des sons doublés. Les sons lointains de musique ont été faits par Marcel, sur place... Même quand les instruments sont présents dans l'image, ils ont été doublés en studio. Le son du petit chien qui marche dans la neige, suivi par un raquetteur, a lui aussi été fait en studio. Je me rappelle encore avoir assisté à sa fabrication. Celui qui l'a créé avait deux petits sacs de farine avec lesquels il tapait sur la table, tout près d'un micro, pour faire le bruit des pas du chien. Il y avait plein de trucs comme ça, en studio. On faisait jouer le film sur l'écran, comme pour la post-synchro, et les spécialistes faisaient les effets sonores. La musique de la fin, l'harmonica, la transe du joueur d'harmonica, a été jouée par Eldon Rathburn, le musicien de l'ONF. Lui-même s'est presque mis en transe en essayant de faire comme le joueur dans le film.

Certains parlent de ce film comme d'une première expérience de cinéma-vérité, ce qui est faux, mais pas tout à fait, grâce à Marcel. Les cinéastes voulaient faire du cinéma-vérité depuis longtemps. Mais la démarche des cinéastes était la même : que ce soit chez Flaherty avec *Nanouk l'Esquimau* (1922) ou chez Jean Rouch avec *Chronique d'un été* (1961), le besoin de découvrir une réalité de l'univers qui nous entoure était le même.

Rina Sherman – Comment avez-vous fait techniquement avec cette caméra pour *Chronique d'un été* ? Parce qu'en fait, ce que vous avez tourné pour ce film, n'était pas tout à fait synchrone ? Il y avait quand même la post-synchronisation ?

Michel Brault – Oui, quand je suis arrivé à Paris, Rouch et Morin avaient déjà commencé à tourner ce qu'Edgar appelait les « commensalités », des discussions autour d'une table… Ils avaient une énorme caméra dans un caisson sur un trépied, impossible à porter à l'épaule. On ne l'entendait pas et en plus elle était synchrone, parce que c'était une caméra qui servait à tourner de la fiction… mais en studio et avec de gros trépieds. Jean, de son côté, rêvait d'une caméra mobile. Nous nous étions connus l'année précédente, à Santa Barbara, en Californie, au séminaire Flaherty. Donc, l'année suivante (en 1960) il m'a invité à tourner *Chronique d'un été*. Il avait parlé à André Coutant, chez Éclair, d'une caméra légère. Coutant a ressorti de ses papiers le plan d'une petite caméra dont le corps central était à peu près de la taille d'un paquet de cigarettes. Appelée « caméra KMT », cette caméra avait été dessinée pour être introduite dans les ailes des avions de chasse et filmer les cibles. André Coutant avait ajouté, en dessous du corps central, un moteur autorégulé à 24 images, et sur le dessus, un chargeur de 120 mètres (10 minutes d'autonomie)[1]. Cette caméra, comprenant donc un moteur, un chargeur, ainsi qu'un zoom Berthiot à l'avant, était devenue une caméra portable, presque silencieuse. Pas tout à fait cependant et il fallait la couvrir d'une housse en tissu lestée de plomb pour l'insonoriser totalement.

---

1.   André Coutant à propos du prototype KMT : « L'idée de cette caméra m'est venue, il y a 15 ans, quand un de mes vieux amis, opérateur d'actualités, m'a demandé un outil de travail idéal. De quelle dimension ? J'ai fini par arriver à [un] stylo, ou presque. Dans mon appareil, la caméra proprement dite est à peine plus large et plus épaisse qu'un paquet de Gitane. » (Sadoul 1963).

La caméra KMT Coutant-Mathot utilisée par Jean Rouch et Michel Brault pour filmer *Chronique d'un été*.
Cette caméra pesait environ 1,5 kg, mais pouvait accueillir un magasin de 10 minutes d'autonomie de tournage en 16 mm.
© Mandy Chang, fonds Michel Brault.

Jean me la montre à mon arrivée à Paris : « Voilà la caméra qui vient de sortir et avec laquelle on va tourner. Mais on ne peut la garder qu'une semaine, parce qu'en fin de semaine prochaine ils vont continuer à travailler dessus pour la terminer. » Nous la retournions donc à chaque fin de semaine, pour que des modifications puissent y être apportées durant le week-end, et nous apportions nos propres suggestions. C'était un « *work-in-progress* » pendant le tournage. Au départ, j'avais regardé cette caméra qu'on me mettait entre les mains et certes, l'avais trouvée superbe. Et puis, après l'avoir examinée de plus près, je me suis demandé où donc était la synchro ? Il n'y avait pas de fréquence, pas de signal synchro.

Jean me dit : « Ne t'occupe pas de ça, on verra plus tard ». Mais « plus tard » est arrivé à la fin du tournage : 25 heures de *rushes* complètement désynchronisés. Or la moindre désynchronisation d'une demi-seconde n'est pas supportable pour un spectateur. Alors quand elles s'additionnent à chaque seconde, et par demi-seconde… Qu'a fait Jean ? Il a réuni une armée de monteurs et monteuses, qui ont tout resynchronisé, mot par mot, en enlevant un petit peu de son dans la bande sonore, ou en rajoutant des silences, pour resynchroniser exactement chaque mot. C'est ça, être pionnier : c'est prendre des risques énormes. C'était très difficile parce qu'avec des *rushes* qui n'étaient pas synchrones, on entendait parfois un léger retard au niveau du son. Du coup, le son se décalant par rapport à l'image, il fallait couper image par image. Et j'avais découvert que si le son était légèrement plus long, on pouvait aller couper dans les silences, enlever un petit peu de pellicule dans les sons, et ainsi retrouver la synchro. Le travail a duré plusieurs mois. Mais grâce à cette persévérance, nous sentons la vie surgir et exister devant la caméra.

Rina Sherman – Qu'avez-vous ressenti et pensé quand vous avez eu entre vos deux mains cette caméra de *Chronique d'un été* ?

Michel Brault – D'abord, je me méfiais parce qu'elle faisait un peu de bruit. Il y a une photo, prise au musée de l'Homme, où on nous voit : je filme Rouch et Morin et on voit très bien la housse abritant la caméra, dont seul l'objectif est visible en avant. Elle faisait un peu de bruit, et n'était pas reflex, ni synchrone, mais grâce à l'acharnement de Jean elle a pris la route, est devenue une caméra portable à l'épaule, synchrone et silencieuse… le bonheur ! C'était le génie d'André Coutant d'avoir fait cette caméra-là.

Michel Brault lors du tournage de *Chronique d'un été*, filmant Régis Debray avec la caméra KTM Coutant-Mathot blimpée, avec Jean Rouch masqué derrière lui et Edgar Morin à droite.
© Argos Films

Rina Sherman – Et par la suite, vous avez tourné avec Jean avec un Nagra, place de la Concorde ?

Michel Brault – Non, avec un Perfectone. Les deux marques existaient à l'époque. N'oublions pas qu'il a fallu d'abord que soient fabriqués des magnétophones, des enregistreurs magnétiques, qui soient portables. Autrefois pour enregistrer du son, on se faisait suivre par un camion. Il y avait une énorme machine, c'était lourd, et impossible à porter. C'est en 1956, je crois, que les premiers portables Nagra sont nés, ainsi que les Perfectone, pour les journalistes. Dans *Les Raquetteurs*, j'ai tourné un plan synchrone avec un appareil qui s'appelle le Maihak, que l'on remontait avec une manivelle à ressorts. Le circuit était électronique mais le mécanisme était à ressorts. C'était facile de synchroniser parce ce n'était pas long, mais à cette époque-là tous les supports étaient à émulsion.

Rina Sherman – Quelle était l'étape suivante pour parvenir à une caméra réellement synchrone à la prise de vue ?

Michel Brault – Cela a d'abord été un fil branché entre le magnéto-phone et la caméra, le câble Pilotone, inventé par Kudelski[2], l'inventeur de la Nagra. Par ce fil, la caméra émet une fréquence, celle produite par le moteur. Donc, si le moteur ralentit un tout petit peu, la fréquence qui s'enregistre dans le magnétophone ralentit également. Alors au repiquage en studio plus tard, l'appareil compense, reprend la perte de vitesse, et d'une certaine façon, resynchronise le son avec l'image. Même chose si le moteur accélère.

Rina Sherman – Donc, à partir de quel moment, dans *Chronique d'un été*, êtes-vous passés en son synchrone ?

Michel Brault – Dès le début.

Rina Sherman – Vous m'avez parlé de 25 bobines non synchrones.

Michel Brault – Oui, mais il n'y a pas eu d'autres tournages : tout le tournage était non synchrone, ou plutôt désynchronisé.

Rina Sherman – Même la scène sur la place de la Concorde ?

Michel Brault – Oui.

2.   Au fil du temps, le maintien de la synchronisation du son à l'image (des lèvres) pendant le tournage a été résolu de diverses manières jusqu'à ce que la pellicule soit remplacée par la vidéo pour les documentaires. L'idée était d'utiliser un signal AC dont la fréquence était liée à la vitesse de la caméra et d'enregistrer ce signal sur le magnétophone. À la lecture, la vitesse de la machine était contrôlée par ce signal lors du transfert de l'audio sur bande magnétique perforée pour le montage. Le lien entre la caméra et le magnétophone était d'abord effectué par un fil entre les deux ou par le partage d'une source AC commune. Plus tard, deux générateurs de fréquence à cristaux contrôlés ont été utilisés, l'un pour la caméra et l'autre pour le magnétophone avec diverses méthodes de liaison des marqueurs de départ (Hess : correspondance personnelle, 25 mai 2016). Il y avait différentes manières d'enregistrer le signal de synchronisation sans dégrader la qualité audio. Le système Pilote remonte à 1940 en Allemagne et le *Pilot-tone*, inventé en 1953 par Josef Schurer de la Bayerischen Rundfunks, était une amélioration de ce système Hess 2006-2017). En 1954, Carsten Diercks, opérateur NWDR-Fernsehens du « Hamburger Schule », l'a expérimenté pour la première fois dans un tournage synchrone pour le film *Musuri: Bericht einer Fernseh expedition nach Belgisch-Kongo* (Diercks 2004 : 32). En 1957, ce système *Pilot-tone* a été incorporé par Stefan Kudelski dans le magnétophone Nagra III. À partir de 1962, les machines Nagra ont été équipées du système Neopilot de Kudelski – une mise à jour du système de tonalité Pilot – avec son utilisation de la synchronisation des cristaux de quartz, et est devenu la norme pour synchroniser ces éléments séparés jusqu'à la fin des années 1980. Le principal impératif était cependant d'avoir une caméra silencieuse, une fois cela réalisé, les magnétophones portables à piles ont été conçus par Perfectone avec son auto-annulation du signal pilote, mais une piste audio non standard. Kudelski (Nagra), Tandberg et Stellavox ont finalement utilisé le système Neopilot, qui a également annulé complètement le signal pilote tout en conservant un enregistrement audio standard complet (Ody Roos / Richard Hess : correspondance personnelle, 2016).

Rina Sherman – Où le son synchrone a-t-il été utilisé pour la première fois?

Michel Brault – Je ne saurais vous dire. Pour nous, à l'ONF, c'était pendant le tournage de *Pour la suite du monde*, en 1961. Ailleurs, je ne pourrais pas dire.

Parallèlement à ce qui se passait ici (à Montréal) et à Paris, il faut mentionner qu'à New York, les *filmmakers*, Rickey Leacock, Pennebaker et les frères Maysles qui, eux aussi cherchaient désespérément comment synchroniser image et son, utilisaient quant à eux le diapason de la montre Bulova. Ce petit diapason vibre toujours à la même fréquence, au passage d'un courant électrique. En mettant ce diapason dans un magnétophone, en l'utilisant pour régler la vitesse, et en en mettant un autre dans la caméra, réglant sa propre vitesse sur la fréquence donnée par le premier, vous avez deux appareils synchrones… c'était une très bonne idée.

En Angleterre également, et partout dans le monde, on éprouvait ce besoin d'avoir un ensemble de capture des images et du son homogène, synchrone, et portable.

Rina Sherman – Dans les articles de presse et écrits que j'ai lus sur vous, sur internet et ailleurs, vous faites nettement la distinction entre « cinéma-vérité » et « cinéma direct ». Pouvez-vous nous expliquer?

Michel Brault – Non, il n'y a pas de différence, c'est seulement l'appellation qui change. C'est Mario Ruspoli qui a proposé ça dans un texte qu'il avait écrit pour l'UNESCO, en 1966 je crois (Ruspoli 1963).

Rina Sherman – C'est donc le mot « vérité » qui a posé problème?

Michel Brault – Oui, parce que qui peut prétendre avoir la vérité? Ce n'est pas parce qu'on est synchrone qu'on a la vérité. La présence de la caméra *dérange* la vérité d'une certaine façon, d'une façon consentie, c'est évident. Mais quand même, on ne peut pas prétendre à la vérité. C'est un mot trop engageant. Mario avait suggéré « cinéma direct », et chose étrange, presque tout le monde francophone de la planète a adopté immédiatement ce terme; les anglophones, eux, ont conservé « cinéma-vérité ». Peut-être qu'ils ne comprenaient pas ce que ça voulait dire « cinéma direct », et qu'il leur semblait plus évident de dire « cinéma-vérité ». Aujourd'hui encore les deux appellations existent. Gilles Marsolais a écrit *L'Aventure du cinéma direct*, un livre devenu célèbre, donc l'expression s'est bien répandue.

Je crois avoir été témoin de la naissance, presque officielle du mot « cinéma-vérité ». Nous étions en tournage et allions voir nos *rushes* dans une salle de projection sur les Champs-Élysées. Toute l'équipe était présente. Depuis quelque temps, Jean, qui était un habile jongleur de mots, se promenait avec l'idée de Dziga Vertov et de « *kino pravda* », « *pravda* » voulant dire « vérité », « *kino* » « cinéma ». Il faisait des blagues, jouait à faire comme Dziga Vertov, en disant faire du « cinéma-vérité », du « *kino-pravda* ». À la fin de cette séance de *rushes*, le publiciste engagé par Anatole Dauman, qui avait peut-être entendu parler de « *kino pravda* » ou de « cinéma-vérité », se lève et déclare : « Je sais ce qu'il faut faire, sur les affiches de *Chronique d'un été* : on mettra un autocollant qui dira "première expérience de cinéma-vérité". » Ce qui fut fait. Je crois bien que c'est à ce moment-là qu'est née l'expression « cinéma-vérité ».

Évidemment il y a eu ensuite des textes. Edgar Morin a écrit sur la vérité un texte qui est absolument capital, *La Vérité du cinéma*, qu'il a présenté au Festival du réel à Beaubourg en 1980[3]. Morin était président du jury et j'en faisais également partie. Il avait écrit une préface au catalogue du festival, constituée de quatre ou cinq paragraphes sur la vérité.

Rina Sherman – Je me permets de vous rappeler ce que vous avez dit dans un entretien : combien il était important, par exemple pour Jean Rouch, qui dans *Moi, un Noir*, avait 20 secondes d'autonomie avant de devoir rembobiner sa caméra, de réfléchir et déjà de commencer à monter pendant qu'il tournait… J'ai l'impression que vous avez vous-même également travaillé de cette façon-là.

Michel Brault – Oui, pour *Pour la suite du monde*, par exemple, j'avais une Arriflex électrique, mais j'étais limité par des bobines de 30 mètres. Je savais qu'il fallait que j'arrête au bout de 2 minutes et demie. Le problème s'est posé au moment de filmer l'assemblée générale des anciens qui allaient décider comment ils allaient répartir les parts de la vieille pêche. Là, il a fallu qu'instinctivement je décompose mes prises de vue, en fonction des 2 minutes et demie, parce que toutes les 2 minutes et demie il fallait que je m'arrête 30 secondes, alors qu'eux ne s'arrêtaient pas. Je ne leur donnais aucune indication du type « Ça tourne ! Action ! », mais les choses se produisaient devant moi et je devais être prêt.

À ce moment-là on est forcé de tout observer, pour déterminer à quel moment on pourra commencer la séquence. Certes, des personnes entrent et sortent… Une fois cette réflexion amorcée, il faut être très attentif,

---

3.   « La vérité du cinéma », propos d'Edgar Morin cité intégralement dans « En amont… » de Rina Sherman, plus haut dans le présent ouvrage, p. 19.

ne pas nécessairement tourner mais avoir des réserves, pour être sûr de ne pas manquer le moment où Léopold Tremblay va amorcer la réunion (« Bonjour chers amis... »)... Et en effet déjà préparer le montage. *Moi, un Noir* a été entièrement tourné avec une caméra 16 mm et un ressort d'une autonomie de 20 secondes. Avec une telle limite, il faut remonter le ressort toutes les 20 secondes, ce qui vous oblige à interrompre le tournage dès que vous arrivez au bout du ressort et à remonter la caméra très rapidement, le plus rapidement possible. Vous devez également penser à la manière dont vous allez découper, comment vous allez filmer. Vous ne pouvez pas simplement démarrer comme ça, sans avoir mené une réflexion rapide, intérieure et assez personnelle sur la façon de filmer. C'est ce que Jean a apporté au cinéma. Dans *Moi, un Noir*, il a demandé à Oumarou Ganda, qui avait fait la guerre d'Indochine, de lui décrire cette guerre-là, et l'a alors filmé marchant dans les bosquets le long de la plage, se cachant, et décrivant ce qu'était la guerre pour lui. Jean filme à partir d'une 2 CV, avec un seul objectif, et il n'en avait qu'un seul, un 25 mm. Mais il se retrouve avec les plans muets d'un individu qui raconte la guerre d'Indochine et qui joue un peu à la guerre en se cachant dans les fourrés. Toutes les 20 secondes, le plan s'arrête : il y a un flash blanc parce que la caméra ralentit et qu'il faut remonter le ressort. Jean continuait à tourner sans penser à la fameuse loi du cinéma qui existait à cette époque-là – on ne coupe jamais d'un plan à un même plan –, il faut toujours avoir un plan de coupe. Jean s'en fiche : il enlève les bouts blancs et monte les plans bout à bout. Il fait ensuite venir Oumarou Ganda à Paris, lui montre la séquence et lui demande de lui raconter en studio, de raconter une deuxième fois la guerre d'Indochine. Et voilà la séquence est faite. Mais ce n'est pas du synchro : c'est une pirouette que Jean réussit à faire pour arriver le plus près possible de ce qu'on croit être, de ce que peut être la vérité. C'est de cette façon, je crois, que Jean était un pionnier.

Rina Sherman – Quel était votre rapport avec Jean ?

Michel Brault – Un rapport de copains. Quand Jean venait, il habitait ici chez moi, et de même j'ai habité chez lui quelquefois pendant le tournage de *Chronique d'un été*. C'est difficile à dire, je n'étais pas très conscient, je n'étais pas appliqué à une tâche qui était de faire du cinéma direct. On découvrait le cinéma direct parce qu'on voulait découvrir le monde autour de nous, et le reproduire de la façon la plus fidèle possible. C'est ça qui nous intéressait. On ne faisait pas de carrière de cinéma.

Références bibliographiques

DIERCKS Carsten, 2004. « Ein Weiterfolg aus Hambourg: über die 16 mm-Schneidetische des Firme Steenbeck », *Hamburger Filmmern*, n° 11, p. 32-34.

EBU (European Broadcasting Union), 1973. « Review of existing systems for the synchronisation between film cameras and audio tape-recorders », Geneva: 2006, Legacy text EBU – TECH 3095.

HESS Richard, 2006-2017. « Synchronization », *Restoration Tips & Notes Media Formats & Resources*. En ligne: http://richardhess. com/notes/formats/magnetic-media/magnetic-tapes/analog-audio/ synchronization/ [lien valide 18 septembre 2017].

HISSNAUER Christian, 2011. « Das bundesdeutsche Fernsehspiel der 1960er und 1970er Jahre. Einleitung zum Themenschwerpunkt », *Rundfunk und Geschichte*, n° 37, p. 3-4.

MARSOLAIS Gilles, 1974. *L'Aventure du cinéma direct: histoire, esthétique, méthodes, tendances, textes, chronologie, dictionnaire biographique et filmographique…* Paris: Seghers.

MORIN Edgar, 1980. « La Vérité du cinéma », *in* [Conférence,] *Cinéma du réel: Festival du film ethnographique et sociologique [du 12 au 20 avril 1980]*, Paris: Centre Georges-Pompidou.

ROHMER Éric et MARCORELLES Louis, 1963. « Entretien avec Jean Rouch », *Cahiers du cinéma*, n° 144.

RUSPOLI Mario, 1963. *Pour un nouveau cinéma dans les pays en voie de développement: le groupe synchrone cinématographique léger.* Paris: UNESCO.

SADOUL Georges, 1963. « À Lyon, les caméras vivantes ont rencontré le cinéma-vérité », *Les Lettres françaises,* 7 mars.

Films cités

BRAULT Michel et GROULX Gilles, 1958, *Les Raquetteurs*.
— 1953-1954, *Petites Médisances*.

BRAULT Michel, CARRIÈRE Marcel et PERRAULT Pierre, 1963, *Pour la suite du monde*.

FLAHERTY Robert, 1922, *Nanouk l'Esquimau (Nanook of the North)*.
— 1948, *Louisiana Story*.

Rouch Jean, 1955, *Les Maîtres fous.*
— 1958, *Moi, un Noir.*
Rouch Jean et Morin Edgar, 1961, *Chronique d'un été.*

Une sorte de psychodrame : l'art dramatique comme méthode ethnographique dans les films de Jean Rouch

Johannes SJÖBERG

Le film ethnographique *Transfiction* (2007, 2010)[1] fut la première production issue d'un projet de recherche appliquée qui s'intéressait aux films ethnographiques de Jean Rouch; son objectif était de déterminer si la méthodologie de l'approche rouchienne avait fait école en anthropologie sociale et visuelle, et était compatible avec les méthodes d'ordinaire employées en sciences sociales (Sjöberg 2008a, 2008b et 2011). Ce chapitre examinera le psychodrame dans le genre documentaire ethnographique, en retraçant l'historique de cette pratique à travers les films de Jean Rouch, depuis sa fondation par Jacob Moreno jusqu'à son héritage, dont témoigne *Transfiction*.

À la fin des années 1950 et au début des années 1960, la vie intérieure des protagonistes commença à prendre de plus en plus d'importance dans la démarche artistique de Rouch. Dans ses ethnofictions, le cinéaste demandait ainsi aux acteurs de jouer leur propre rôle. Lorsque Oumarou Ganda s'avance au bord du lagon d'Abidjan dans *Moi, un Noir* (1958), il invite le public à explorer avec lui ses souvenirs amers de la guerre d'Indochine et de l'ingratitude dont firent preuve les colons français.

---

1. *Transfiction* est une ethnofiction qui se fonde sur quinze mois de recherche ethnographique menée sur le terrain. Elle s'inscrit dans un projet de recherche doctorale en études théâtrales appliquées conduit par Johannes Sjöberg à l'université de Manchester.

Dans *La Pyramide humaine* (1959) et *Chronique d'un été* (1961) coréalisé avec Edgar Morin, Rouch utilise sa caméra délibérément afin d'inciter ses intervenants à évoquer des sujets délicats et personnels pendant les scènes d'improvisation et d'interview.

Un cadre fictionnel était posé de sorte que les protagonistes se sentent plus à l'aise en situation de confrontation et ne craignent pas d'être eux-mêmes. Pour eux, les docu-fictions ethnographiques étaient un moyen d'exprimer certains traits potentiels d'eux-mêmes et de considérer leurs propres problèmes en adoptant une autre perspective :

> Le cinéma devint pour ces gens un prétexte à essayer de résoudre des problèmes qu'ils n'étaient pas capables de résoudre sans le cinéma. (Blue 1967 : 8)

Étant donné les possibilités thérapeutiques qu'offrait l'ethnofiction, il n'est guère surprenant que Jean Rouch et Edgar Morin aient eu recours au socio-psychodrame lorsqu'ils tentèrent de définir leur démarche dans le documentaire hybride *Chronique d'un été* :

> Il ne s'agira ni de scènes jouées, ni d'interviews mais d'une sorte de psycho-drame mené collectivement entre les auteurs et les personnages. (Morin 1985 : 6)

Le psychodrame

Le psychodrame est une technique thérapeutique qui fut développée aux États-Unis à partir des années 1920 par le médecin viennois Jacob Moreno. Rouch et Morin furent évidemment influencés par leur milieu artistique et universitaire de même qu'ils puisèrent dans les idées de leurs contemporains. Bien qu'ils fassent tous deux souvent référence au psychodrame, ils ne semblent toutefois jamais avoir mis en pratique les techniques de Moreno comme méthode préconçue, mais plutôt en les envisageant comme le produit de l'esprit de leur temps.

> Ailleurs, l'improvisation, le jeu de rôle, les histoires inventées dans le but d'être jouées, étaient en passe de devenir des techniques utilisées par les acteurs de l'école Stanislavski-Freeberg, de même que par des enseignants, des forma-teurs en gestion et des employés paramédicaux qui cherchaient à « ré-activer » leurs patients psychiatriques. Quand bien même la plupart de ces initiatives

n'avaient rien à voir avec les films de Rouch, le moins qu'on puisse dire de ce dernier est qu'il s'inscrivait dans une tendance plus globale à vouloir tirer davantage parti de l'acteur potentiel en chacun de nous, ce qui constituait une remise en cause supplémentaire, aussi minime fût-elle, de la séparation communément admise entre la réalité et la fiction. (Loizos 1993 : 55)

Bien qu'il semble probable que les cinéastes aient avant tout employé les termes de socio- et psychodrame pour appréhender et décrire *a posteriori* le processus de réalisation de *Chronique d'un été*, on peut néanmoins constater une ressemblance frappante entre certains aspects de ce processus et plusieurs des techniques utilisées par Moreno; il en va de même pour d'autres ethnofictions rouchiennes. Dans une brochure distribuée aux nouveaux visiteurs du Moreno Institute figuraient ces mots de son fondateur :

Le psychodrame peut être défini comme la science qui explore la vérité par des moyens dramatiques. Il a pour objet les relations interpersonnelles et les mondes intérieurs. (Moreno Fox 1987 : 13)

Dans le psychodrame comme dans l'ethnofiction, l'acteur a la possibilité de représenter « son monde intérieur » et la liberté d'improviser et de romancer autour. Chez Rouch, le souci de la véracité cinématographique fait écho à l'ambition de Moreno d'explorer la vérité par le biais de méthodes théâtrales. Moreno était convaincu qu'il pouvait utiliser des techniques dramatiques et des moyens fictifs afin d'aider ses patients à révéler certaines vérités à propos d'eux-mêmes. Bien que l'objectif de Rouch ne fût pas thérapeutique, son intention était également de révéler certaines vérités cinématographiques au sujet de l'« existence » de ses protagonistes à travers l'ethnofiction en tant que projet surréaliste.

Edgar Morin avait en tête les rapports freudiens du psychodrame en commentant cette pratique dans *Chronique d'un été*, mais il ne prit guère en compte la critique que faisait Moreno de Freud. Morin porta son intérêt sur les avantages théoriques que présentait sa conception du psychodrame afin de servir les objectifs socio-politiques du film, et se pencha sur les possibilités thérapeutiques qu'offrait l'improvisation. Jacob Moreno avait créé le psychodrame afin d'appuyer son travail en tant que médecin et de proposer à ses patients une méthode qui puisse révéler et les aider à confronter leurs problèmes, dans le périmètre bien défini de la scène de théâtre. La psychanalyse, envisagée comme technique thérapeutique, exerça une influence importante sur le psychodrame de Moreno, mais ce dernier émit dans le même temps de nombreuses critiques à l'encontre de la psychanalyse freudienne, ce dont témoignent ses ouvrages (Karp, Holmes et Bradshaw Tauvon 1998 : 20). Tandis que Freud souhaitait faire apparaître le *processus* afin d'expliquer certains *comportements* humains, la pratique thérapeutique de Moreno s'attachait quant à elle d'abord aux *comportements* des participants afin de révéler le *processus* qui les sous-tendait. En portant avant tout son attention sur l'action et le comportement humains, Moreno qualifia sa méthode de « mise en action », en mobilisant la psychanalyse freudienne mais en partant de la direction opposée. Comme l'art surréaliste, le psychodrame fit donc d'abord appel aux idées de Freud ; les deux explorèrent cependant le subconscient par des moyens différents, et à des fins différentes.

Le rêve tient une place centrale dans la psychanalyse de même que dans le psychodrame, et c'est également le cas dans les ethnofictions de Rouch. Tandis que Freud interprétait les rêves, Moreno encourageait les gens à rêver, et Rouch souhaitait réaliser des films comme on réaliserait des rêves.

L'unique rencontre entre Moreno et Freud eut lieu à Vienne alors que le premier travaillait dans le service psychiatrique de l'université. À la fin d'un cours sur l'interprétation des rêves, Freud demanda à Moreno ce qu'il faisait, ce à quoi il lui répondit : « Je commence là où vous finissez. » Ce que sous-entendait Moreno, c'était qu'il encourageait ses patients à poursuivre leurs rêves, tandis que Freud ne faisait que les analyser (Moreno 1964).

Selon Moreno, « la méthode psychodramatique utilise cinq instruments principaux – la scène, le sujet ou l'acteur (le protagoniste), le metteur en scène (le psychodramatiste), l'équipe d'aides-soignants (les moi-auxiliaires), et l'audience » (Moreno et Fox 1987 : 13). De façon intéressante, ces cinq instruments peuvent également être identifiés comme tels dans l'œuvre rouchienne. Dans les ethnofictions, la « scène » du psychodrame est remplacée par la mise en scène cinématographique, et le réalisateur se transforme en ethnographe plutôt qu'en thérapeute. Par ailleurs, la fonction des trois autres instruments du psychodrame – les acteurs, les moi-auxiliaires et l'audience – reste la même.

L'acteur dans le psychodrame et l'ethnofiction

Cette section étudiera plus en détail la notion de sujet ou d'*acteur*, à savoir le deuxième instrument du psychodrame selon la définition de Moreno. L'acteur du psychodrame « doit être lui-même sur la scène, afin de représenter son monde intérieur. Ce n'est pas un acteur contraint de sacrifier sa propre individualité à la faveur du rôle qui lui est imposé par le dramaturge. » (*ibid.* : 14)

Moreno voulait dire par là que le jeu, dans le processus psychodramatique, dépendait de la « spontanéité », de la « représentation », de l'« implication » et de la « réalisation » : des caractéristiques que l'on retrouve également dans les ethnofictions de Rouch et à travers la réalisation de *Transfiction*.

Toujours d'après Moreno, l'acteur doit « agir librement, à mesure que les choses lui viennent à l'esprit ; c'est pourquoi on doit lui accorder la liberté de s'exprimer, d'être spontané » (*ibid.*). De même, le réalisateur de docu-fictions ethnographiques encourage la *spontanéité* du protagoniste afin que ce dernier puisse laisser libre cours à sa créativité ; le jeu est improvisé sur le moment en fonction de la réponse imaginée par l'acteur selon son environnement, afin de permettre à Rouch de capturer cet instant de « grâce » (Rouch 2003 : 187).

En 2006, pour *Transfiction*, j'ai demandé à Savana « Bibi » Meirelles et à Fabia Mirassos de mettre en scène leur expérience de l'identité transgenre au Brésil – et des discriminations qui y sont attachées. La pertinence de cette recherche ethnographique dépendait de la spontanéité du jeu des protagonistes dans le film. Elle seule permettait d'assurer que la liberté créatrice et les initiatives émanent bien de Fabia et Bibi plutôt que de moi. Ce sont elles qui ont structuré chaque scène par un début, un milieu et une fin, ce qui leur conférait ensuite la liberté d'improviser dans un cadre prédéterminé. La fraîcheur du jeu improvisé de Bibi et Fabia les a conduites à mettre au jour des informations qui avaient une véritable valeur ethnographique, au moyen de leur imagination et d'association d'idées, plutôt que par le biais d'observations ou d'interviews. En réalisant *Transfiction*, je souhaitais examiner les raisons pour lesquelles des Brésiliennes transgenres rencontrent des difficultés pour se loger en dehors de leur communauté. Malgré les nombreux entretiens que j'avais menés à ce sujet, ce n'est que lorsque j'ai demandé à Bibi de jouer deux scènes – dans lesquelles elle confronterait un propriétaire fictif qui aurait rejeté son dossier au motif qu'elle était une femme trans –, que la stigmatisation dont elle était victime m'est apparue clairement. Ce sont précisément ses réactions spontanées à la situation donnée qui m'ont permis de mettre en lumière la façon insidieuse dont les préjugés se construisent et engendrent des préjudices émotionnels.

Pour Moreno, « il existe plusieurs formes de représentation – faire semblant de jouer un rôle, re-jouer ou mimer une scène vécue, re-vivre une situation problématique qui persiste toujours dans le présent, ou se mettre à l'épreuve soi-même dans une optique future » (*ibid.*). En ethnofiction, il arrive que le jeu soit descriptif lorsque celui-ci représente la *structure* des événements ; c'est le cas dans *Jaguar* (1967), où la représentation s'intègre à l'improvisation dans les scènes d'aventure et d'amusement, interprétées par les personnages afin d'illustrer le phénomène de migration saisonnière. Dans les autres films ethnographiques rouchiens, où la fonction du jeu théâtral s'apparente davantage au psychodrame, la représentation se veut expressive. Il ne s'agit plus seulement d'illustrer la structure des événements ; le jeu est conçu comme un moyen de révéler la vie intérieure des protagonistes, à travers des improvisations dans lesquelles ils peuvent se projeter (Loizos 1993).

Dans les docu-fictions ethnographiques de Rouch de même que dans *Transfiction*, les intervenants improvisent face à la caméra comme s'ils ne jouaient pas de rôle, mais sans avoir toutefois l'obligation d'être eux-mêmes. Ainsi, ils alternent les scènes dans lesquelles ils relatent leurs propres expériences et celles qui figurent leurs mondes imaginaires. Les personnages fictifs qu'ils créent sont basés sur leur propre réalité et dévoilent certains aspects de leur personnalité. Les acteurs se servent des personnages de même que du cadre de fiction afin de revenir sur des expériences passées, et d'en proposer de nouvelles à l'essai. Dans *Transfiction*, Bibi et Fabia endossent les rôles de Zilda et Meg. C'est de cette manière que Fabia s'est rappelée avoir été victime de harcèlement scolaire et a pu figurer les mécanismes de la marginalisation qui s'en est suivie à mesure qu'elle re-vivait l'événement qui l'avait conduite à être renvoyée de son établissement. C'est sur les lieux mêmes de son ancienne école qu'elle a tourné cette scène en incarnant Meg. Quant à Bibi, le film lui a donné l'opportunité de mettre ses rêves à l'épreuve : en laissant derrière elle son quotidien en tant que prostituée à São Paulo, et en menant une nouvelle vie de femme mariée à Paris – ce qui apporte un éclairage sur l'importance ethnographique de pouvoir rêver à un avenir dans des lieux étrangers ou fictifs. Moreno suggère que le psychodrame, contrairement à d'autres situations d'examen et de traitement, requiert *l'investissement* du patient :

> Dans la situation psychodramatique, tous les niveaux d'implication sont convoqués, du minimum au maximum. (*ibid.*)

La notion d'*implication* telle que l'envisage Moreno est semblable à la relation intersubjective que tissait Rouch avec les personnes qui apparaissaient dans ses films. Contrairement à d'autres thérapeutes de la parole, contemporains de Moreno, qui s'efforçaient de maintenir une certaine distance avec leurs patients lorsqu'ils les interrogeaient, le médecin viennois choisissait de confronter véritablement ses interlocuteurs par le biais du psychodrame. Jean Rouch se distingue également d'autres ethnographes ou réalisateurs documentaires par son propre investissement auprès des protagonistes de ses films. Les anthropologues, de même que les réalisateurs de docu-fictions ethnographiques appartenant à la tradition anglo-saxonne de son temps, étaient, en grande majorité, moins enclins à s'impliquer dans la vie de leurs sujets d'étude et s'efforçaient d'adopter un rôle d'observateurs (Stoller 1992 : 199-218). À l'inverse, Rouch prenait part à l'action en tant que catalyseur, à travers la *ciné-provocation*. Le jeu d'acteur, dans le psychodrame et l'ethnofiction, repose donc à la fois sur un processus interactif qui se développe entre l'acteur et le réalisateur à travers une forme d'« anthropologie partagée ».

Même si je ne suis pas intervenu dans les scènes improvisées de *Transfiction*, j'orchestrais néanmoins le projet et participais à son évolution par mon implication dans celui-ci ; en revanche, c'était des visées ethnographiques et non thérapeutiques qui me guidaient. Bien que Bibi et Fabia n'aient pas fréquenté pas les mêmes cercles, j'ai choisi de les réunir dans un salon de beauté afin qu'elles puissent réfléchir ensemble à leurs vies imaginaires dans la peau de Zilda et Meg. Si les autres scènes me furent suggérées par Bibi et Fabia, je les ai incitées dans celle-ci à discuter ensemble, afin d'apporter des éléments de contextualisation autour des événements qui étaient en jeu.

Moreno souhaitait que ses patients puissent avoir l'occasion de confronter leurs problèmes dans la vraie vie en échafaudant des situations sur la scène à travers ce qu'il appelait des *réalisations*.

> Cela permet au sujet non seulement de se rencontrer lui-même, mais aussi de rencontrer les autres personnes qui prennent part à son conflit intérieur. (*ibid.*)

Aux yeux du médecin, la *réalisation* était un moyen d'aider ses patients à faire face à leur propre réalité dans un environnement balisé. Moreno employait des techniques réalistes afin de confronter « la réalité de la vie elle-même, des vies quotidiennes de chacun d'entre nous et de tous les êtres humains, la façon dont nous vivons chez nous, au travail et dans nos relations les uns avec les autres… » (*ibid*: 7) Un certain nombre de parallèles très concrets peuvent être établis entre les techniques réalistes de Moreno et les films de Rouch. Dans *Petit à petit* (1970), Damouré Zika voyage à Paris depuis l'Afrique de l'Ouest selon un mode d'« anthropologie inversée », en adoptant le point de vue de l'anthropologue tandis qu'il part à la découverte de la capitale française. Parce qu'il avait jadis contribué à des projets de recherche sur le terrain auprès de Jean Rouch, Damouré revêt ici le rôle de « l'autre » en y apportant sa propre perspective sur les valeurs coloniales. Le renversement des rôles est l'une des techniques de jeu les plus fréquentes en psychodrame, notamment car elle permet au sujet de se mettre dans la peau de ses antagonistes. En inversant les rôles, « nous exigeons que l'épouse se mette à la place du mari, et que le mari se mette à la place de l'épouse. Nous nous attendons à ce qu'ils le fassent non seulement en leur nom, mais qu'ils s'efforcent également de passer par un véritable processus de renversement des rôles; que chacun s'applique à ressentir la façon dont il se met progressivement à penser, sentir et se comporter à la manière d'autrui. » (*ibid.*: 8) L'inversion des rôles n'est qu'un exemple de *réalisation* parmi tant d'autres à l'œuvre dans le psychodrame, par le biais desquels l'acteur peut développer sa compréhension de la réalité à travers sa dramatisation. En ethnofiction, la *réalisation* contribue non seulement à ce que le protagoniste saisisse mieux la situation, mais aussi à ce que le spectateur comprenne la réalité dans laquelle s'inscrit le protagoniste. En effet, l'audience peut de façon alternative choisir de s'identifier à « l'autre » à travers les yeux du protagoniste.

La *réalisation* est le pilier central de la structure narrative de *Transfiction*. En s'y confrontant, Bibi et Fabia réalisent l'intolérance du système éducatif, des employeurs, des propriétaires face aux idées préconçues. Dans ce cas précis, les protagonistes ne se retrouvaient pas face à leurs antagonistes en inversant les rôles comme on pourrait le faire dans le psychodrame. Néanmoins, Bibi et Fabia se mettaient souvent dans la peau l'une de l'autre. En se basant sur le vécu de Bibi, Fabia reconstitue l'expérience de la première lorsque celle-ci s'était illégalement fait injecter du silicone industriel en vue d'une augmentation mammaire. De son côté, Bibi projette les expériences précoces et violentes qu'elle a pu faire de la prostitution sur son amie fictive Hanna. Ces inversions de rôle n'impliquent certes pas de *confrontation* en tant que telle, mais elles pourvoient un aperçu ethnographique intéressant. Fabia est passée par un processus d'apprentissage afin de comprendre les motivations et le contexte émotionnel qui ont conduit Bibi à se faire refaire la poitrine ; Bibi a pu prendre du recul sur ses propres expériences, aussi pénibles soient-elles, en faisant comme si elles n'étaient pas les siennes. Ces deux *réalisations* perfectionnent la compréhension de leurs situations d'un point de vue ethnographique.

L'art dramatique comme méthode ethnographique

L'intérêt que portait Rouch au psychodrame nous invite à considérer d'autres passerelles entre l'art dramatique et la méthode ethnographique. L'art dramatique est aujourd'hui reconnu comme un champ d'étude universitaire à part entière, et recouvre toute « activité dramatique essentiellement exercée en dehors des institutions théâtrales conventionnelles, spécifiquement tournée en faveur des individus, communautés et sociétés » (Nichols 2005 : 2). La recherche de même que la représentation ethnographique, pourraient tirer des bénéfices du processus créatif dramatique, mais plutôt que d'en faciliter le changement, l'ethnographie pourrait être envisagée comme une sphère de discussion sur les connaissances culturelles et leur signification.

Durant mon séjour au Brésil, j'ai pu apprécier à leur juste valeur les affinités entre la conception rouchienne de l'ethnofiction, le psychodrame de Moreno, et le théâtre-forum participatif du metteur en scène brésilien Augusto Boal, concepts que j'ai tous mis en pratique dans *Transfiction*.

La démarche suivie par Boal était à l'origine politique, avec le théâtre de l'Opprimé. Contrairement au psychodrame thérapeutique, le théâtre-forum donne aux participants la possibilité d'aborder les problèmes d'injustice par le biais de l'art dramatique. Un membre du public soulève un problème, et les acteurs du théâtre-forum le jouent

sur scène, sous la houlette du « joker ». Après quoi l'audience prend part
à l'action de façon active en tant que « spectatrice » : elle est invitée à
rejouer la scène en endossant le rôle du protagoniste et à proposer une
solution alternative au problème initialement posé. Le théâtre-forum
se pose donc comme un terrain propice au débat (Boal 1979).

Le metteur en scène brésilien fut influencé par le concept du « dialogique » invoqué par Paulo Freire en lien avec le processus d'apprentissage :
« le discours dialogique dans le cadre d'une éducation émancipatrice
déployée au service des opprimés » (Jackson 2007 : 183). Dans le souci
que la communication s'établisse dans les deux sens, il suggérait que
l'enseignant et l'apprenant se rencontrent afin de dialoguer en étant tous
les deux impliqués de façon égale, dans un esprit collaboratif (*ibid.* : 186).
Une telle approche va de pair avec l'idée rouchienne d'*anthropologie
partagée* si l'on considère la relation dialogique entre l'anthropologue
et l'informateur.

Boal propose que son théâtre offre un espace esthétique pourvu de qualités « plastiques », « dichotomiques » et « télémicroscopiques ». L'espace
esthétique a la même « plasticité » que les rêves dans lesquels la mémoire
et l'imagination peuvent interagir. Dans cet environnement, l'acteur se
perçoit « en dichotomie ». Le protagoniste est à la fois la personne qui
joue et le personnage joué. La « télémicroscopie » de l'espace esthétique
permet quant à elle de rendre l'action humaine observable. Grâce à elle,
l'invisible devient visible et l'inconscient, conscient (Boal 1995 : 18-28).

La théorie de l'espace esthétique élaborée par Boal rejoint l'ethnofiction
et en particulier la fonction révélatrice du cinéma tel que l'envisageait
Rouch, où le dénominateur commun est le rêve. Pour le cinéaste français,
le rêve était source de créativité et parfois même synonyme de processus
de production. Il avait appris l'importance du rêve en étudiant la théorie
du double, ou « *bia* », dans la religion Songhay-Zarma au Niger. Le double,
le « *bia* », est une ombre, un reflet de l'âme qui coexiste simultanément
dans un monde parallèle abritant les doubles ; le monde de l'imaginaire.
Le « *bia* » peut quitter le corps temporairement lors de moments de
possession, de rêve et d'imagination créative. Les docu-fictions ethnographiques rouchiens résultent de la fusion entre deux éléments : d'une part,
sa propre appréhension du processus créatif de l'art surréaliste comme
un rêve en action et, d'autre part, les croyances de la religion Songhay-
Zarma. Ainsi, le rêve représente, pour Rouch, une source de créativité et
parfois même un moyen de produire ses ethnofictions.

Pour *Transfiction*, c'est l'approche thérapeutique adoptée par Moreno qui s'est révélée la plus utile pendant le tournage des scènes focalisées sur l'identité transgenre. En revanche, je me suis tourné vers le théâtre politique de Boal lorsque Bibi et Fabia rejouaient des scènes de discrimination. L'analogie que dresse Boal avec la plasticité des rêves fut au cœur du processus créatif dans la réalisation de ce film. D'un point de vue esthétique et ethnographique, la réussite des scènes d'improvisation dépendait du moment auquel Fabia et Bibi atteignaient un état d'épanchement par association d'idées, « qui les faisait appartenir complètement et simultanément à deux mondes autonomes et différents : l'image de la réalité et la réalité de l'image... sa réalité et l'image de sa réalité, qu'elle a créée elle-même. » (Boal 1995 : 43)

Augusto Boal fait référence à cet état de « metaxis » qui tient une place centrale sur la scène réflexive où se construit ce processus, et que l'on retrouve à la fois dans le psychodrame, le théâtre-forum et le cinéma rouchien. Une fois le processus achevé, les participants sont invités à réfléchir à cette notion de « metaxis » – à savoir la différence entre le réel et sa représentation. Cet aspect est particulièrement saillant dans *Chronique d'un été* quand Marceline et Marilù réfléchissent à leur propre représentation fictive d'elles-mêmes. Dans *Transfiction*, cette réflexion autour de la « metaxis » intervient au début du film lorsque Bibi et Fabia se comparent à Zilda et Meg. Ce commentaire à propos de l'écart entre le réel et l'image du réel est très intéressant d'un point de vue ethnographique car il permet d'engager une conversation personnelle avec les participantes sur la signification et la représentation culturelles.

Implications éthiques

L'art dramatique vise à faciliter un changement positif. Cet objectif remet en question certaines valeurs éthiques et épistémologiques fondamentales de l'anthropologie classique qui se fonde sur des méthodes d'observation et s'oppose traditionnellement à toute intervention, rendant problématique toute forme de soutien bienveillant. Les improvisations projectives comportent néanmoins certains avantages d'un point de vue éthique. Les protagonistes de *Transfiction* ont en effet toujours la possibilité de revendiquer un certain anonymat par le biais de la représentation fictive ; c'est la raison pour laquelle elles ne se sentent jamais obligées de mentionner leur activité professionnelle à l'écran, sauf si elles le souhaitent.

Au début de *Transfiction*, il est clairement établi que le film doit être interprété comme une représentation fictive de la culture dans laquelle évoluent les protagonistes, et non une représentation d'elles-mêmes en tant que personnes.

En dépit de mes efforts pour obtenir le consentement éclairé de Bibi et Fabia, ces dernières couraient toujours le risque d'être exploitées pour servir les intentions du film. Cet aspect était particulièrement significatif au regard du processus psychodramatique. Après avoir réalisé *Chronique d'un été*, Rouch a délaissé les expérimentations qu'il avait menées en compagnie de Morin sur le « socio-psychodrame », parce qu'il considérait que leur démarche était un « jeu dangereux » (Blue 1967 : 83). Rouch prit conscience qu'au-delà même des conséquences immédiates induites par le fait que des personnes re-jouaient leur propre vie devant sa caméra, sa conception du jeu d'acteur exerçait également une influence sur les protagonistes.

> Lorsque ces gens jouent ce psychodrame qui implique leur existence tout entière… vous devenez une sorte de Prométhée à qui seul revient la responsabilité de vos créatures ! La caméra et le cinéma sont les seules justifications de leur existence : une fois qu'ils s'arrêtent, que se passe-t-il ? Vous n'avez pas le droit ! » (*ibid* : 85-86)

J'ai dû pour ma part m'appuyer sur ma connaissance personnelle de Fabia et Bibi en tant qu'individus afin de déterminer de quels épisodes de leur passé nous pourrions parler au cours du psychodrame. Ces choix comportaient toujours une part de risque et j'essayais de faire en sorte que nous en soyons tous conscients au cours de la réalisation du film. Cette « conscientisation » du processus n'était évidemment jamais la garantie que les protagonistes se sentent bien. Rouch faisait pertinemment remarquer qu'au moment où le tournage s'achève, les protagonistes se retrouvent bien seuls face aux potentiels problèmes qui auraient refait surface au cours des improvisations. Quoi qu'il en soit, un an après la fin du tournage, Fabia affirmait encore que *Transfiction* fut la meilleure thérapie qu'elle ait jamais suivie.

Références bibliographiques

BLUE James, 1967. « Jean Rouch in Conversation with James Blue », *Film Comment*, vol.°4, n° 2-3, pp. 84-86.

BOAL Augusto, 1979. *Theater of the Oppressed*. Londres : Pluto Press.

— 1995. *The Rainbow of Desire: The Boal Method of Theatre and Therapy*. Londres : Routledge.

FELDHENDLER Daniel, 1994. « Augusto Boal and Jacob L. Moreno, Theatre and Therapy », in SCHUTZMAN Mady, COHEN-CRUZ Jan (dir.), *Playing Boal: Theatre, Therapy, Activism*. Londres : Routledge.

JACKSON Tony, 2007. *Theatre, Education and the Making of Meanings: Art or Instrument*. Manchester : Manchester University Press / New York : Palgrave.

KARP Marcia et HOLMES Paul, BRADSHAW TAUVON Kate, 1998. *The Handbook of Psychodrama*. New York, Londres : Routledge.

LOIZOS Peter, 1993. *Innovation in Ethnographic Film: From Innocence to Self-Consciousness 1955-1985*. Manchester : Manchester University Press.

MORENO Jacob L., 1964. *The First Psychodramatic Family*. New York : Beacon House.

MORENO Jacob L. et FOX Jonathan, 1987. *The Essential Moreno. Writings on Psychodrama, Group Method, and Spontaneity*. New York : Springer Publishing Company, Inc.

MORIN Edgar, 1985. « Chronicle of a Summer », *Studies in Visual Communication*, vol. 2, n° 1.

NICHOLS Helen, 2005. *Applied Drama: The Gift of Theatre*. New York : Palgrave Macmillan.

ROUCH Jean, 2003. « Ciné-anthropology: Jean Rouch with Enrico Fulchignoni », in FELD Steven (dir. et trad.), *Ciné-Ethnography / Jean Rouch*. Minneapolis : University of Minnesota Press.

SJÖBERG Johannes, 2008a. « Workshop on Ethnofictions », in RUNNEL Pille (dir.) *Mediating Culture through Film: Conversations and Reflections on Filmmaking at Tartu Worldfilm Festival*. Tartu, Estonia : Estonian National Museum.

— 2008b. « Ethnofiction: drama as a creative research practice in ethnographic film », *Journal of Media Practice*, vol. 9, n° 3, pp. 229-242.

— 2011. « Transgendered Saints and Harlots: reproduction of popular Brazilian transgender stereotypes through performance on stage,

screen and in everyday life », *in* Ross Karen (dir.), *The Handbook of Gender, Sex and Media*. United Kingdom: Wiley-Blackwell.
STOLLER Paul, 1992. *The Cinematic Griot: The Ethnography of Jean Rouch*. Chicago: The University of Chicago Press.

Films cités

ROUCH Jean, 1958, *Moi, un Noir.*
— 1959, *La Pyramide humaine.*
— 1954-1967, *Jaguar.*
— 1970, *Petit à petit.*
ROUCH Jean et MORIN Edgar, 1961, *Chronique d'un été.*
SJÖBERG Johannes, 2007, 2010, *Transfiction.*

« Moi, un Blanc » : de la genèse d'*À bout de souffle*

Laure ASTOURIAN

« Un compagnon de voyage » (Henley 2009 : 77), « un voisin, un ami, parfois un complice » (Scheinfeigel 2008 : 64) : le vocabulaire métaphorique employé pour décrire la relation de Jean Rouch à la Nouvelle Vague souligne la position ambiguë du réalisateur-ethnographe au sein du mouvement cinématographique fondateur des années 1950 et 1960. On peut dater les premiers échanges entre Rouch et les futurs réalisateurs de la Nouvelle Vague au Festival du film maudit de Biarritz de juillet 1949, organisé par Objectif 49, le principal ciné-club de l'époque, et présidé par Jean Cocteau. Rouch, qui avait étudié (et continuerait à étudier) avec Marcel Griaule, présente *Initiation à la danse des possédés* (1948) qui gagne alors le prix du meilleur court métrage en présence de François Truffaut, Claude Chabrol, Jean Douchet et Éric Rohmer (Gimello-Mesplomb 2013 : 119). Une douzaine d'années plus tard, en 1964, Rouch participe à l'épisode des « Cinéastes de notre temps » intitulé *La Nouvelle Vague par elle-même*. Il collabore également avec plusieurs réalisateurs (Chabrol, Douchet et Rohmer) au film collectif *Paris vu par...* (1965). Mais c'est bien son film ethnographique, *Moi, un Noir*[1] (1958), qui marque le moment le plus frappant de la participation de Rouch à la Nouvelle Vague, étant donné le rôle déterminant qu'il jouera dans le développement du premier

---

1. Même si nous avons choisi d'inclure une virgule et de mettre une majuscule à « Noir » pour citer le film de Rouch, il faut remarquer l'existence de nombreuses variations orthographiques. Certains auteurs omettent la virgule, d'autres écrivent « noir » sans majuscule. Nous ne préserverons l'orthographe propre à chaque auteur lorsque nous les citerons.

film de Jean-Luc Godard, *À bout de souffle* (1960), emblème de la Nouvelle Vague. Bien que les emprunts de Godard au film de Rouch ne soient un secret pour personne, ces deux films et la réception qu'ils reçoivent en France n'ont jamais fait l'objet d'une étude comparative approfondie. C'est le but de cet article qui, ce faisant, tient aussi à éclaircir l'importance de la présence de Rouch au sein de la Nouvelle Vague[2].

La genèse de *Moi, un Noir* et sa réception en France

À sa sortie, *Moi, un Noir* est décrit par plus d'un critique français comme le « premier film noir » (Doniol-Valcroze 1959 : 23 ; Vincent 1959 : 38). Il est important de noter cependant que le film a été conçu à Paris, parmi l'avant-garde de réalisateurs européens blancs. Au printemps 1956, à la demande de Roberto Rossellini, François Truffaut organise une réunion dans les bureaux des *Cahiers du cinéma*. Parmi les réalisateurs présents se trouvent Claude Chabrol, Jean-Luc Godard, Alain Resnais, Jacques Rivette, Éric Rohmer et Jean Rouch (de Baecque 2010 : 83). Le projet était de monter un film collectif. Comme le raconte le biographe de Rossellini, Tag Gallagher, « il leur suggéra de commencer non pas avec une histoire, mais avec un lieu, la Cité universitaire, où, affirmait-il, se trouvait une confluence de mœurs, de mentalités, de races, de niveaux de vie, de religions, et d'idéologies qui, dans leur concentration, reflétaient les problèmes de tout le monde contemporain » (Gallagher 2006 : 628). Le projet fut suspendu lorsque Henry Deutschmeister, qui avait promis 20 millions de francs, changea d'avis et refusa de le financer. Selon Rossellini, qui partait ensuite en Inde pour tourner un film, *Les Quatre Cents coups* de Truffaut (1959), le premier film de Chabrol, *Le Beau Serge* (1958) et plusieurs idées de Godard émergèrent de ce projet (*ibid.*). Commentant rétrospectivement cette expérience, Rouch déclara :

2.   Bien sûr, Rouch opérait dans une sphère différente de celle des réalisateurs de la Nouvelle Vague puisqu'il travaillait dans un cadre institutionnel et touchait un salaire du CNRS. Également plus âgé qu'eux, Rouch se considérait comme un réalisateur non-professionnel. Comme Henley l'écrit, « Rouch développa ses compétences de sa propre initiative et sans aucun apprentissage formel, si bien qu'il passa graduellement de la création modeste de films ethnographiques descriptifs, destinés surtout à un public de spécialistes, à la réalisation de véritables longs métrages qui allaient avoir un impact considérable sur la Nouvelle Vague du cinéma français. » (2009 : 35-36)

Je n'aurais jamais tourné *Moi un Noir* si Roberto ne m'y avait pas incité et c'était plus important que les millions de lires qu'il nous promettait et qu'il n'avait pas[3]. (*ibid.* : 629)

Bien que le film de Rouch se passe en Côte-d'Ivoire, il puise ses origines dans l'incubateur peu exotique de la Nouvelle Vague : *Moi, un Noir* a sa place dans le paysage du cinéma indépendant parisien.

Moi, un Noir relate une semaine dans la vie de jeunes ouvriers immigrés nigériens vivant à Treichville, ville située aux abords d'Abidjan, la capitale de la Côte-d'Ivoire. Le film est divisé en quatre parties : la semaine, le samedi, le dimanche, le lundi. La voix de Rouch intervient au début de chacune d'elles. Le reste de l'histoire est raconté au travers d'une voix off enregistrée après le tournage et improvisée principalement par le protagoniste Edward G. Robinson (Oumarou Ganda)[4]. Cette narration du personnage fait que le spectateur a plus l'impression que c'est le sujet observé lui-même, et non plus le réalisateur ethnographe français, qui lui montre la vie à Abidjan et à Treichville[5]. Dans *Moi, un Noir*, les protagonistes jouent surtout pour la caméra et le public français[6] qui vit tout à travers les yeux et la voix d'Edward, et partage avec lui les multiples épaisseurs de son existence. Par exemple, Edward se remémore comment, enfant, il nageait dans les eaux de Niamey, la capitale du Niger. Nous apprenons également comment il s'est battu en Indochine et nous devenons même les confidents de son inconscient

---

3.   Ce projet fut aussi à l'origine du film de Jacques Rivette, *Paris nous appartient* (1961). C'est le seul film à avoir lieu, du moins en partie, à la Cité universitaire.

4.   Comme plusieurs autres personnages du film, il tire son nom d'un acteur américain, Edward G. Robinson, qui était le nom de scène de l'acteur roumain Emmanuel Goldberg. Cet emprunt a le double effet de projeter et de dissimuler des identités à la fois réelles et imaginaires de deux individus, Emmanuel Goldberg et Oumarou Ganda.

5.   Pour une plus ample analyse sur le brouillage des frontières entre l'ethnographe et le sujet ethnographique, voir Ungar (2007).

6.   Bien que *Moi, un Noir* soit l'exemple parfait de « l'anthropologie partagée » de Jean Rouch, ce film doit aussi être considéré dans sa relation avec le théâtre de William Ponty, développé entre les années 1930 et 1950 à l'École normale William-Ponty, institution sénégalaise qui formait l'élite des sujets coloniaux à l'éducation et à l'administration. Étant donné la structure du film et les origines d'Oumarou Ganda (fils d'un notable nigérien), *Moi, un Noir* exemplifie le recours à l'élite africaine subsaharienne, dans le contexte d'une représentation, pour traduire – et, en effet, représenter – son existence compliquée entre deux cultures et deux systèmes de valeurs. Pour plus de renseignements sur le théâtre William-Ponty, voir Mouralis (1971).

par le biais d'une séquence onirique. Plus Edward divulgue ses aspirations, ses frustrations et sa tristesse, plus nous nous identifions à
lui. Telle est l'intention de Rouch vis-à-vis de son public : se découvrir
ouvrier immigré nigérien (Rouch 1955 : 145)[7]. Peut-être cela explique-
t-il la raison pour laquelle Rouch changea le titre de *Treichville*[8] à *Moi,
un Noir* : le second est bien plus personnel, et met l'accent sur la position de traducteur que tient Edward. Le pronom disjoint « moi », suivi
de l'article indéfini et du nom « un Noir », encourage le spectateur à
penser à l'histoire personnelle d'Edward comme à une représentation
symbolique d'une expérience collective parallèle. Un exemple important de la technique d'identification dans le film est celui de la chanson
d'Edward sur Abidjan (« Abidjan lagune » par N'Dyaye Yéro). Cette
chanson, qui revient tout au long du film, sert à renforcer la position
d'Edward comme le traducteur principal d'Abidjan et force le spectateur à associer le personnage à la ville.

Dès le début du film se chevauchent les paroles et la chanson d'Edward,
ainsi que le commentaire de Rouch : le bâton du narrateur passe aux mains
du personnage. À la fin de son introduction, Rouch dit « C'est [Edward]
le héros du film. Je lui passe la parole, » et Edward dit « Mesdames,
mesdemoiselles et messieurs… vous présente Treichville. » Edward fait
clairement référence à lui-même, malgré l'absence du pronom sujet
« je ». Cependant, étant donné que la première personne du singulier
et la troisième personne du singulier du verbe *présenter* sont homo-
phones, Edward pourrait faire référence ici à Rouch (« il vous présente
Treichville »). L'absence de pronom sujet met ainsi en évidence les positions ambiguës du narrateur et de l'ethnographe. Peu après, Edward
chante « Abidjan lagune » et, au fur et à mesure que le son de la chanson
s'estompe, Rouch commence à expliquer l'agencement de la ville et de
sa périphérie : « Il y a trois quartiers à Abidjan. » Le chevauchement

---

7. Rouch écrit « qu'il y a certains instants très rares où l'écran cesse justement d'être
    un *écran* séparant les uns des autres, où le spectateur comprend soudain une langue
    inconnue sans le truchement d'aucun sous-titre, participe à des cérémonies étran-
    gères, circule dans des villes ou à travers des paysages qu'il n'a jamais vus mais
    qu'il reconnaît parfaitement… Ainsi, pendant quelques secondes, on se découvre
    Polynésien ou New-Yorkais, Congolais ou paysan d'Estramadure. » (1955 : 145)
8. Rouch a publié des extraits des dialogues du film dans un article intitulé « Treichville »
    dans les *Cahiers du cinéma* (1958 : 50-52). Ce titre est aussi utilisé dans plusieurs cri-
    tiques (voir, par exemple, Sadoul 1958 : 6). Enfin, « Treichville » apparaît au début du
    film, sous le titre et entre parenthèses.

des voix d'Edward et de Rouch nous oblige à mettre nos narrateurs sur un pied d'égalité.

Cette double identité du protagoniste à la fois sujet ethnographique et narrateur se retrouve dans la scène finale, qui est certainement le moment le plus important du film. Cette scène est significative à la fois dans la façon dont elle a été filmée et dans sa substance. Edward marche au bord de l'eau avec son ami P'tit Jules (Karidyo Faoudou). Il décrit son expérience pendant la guerre d'Indochine (que la France perd en 1954, l'année où débute la guerre d'Algérie). Sa position précaire d'ouvrier immigré fait qu'il est envoyé en Indochine pour se battre au nom de la France. Edward est le fils d'un notable nigérien, un homme éduqué titulaire de deux licences. Il n'a pas anticipé cet avenir. Cependant, il nous dit que son père le rejeta à son retour de la guerre à cause d'une vieille tradition qui déshonore les perdants[9]. Alors qu'Edward raconte son histoire, la caméra le suit dans une série de *travellings* effectués par Rouch qui tient la caméra à la main et se déplace en voiture à côté des protagonistes. Rouch filma la scène sous un grand angle pour minimiser les effets de secousses. Il lia simplement les plans par des coupes sèches, ces mêmes coupes que Godard et Truffaut se sont appropriées et qu'ils ont popularisées dans leurs premiers films (Henley 2009 : 88-89).

Après avoir gagné le prestigieux prix Louis-Delluc en 1958, *Moi, un Noir* est projeté au théâtre Caumartin pendant sept semaines consécutives, puis ensuite dans divers autres cinémas parisiens (Sadoul 1958 : 6)[10]. Dans les critiques extrêmement positives que fait la presse française du film, revient souvent le thème de la mauvaise conscience. Par exemple, dans *La Croix*, Jean Rochereau évoque le « divorce total entre les traditions, les coutumes, la mentalité des Nigériens et la civilisation mécanisée qu'ils affrontent, dans leur lutte pour la vie », extrapolant que la description que fait Rouch de la situation incite « bien des Blancs à un sérieux examen de conscience » (Rochereau 1959 : 6). Dans son article de juin 1961 pour les *Cahiers* du cinéma intitulé « La règle du Rouch », Michel Delahaye identifie une relation dialectique entre la France et l'Afrique :

---

9.   Ganda a suggéré plus tard que Rouch avait exagéré l'importance de la guerre d'Indochine dans sa situation (voir Haffner 1996 : 89-103).

10.   *Moi, un Noir* apparaît dans la liste de films de *Radio Cinéma Télévision*. Se rapporter à la bibliographie pour tous les numéros publiés entre le 18 mars 1959 et le 14 juillet 1959.

La dialectique du film de Rouch est celle même qui définit l'ondoyante réalité africaine. *Moi, un Noir* est la vérité de l'Afrique, de l'Occident, celle aussi de leur affrontement. (Delahaye 1961 : 3)

D'autres critiques soulignent la nouveauté d'entendre un Africain parler de sa vie. Dans le numéro de l'été 1960 des *Études cinématographiques*, Christian Zimmer met l'accent sur l'originalité de la proposition de Rouch – un film dans lequel le sujet ethnographique a le pouvoir d'agir :

Mais enfin, cette constatation essentielle s'impose dès l'abord : pour la première fois au cinéma, le Noir filmé par un Blanc n'est pas vu par celui-ci, mais seulement montré, dévoilé à la fois de l'intérieur et dans un contexte social. (Zimmer 1960 : 198)

Comme Paul Henley le note, *Moi, un Noir* est le premier long métrage qui « offre à un grand public français la possibilité d'entendre des Africains décrire leurs expériences de leur propre voix » (2009 : 91).

Mais la réaction la plus remarquable au film se trouve dans un article de Godard publié en avril 1959 dans les *Cahiers du cinéma* : « L'Afrique vous parle de la fin et des moyens[11] ». L'article montre comment Godard façonne le film et la personne de Rouch pour construire et corroborer son propre manifeste cinématographique. Le titre de l'article est particulièrement révélateur : pour Godard, le film ne traite pas tant de l'« Afrique » parlant d'elle-même à un public, que des moyens qui justifient une fin, celle, d'une nouvelle façon française, de faire du cinéma. Godard ne s'attarde ni sur le contenu de *Moi, un Noir* ni sur

---

11.   Le titre de Godard fait allusion au film *L'Afrique vous parle*, titre français de *Africa Speaks!* (Walter Futter 1930). Comprenant une voix off pompeuse narrée par Lowell Thomas, ce film « documentaire » suit le « remarquable explorateur » (cinématographe et producteur) Paul Hoefler dans son expédition en Afrique en 1928. *Africa Speaks!* a été déclaré comme le premier film parlant tourné en Afrique, ce qui n'était en fait pas le cas, comme les images et la narration du film le suggèrent : en particulier, une scène dans laquelle un lion attaque un autochtone a été filmée au zoo de Los Angeles (Doherty 1999 : 239-241). Le choix du titre par Godard est particulièrement frappant étant donné que « l'Afrique » – s'il se réfère par là aux colonies d'Afrique subsaharienne – ne pouvait pas « parler » à cette époque : suivant le décret Laval de 1934, il était interdit aux sujets africains de l'Empire français de faire des films dans les territoires colonisés. C'est pour cette raison que le réalisateur sénégalais Paulin Soumanou Vieyra filma son film *Afrique-sur-Seine* de 1955 à Paris.

les questions qu'il soulève au sujet du statut des jeunes Nigériens vis-à-vis de la France. Au lieu de cela, il débute son article en situant le film de Rouch dans un réseau de références chères à la Nouvelle Vague :

> Comme *Les Cousins* sont le contraire du *Beau Serge*, dans *Moi, un Noir*, Jean Rouch raconte une histoire inverse à celle de *Jaguar*. Tel un reporter d'actualité filmant Jayne Mansfield à la descente du Los Angeles-Paris, ou François Mitterrand sortant de l'Élysée, Rouch filme les mésaventures d'une petite bande de Nigériens venus ingénument chercher la fortune dans la belle ville d'Abidjan. (Godard 1959 : 22)

Godard ne fait pas que dresser un parallèle entre Rouch et le réalisateur de la Nouvelle Vague Claude Chabrol, il admire aussi la façon valorisante dont sont filmés d'ordinaires citoyens nigériens avec une attention qu'on réserve plutôt aux célébrités. Godard a une phrase révélatrice, si ce n'est ironique :

> Comme la Jeanne d'autrefois, notre ami Jean est allé, avec une caméra, pour sauver sinon la France, du moins le cinéma français. (Godard 1959 : 22).

Godard affirme ainsi sur le ton de la facétie, et par le biais d'une comparaison comique et incongrue entre Rouch et Jeanne d'Arc, que ce qui l'intéresse vraiment, c'est de sauver – ou moins emphatiquement –, de revitaliser le cinéma français. Alors que le reste de son article s'intéresse peu aux acteurs, ou au sort des ouvriers immigrés d'Abidjan en général, il marque en revanche la volonté très nette d'importer la formule cinématographique de Rouch en France, et plus spécifiquement à Paris.

Moi, un Noir et *À bout de souffle*

Tel fut le cas. Bien qu'*À bout de souffle* ait toujours été apprécié pour son style décontracté, Godard tourna son film sans rien laisser au hasard. L'esthétique faussement facile de l'improvisation demanda en effet énormément de travail (Di Iorio 2007 : 31). En particulier, Godard s'est inspiré du côté naturel du son post-synchronisé de *Moi, un Noir*. Dirigés par Jacques Maumont, les acteurs d'*À bout de souffle* firent la post-synchronisation en studio, en s'efforçant de retrouver le côté authentique de la scène du tournage. Godard s'assura que l'inventeur

des premiers appareils enregistreurs Nagra, Stefan Kudelski, envoie de
Lausanne à Paris sa technologie de pointe, inventée seulement six mois
auparavant, et donna à Roland Tolmatchoff la consigne suivante : « Je
veux que chaque son soit juste. » (de Baecque 2010 : 133) L'enregistreur
offrant une grande flexibilité, Tolmatchoff, comme il le dit lui-même,
put capturer « les sons de Paris comme un ethnologue les récits et
rituels d'une tribu dans la savane africaine ou la jungle amazonienne »
(*ibid.* 133-134). Cette information cruciale souligne la volonté de Godard
de réaliser un film semi-ethnographique.

La nouveauté du son et du langage dans *À bout de souffle* n'échappa
pas au public. Dans *L'Aurore*, Claude Garson souligne que dans les
films de la Nouvelle Vague, « on parlera [...] comme on parle dans
la vie » (1960 : 4b). La remarque de Garson est significative car elle
montre combien *À bout de souffle* était différent des films grand public
français de l'époque, dans lesquels les protagonistes ne parlaient pas
« comme on parle dans la vie ». Comme Abidjan et Treichville que l'on
voit sous des perspectives différentes dans *Moi, un Noir*, Paris est un
véritablement personnage dans *À bout de souffle*. La Tour Eiffel, l'Arc
de Triomphe et Notre-Dame y apparaissent tous, montrés sous divers
angles, allant du plan aérien de grande envergure à des plans tournés
depuis des voitures en mouvement.

Les critiques remarquèrent également ce style cinématographique.
Georges Bratschi écrit :

> Le film de Godard constitue un admirable document sur le Paris moderne.
> Le réalisateur n'a pas hésité à prendre ses vues sans lumière artificielle. Il a
> tourné toutes ses séquences dans des décors naturels : une chambre d'hôtel,
> un restaurant, le hall d'un journal, les Champs-Élysées, Montparnasse, Orly,
> Marseille, etc. (Dutourd 1960 : 27)

Le commentaire de Bratschi appuie sur la dimension documentaire
du film, autre aspect inexistant du cinéma grand public français de
l'époque. Pour comprendre ce commentaire, tout comme le réalisme
d'*À bout de souffle*, il faut le considérer dans sa relation à l'« artifice »
des films grand public français qui étaient tournés en studio. À travers
la « lumière peu flatteuse, les images tranchantes [et] un travail de
caméra extrêmement mobile » (Neupert 2007 : 219), *À bout de souffle*

nous rappelle constamment que l'on est à Paris, de la même façon que *Moi, un Noir* nous rappelle que nous sommes à Abidjan et à Treichville. Les deux films utilisent un montage discontinu ou des coupes sèches. Godard copia la technique de montage de Rouch, en partie par nécessité (pour raccourcir le film), mais aussi pour son effet original et élégant. Dans *À bout de souffle*, quand Michel Poiccard (Jean-Paul Belmondo) et Patricia Franchini (Jean Seberg) roulent en voiture, plusieurs coupes sèches s'attardent sur le visage de Patricia. La prolifération des coupes semble insinuer qu'il y a quelque chose de plus à comprendre dans ces images : un message plus profond et plus insondable. Ceci est particulièrement remarquable puisque Godard parle d'*À bout de souffle* comme « un documentaire sur Jean Seberg et Belmondo » (Baby 1960 : 12). En disant ceci, il laisse supposer que les acteurs sont le véritable objet de son film, et non pas les personnages qu'ils incarnent. C'est en fait aussi le cas dans *Moi, un Noir* qui est à la surface un film à moitié fictionnel sur Edward G. Robinson et, au cœur, un documentaire sur Oumarou Ganda.

Les parallèles entre les deux protagonistes masculins dans *Moi, un Noir* et *À bout de souffle* sont remarquables. Tous les deux brisent le quatrième mur et s'adressent directement à la caméra. Comme Sam Di Iorio l'a remarqué, Godard « modela les monologues de Belmondo dans *À bout de souffle* sur ceux de Ganda dans *Moi un Noir* » (Di Iorio, 2005 : 61). Quand Michel s'adresse verbalement au spectateur, il conduit seul, imitant une publicité. Le spectateur est son consommateur et il se moque de lui, disant « allez vous faire foutre » à la fin de sa « publicité ». Tout comme il imite le son et le langage de *Moi, un Noir*, Godard copie la façon dont Edward joue avec le public, en l'adaptant à son pays et à sa ville.

Les emprunts de Godard à *Moi, un Noir* étaient si palpables que son collègue, Luc Moullet, critique aux *Cahiers*, signala « son désir de devenir le Rouch de France », et en parlant d'*À bout de souffle* dit « c'est un peu "Moi, un Blanc" » (Moullet 1960 : 26). Mais la réaction la plus notable à l'appropriation de Godard se trouve probablement dans la critique de Pierre Marcabru. Dans son article publié dans *Combat*, intitulé de façon très évocatrice « Ethnologie et cinéma », Marcabru compare explicitement, bien que superficiellement, le film de Godard à un film ethnographique. Il écrit :

Diverses images d'Edward G. Robinson (Oumarou Ganda) dans *Moi, un Noir*
© Films de la Pléiade et de Michel Poiccard
Jean-Paul Belmondo dans *À bout de souffle*.
© 1960 Studiocanal – Société nouvelle de cinématographie – Tous droits réservés.

Qui dans cent ans voudra connaître d'une façon précise les mœurs, modes de pensée et réflexes de certains groupes sociaux n'aura qu'à s'enfermer dans une cinémathèque. Le cinéma ne cèle rien, et Jean-Luc Godard nous apprend dans *À bout de souffle* beaucoup plus de choses sur le comportement d'une certaine faune que ne le ferait un sociologue dans un énorme bouquin. (Marcabru 1960 : 2)

Il remarque que la différence entre Rouch et Godard est que Rouch filme des Africains, alors que Godard filme sa propre tribu :

Lorsque Jean Rouch fait un film sur les Noirs, il le fait en tant que Blanc, et ne peut que saisir de l'extérieur certains signes discrets, certaines marques de ralliement, certains gestes, certaines phrases dont la signification est dans le trait, le mouvement ou l'accentuation. Jean-Luc Godard, au contraire, est initié au langage d'une certaine espèce de Blancs, race mal connue, et que l'on observe trop souvent au téléobjectif, et il peut dès lors en cerner très exactement les habitudes et les tabous. (*ibid.*)

C'était original de la part de Godard de filmer son propre peuple puisqu'à cette époque les Blancs étaient, comme Marcabru l'observe en plaisantant, « une race mal connue ». Son recours à la métaphore visuelle du téléobjectif est frappant : il reconnaît que plus l'on est pris dans une culture, plus notre vision et notre compréhension se dégradent. Marcabru insiste enfin sur le fait que pour lui, le film est véritablement un document ethnographique sur Paris :

On a alors une sorte de jalonnement extrêmement précis pour pouvoir se retrouver dans le labyrinthe, il suffit de le suivre, comme on suit une cérémonie rituelle, c'est-à-dire en connaissant la valeur de certains chants et de certains gestes. D'ailleurs Godard est ritualiste et n'oublie aucun symbole, ni les temples (le Napoléon), ni la musique (Mozart ou Bach), ni les dieux (Bogart), ni les formules cabalistiques, ni même le sacrifice final. (*ibid.*)

Le jargon typiquement réservé à la description de cultures lointaines (« cérémonie rituelle », « temple », « sacrifice final ») s'applique ici à la société française de la métropole. Bien que Marcabru ne s'attarde pas sur la signification ou les enjeux de la ressemblance du film de Godard avec celui de Rouch, son article montre une tendance croissante du cinéma français et des critiques à considérer les Français comme des sujets ethnographiques ou comme faisant partie d'une tribu.

À cet égard, il est important de noter que dans *À bout de souffle*, comme dans d'autres films de la Nouvelle Vague qui ont emprunté les techniques de Rouch, la « tribu » en question est très jeune[12]. Tout comme Paris, la jeunesse est au cœur de l'identité de la Nouvelle Vague. Rappelons que le groupe tient son nom du titre du premier sondage à grande échelle réalisé en France, qui devait quantifier les habitudes de la jeune génération, surnommée « la nouvelle vague ». Paru dans *L'Express* en 1957, le sondage est un signe parmi d'autres de la préoccupation nationale pour la jeunesse française, préoccupation qui avait débuté en 1954 et où se lisait de façon plus générale une inquiétude sur le statut de la France dans le monde. Comme l'historienne Ludivine Bantigny le remarque : « Les propos inquiets sur les jeunes, qui abondent à l'époque, sont une autre façon d'évoquer de tout autres anxiétés, lorsque le passé se fait sombre et l'avenir incertain. » (Bantigny 2009 : 153)

---

12. Je pense notamment aux *Quatre Cents coups* de Truffaut et au film *Adieu Philippine* (1962) de Jacques Rozier. Dans le cas des *Quatre Cents coups*, lorsque le producteur de Rouch, Pierre Braunberger, vit pour la première fois la séquence de *Moi, un Noir* où Edward parle de son expérience en Indochine, il suggéra de superposer sur les coupes sèches des coupes de films d'actualités sur le Vietnam. Rouch y était opposé. Braunberger demanda alors à Truffaut son avis. Comme Henley le remarque (2009 : 88-89), « loin de prendre le parti de Braunberger, Truffaut était si impressionné qu'il décida de terminer les *Quatre Cents coups*, qu'il était en train de monter, de la même façon ». Du coup, dans la scène improvisée à la fin des *Quatre Cents coups*, où le protagoniste Antoine Doinel (Jean-Pierre Léaud) révèle au psychiatre qui l'interroge sur ses pensées les plus intimes, la caméra coupe plusieurs fois de façon abrupte, portant ainsi l'attention sur le fait que des plans de films ont été supprimés. Dans *Les Quatre Cents coups* et *Moi, un Noir*, les moments les plus révélateurs et ceux où les protagonistes sont les plus vulnérables sont identiques du point de vue de la forme : les deux apparaissent à la fin du récit et font grand usage de coupes sèches. Dans *Adieu Philippine*, il s'agit des dernières vacances en Corse d'un jeune Parisien (Jean-Claude Aimini) avant qu'il ne s'embarque pour combattre en Algérie. Tourné en 1960, le film ne sort en salle qu'en 1963 en raison de la censure. Rozier y enregistre les particularités et les rites de la culture vacancière française : les estivants, allongés au bord de la piscine d'un Club Med, sont filmés comme des sujets ethnographiques. La critique que Jean-Louis Bory fait du film dans *Arts* souligne la tonalité auto-ethnographique du film. Bory remarque de façon très délibérée que le film illustre « la vie, notre vie, à un endroit et à un moment précis de l'histoire de notre civilisation chrétienne et occidentale : Paris 1960, jusque avant l'âge du twist, encore à l'âge du cha-cha » (Bory 1963 : 7).

Dans une société française en pleine transformation, témoin du démantèlement progressif de son empire, les angoisses nationales étaient projetées sur la jeunesse qui représentait en quelque sorte un « autre ».

Godard et la plupart des réalisateurs affiliés à la Nouvelle Vague avaient atteint l'âge adulte entre deux guerres : la Seconde Guerre mondiale, associée dans l'imaginaire national à l'Occupation et à l'humiliation, et la guerre d'Algérie (1954-1962), le grand tabou de l'époque. Si l'on considère donc, d'une part l'intérêt des réalisateurs de la Nouvelle Vague pour un certain sous-groupe de la société française, et le contexte socio-politique d'autre part, on s'aperçoit alors que leurs impulsions ethnographiques exprimaient – parmi d'autres choses – un sentiment d'aliénation et une conscience croissante de soi. L'expression cinématographique de cette autoréflexion doit une dette du point de vue technique à Rouch et à *Moi, un Noir*, un film ethnographique tourné pendant les dernières heures de la colonisation française. On ne peut donc pas ignorer le contexte historique dans lequel cette appropriation s'est faite si l'on souhaite comprendre la signification profonde d'une phrase apparemment aussi légère que « Moi, un Blanc ».

L'auteure tient à remercier Dudley Andrew, Vincent Debaene, Sam Di Iorio, et Sophie Queuniet pour leurs commentaires et leurs suggestions.

Traduit de l'anglais par Sophie QUEUNIET

Références bibliographiques

BABY Yvonne, 1960. « Mon film est un documentaire sur Jean Seberg et J.-P. Belmondo », *Le Monde* (18 mars).

BAECQUE Antoine de, 2010. *Godard : Biographie*. Paris : Grasset.

BANTIGNY Ludivine, 2009. « La jeunesse, la guerre et l'histoire (1945-1962) », *in* BANTIGNY Ludivine, JABLONKA Ivan (dir.), *Jeunesse oblige : Histoire des jeunes en France, XIXe-XXIe siècle*, Paris : Presses universitaires de France.

BORY Jean-Louis, 1963. « Un portrait jeune, vrai, libre, et drôle de la jeunesse », *Arts* (2 octobre).

DELAHAYE Michel, 1961. « La Règle du Rouch », *Cahiers du cinéma*, n° 120, pp. 1-11.

Di Iorio Sam, 2005. « Border Crossing: Jean Rouch », *Film Comment*, vol. 41, n° 3.

— 2007. « Total Cinema: *Chronique d'un été* and the End of Bazinian Film Theory », *Screen*, vol. 48, n° 1.

Doherty Thomas, 1999. *Pre-Code Hollywood: Sex, Immorality, and Insurrection in American Cinema, 1930-1934*, New York: Columbia University Press.

Doniol-Valcroze Jacques, 1959. « Pour saluer Treichville: *Moi, un noir* », *France-Observateur* (12 mars).

Dutourd Jean, 1960. « Le cinéma français est en train de devenir le meilleur cinéma du monde », *Carrefour* (23 mars), p. 27.

France-Soir, 1958. « Un film noir: *Treichville* peut remporter cette semaine le prix Louis-Delluc », (9 décembre).

Gallagher Tag, 2006. *Les Aventures de Roberto Rossellini*. Paris: Léo Scheer, trad. de l'américain par Jean-Pierre Coursodon.

Garson Claude, 1960. « *À bout de souffle* », *L'Aurore* (17 mars).

Gimello-Mesplomb Frédéric, 2013. *Objectif 49: Cocteau et la nouvelle avant-garde*. Paris: Séguier.

Godard Jean-Luc, 1959. « L'Afrique vous parle de la fin et des moyens », *Cahiers du Cinéma*, n° 94 (avril).

Haffner Pierre, 1996. « Les Avis de cinq cinéastes d'Afrique noire: entretiens avec Pierre Haffner », *CinémAction*, n° 81.

Henley Paul, 2009. *The Adventure of the Real: Jean Rouch and the Craft of Ethnographic Cinema*. Chicago: Chicago University Press.

Marcabru Pierre, 1960. « Ethnologie et Cinéma », *Combat* (9-10 avril).

Moullet Luc, 1960. « Jean-Luc Godard », *Cahiers du Cinéma*, n° 106.

Mouralis Bernard, 1971. « L'école William-Ponty et la politique culturelle », *in* Université d'Abidjan, école des lettres et sciences humaines, *Actes de colloque sur le théâtre négro-africain* (Abidjan du 15 au 29 avril 1970), Paris: Présence africaine, p. 31-36.

Neupert Richard, [2002] 2007. *A History of the French New Wave Cinema*, Madison: The University of Wisconsin Press.

Rochereau Jean, 1959. « [Critique de] *Moi, un Noir* », *La Croix*, 26 mars.

Rouch Jean, 1955. « À propos des films ethnographiques », *Positif*, n° 14-15 (novembre).

— 1958 (décembre). « Treichville: extraits », *Cahiers du cinéma*, n° 90.

Sadoul Georges, 1958. « Treichville Prix Delluc 1958: première étape d'un cinéma noir africain », *Les Lettres françaises* (18 décembre).

SCHEINFEIGEL Maxime, 2008, *Jean Rouch*. Paris : Éditions du CNRS. En ligne : http://books.openedition.org/editionscnrs/378 [lien valide 2 septembre 2017].

UNGAR Steven, 2007. « Whose voice ? Whose film ? Jean Rouch, Oumarou Ganda and *Moi, un Noir* », *in* TEN BRINK Joram (dir.), *Building Bridges : The Cinema of Jean Rouch*, Londres : Wallflower Press, p. 111-123.

VINCENT Denis, 1959. « Denis Vincent a vu pour tous : le "premier film noir parlé en blanc" », *L'Express* (19 mars).

ZIMMER Christian, 1960. « Moi, un noir », *Études cinématographiques*, n° 2.

Programmes de Radio Cinéma Télévision

« Tous les films qui passent à Paris du 18 mars au 24 mars 1959 », 22 mars 1959a, 31.

« Tous les films qui passent à Paris du 25 mars au 31 mars 1959 », 9 mars 1959b, 31.

« Tous les films qui passent à Paris du 1er avril au 7 avril 1959 », 5 avril 1959c, 31.

« Tous les films qui passent à Paris du 8 avril au 14 avril 1959 », 12 avril 1959d, 31.

« Tous les films qui passent à Paris du 15 avril au 21 avril 1959 », 5 avril 1959e, 31.

« Tous les films qui passent à Paris du 22 avril au 28 avril 1959 », 5 avril 1959f, 31.

« Tous les films qui passent à Paris du 29 avril au 5 mai 1959 », 3 mai 1959g, 31.

« Tous les films qui passent à Paris du 1er juillet au 7 juillet 1959 », 5 juillet 1959h, 31.

« Tous les films qui passent à Paris du 8 juillet au 14 juillet 1959 », 12 juillet 1959i, 31.

Films cités

CHABROL Claude, 1958, *Le Beau Serge*.
— 1959, *Les Cousins*.
FUTTER Walter, 1930, *L'Afrique vous parle* (*Africa Speaks !*)
GODARD Jean-Luc ,1960, *À bout de souffle*.

RIVETTE Jacques, 1961, *Paris nous appartient*.
ROUCH Jean, 1948, *Initiation à la danse des possédés*.
— 1954-1967, *Jaguar*.
— 1958, *Moi, un Noir*.
— et al., 1965, *Paris vu par...* (projet collectif).
ROZIER Jacques, 1962, *Adieu Philippine*.
VIEYRA Paulin S., SARR Mamadou, MÉLO KANE Jacques, 1955, *Afrique-sur-Seine*.
TRUFFAUT François, 1959, *Les Quatre Cents coups*.
VARDA Agnès, 1962, *Cléo de 5 à 7*.

Une vague à lui :
Jean Rouch et *Gare du Nord* (1964)

Steven UNGAR

À Nadine « Gradiva » Ballot

Ce qu'affirmait déjà Jean-Luc Godard en 1958 résonne encore avec force aujourd'hui. Il n'avait pas simplement établi un rapprochement entre Jean Rouch et la Nouvelle Vague, comme s'il semblait nécessaire de les unir pour mieux abolir leurs différences. Il avait surtout identifié Rouch comme une présence formatrice parmi la Nouvelle Vague. C'est-à-dire, pas seulement comme un précurseur révéré comme l'ont été Nicole Védrès, Alexandre Astruc et Georges Franju. Comme un sympathisant, au même titre que Chris Marker, Alain Resnais, Agnès Varda, Louis Malle et Jacques Demy – non plus. Mais plutôt comme une figure tutélaire, dont les films réalisés entre 1958 et 1966 contribuèrent de manière significative aux caractéristiques qui viendraient par la suite définir la Nouvelle Vague. Godard décrivit d'abord *Moi, un Noir* (1958) comme un pavé jeté dans la mare stagnante du cinéma français, dont les ondulations provoqueraient un raz-de-marée similaire à celui causé par les films de Roberto Rossellini comme *Roma Città Aperta* (1945) une décennie plus tôt (Godard 1958 : 155). Un an plus tard, Godard ajouta qu'en intitulant son film *Moi, un Noir*, Rouch faisait écho à l'affirmation d'Arthur Rimbaud, « Je est un autre », et qu'en admettant que son cinéma n'avait plus rien à voir avec le reportage ethnographique *stricto sensu*, le réalisateur s'était défait de son manteau d'artisan pour devenir un véritable artiste (Godard 1959a : 177-78 et 1959b : 182). À la sortie de *À bout de souffle* en 1960, Luc Moullet le décrivit dans les *Cahiers du cinéma* comme une sorte de « *Moi, un Blanc* » après avoir

suggéré que l'ambition de Godard était de devenir « le Rouch de France »
(Moullet 1986 : 35).

Moi, un Noir ne fut pas le premier film de Rouch à faire des vagues.
Les rites initiatiques du culte Haouka (« les nouveaux dieux »), filmés
en 1954 à Accra – ancienne capitale de la Côte-de-l'Or (l'actuel Ghana) –
pour *Les Maîtres fous*, avaient fait sensation auprès du public lors de la
projection au musée de l'Homme à Paris. Par crainte que le film n'encourage des stéréotypes négatifs à l'encontre des Africains, l'anthropologue
Marcel Griaule, qui était à l'époque le directeur de recherche de Rouch,
lui recommanda de le détruire. Rouch refusa et *Les Maîtres fous* en vint
à remporter le Grand Prix de la Biennale de Venise en 1957. Un an plus
tard, *Moi, un Noir* fut couronné du prix Louis-Delluc, qui récompense
le meilleur film français de l'année.

En 1942, Rouch travaillait en tant qu'ingénieur civil en Afrique ; il
avait pris quelques clichés en assistant au rituel de guérison d'un ouvrier
blessé, et les inclut dans un rapport qu'il envoya à Théodore Monod et
Marcel Griaule (Scheinfeigel 2008b : 354)[1]. Quatre ans plus tard, Rouch
avait délaissé ses activités en tant qu'ingénieur au profit de l'ethnographie,
dont il investigua le champ en particulier à travers le support cinématographique. Néanmoins, les films que Rouch réalisa sur le continent
africain – depuis *Les Maîtres fous* en passant par *La Pyramide humaine*
(1959) et *Jaguar* (1954-1967), tout du moins – contestaient invariablement la primauté du fond sur la forme, en tenant compte de la spécificité
du cinéma en tant que support audiovisuel. Résultant d'une pratique
ethnographique peu rigoureuse, ces premières réalisations rouchiennes
tournées en Afrique témoignent de la volonté du réalisateur de faire fi
des règles communément admises, et même de tirer une certaine fierté
à en esquiver les contours (Fieschi 1979 : 67). Cette approche typique du
mauvais élève fit sans doute vibrer la corde iconoclaste de Godard devant
Moi, un Noir.

Quand bien même Rouch continua à réaliser de nombreux films
jusqu'en 2002, dont la plupart furent tournés en Afrique, *Chronique
d'un été* fut le premier d'une série de quatre films tournés à Paris

---

1.   Théodore Monod (1902-2000) était un naturaliste qui fonda en 1938 l'Institut fon-
     damental d'Afrique noire (IFAN) à Dakar, Sénégal. Marcel Griaule (1898-1956) était
     un ethnographe spécialiste des Dogon au Mali. Sa collaboratrice de longue date,
     Germaine Dieterlen, travailla par la suite avec Rouch.

entre 1960 et 1966 ; avec *La Punition* (1962), *Gare du Nord* (1964) et *Les Veuves de quinze ans* (1965). En tant qu'ensemble, ces films parisiens constituent un précédent à ce que Godard avait décelé dans *Moi, un Noir* comme la promesse que Rouch revendiquerait bien sa propre Nouvelle Vague. Je reviendrai par la suite sur cette perception initiale de *Moi, un Noir* par Godard : en l'étudiant à la lumière de *Gare du Nord*, et en m'appuyant sur les propos de Michel Marie, qui considère ce film comme un chef-d'œuvre incontestable à l'aune de la filmographie de Rouch et en regard du cinéma français des années 1960 en général (Marie 2008 : VIII, x).

Comment, alors, Rouch en est-il venu à réaliser *Gare du Nord* ? Quelle est la place de ce film parmi les productions de la Nouvelle Vague et d'autres pratiques cinématographiques assimilées, sur la période courant à peu près de 1957 au milieu des années 1960 ?

Gare du Nord (1964) est un film tourné en 16 mm et en couleur, qui s'intègre au projet collectif *Paris vu par...* (1965), pour lequel six réalisateurs associés à la Nouvelle Vague réalisèrent chacun un court métrage de fiction, dans un (ou des) lieu(x) spécifique(s) de la capitale. Les cinq autres films sont *Saint-Germain des Prés* de Jean Douchet, *Rue Saint-Denis* de Jean-Daniel Pollet, *Place de l'Étoile* d'Éric Rohmer, *Montparnasse et Levallois* de Jean-Luc Godard, et *La Muette* de Claude Chabrol. En ce qui concerne les titres, le choix du nom des lieux se fondait sur le principe que les quartiers seraient pourvus de fonctions narratives, plutôt qu'ils servent seulement à identifier l'espace urbain.

Dans *Place de l'Étoile* de Rohmer, l'intrigue découle du système de feux décalés qui régit la circulation piétonne et automobile sur cet imposant carrefour où se rejoignent douze avenues autour de l'Arc de triomphe.

Chez Godard, l'héroïne (Joanna Shimkus) de *Montparnasse et Levallois* traverse Paris à toute allure afin d'intercepter des lettres qu'elle craint avoir échangées en les envoyant à deux de ses amants par le système pneumatique d'acheminement rapide du courrier.

Dans *Gare du Nord*, la construction d'un nouveau bâtiment dans un quartier ouvrier de la rive droite précipite une crise conjugale entre Odile (Nadine Ballot) et son mari, Jean-Pierre (Barbet Schroeder), auxquels la situation échappe rapidement[2].

---

2. *Paris vu par...* a fait des émules, et sa recette élaborée autour de courts métrages tournés dans des quartiers parisiens a été reprise par deux fois. La première dans *Paris*

Le producteur du film, Barbet Schroeder (né en 1941), avait conçu *Paris vu par...* comme un ensemble de courtes comédies à sketches qui conféraient aux réalisateurs de la Nouvelle Vague une liberté artistique bien plus grande que celle accordée d'ordinaire par les studios (Siety 2008 : 119). Pour Rouch, cette liberté lui permit de réaliser *Gare du Nord* en temps réel, avec un minimum de prises de vue en plan-séquence et de lieux de tournage. René Prédal (1982) et Maxime Scheinfeigel (2000) affirment que *Rope* (*La Corde*, 1948) d'Alfred Hitchcock fut le modèle de cette expérimentation. Claude Ollier se réfère également à Hitchcock lorsqu'il identifie les trois chutes verticales qui ponctuent *Vertigo* (*Sueurs froides*, 1958) comme une source possible d'inspiration derrière deux chutes intervenant dans le film de Rouch (Ollier 1965 : 50). *Gare du Nord*, qui ne dure que 17 minutes, s'articule autour de deux longues séquences, une première d'environ 8 minutes tandis que la seconde fait à peu près 6 minutes. Ces deux séquences sont encadrées par deux segments jumelés de moins de 30 secondes chacun, et par les brefs segments de titre et de générique. Là où l'unité d'un plan-séquence en tant que séquence provient de la cohérence narrative, j'utiliserai en revanche le terme « segment » pour me reporter aux éléments constitutifs du film en tant qu'entité formelle. Si l'on inclut le segment de 65 secondes durant lequel Odile marche dans le couloir après être sortie de son appartement et prend un ascenseur pour rejoindre la rue, le nombre total de segments s'élève à sept. Scheinfeigel (2000 : 33-44) choisit d'inclure les plans du couloir, de l'ascenseur et de l'entrée de l'immeuble dans le troisième long segment, ce qui donne alors un total de six segments[3].

vu par... 20 ans après, avec des contributions de Chantal Akerman, Agathe Vannier, Philippe Garrel, Frédéric Mitterand, Vincent Nordon, et Philippe Venault. En 2006, la recette contenait pas moins de dix-huit ingrédients dans *Paris je t'aime*, concoctée par Ethan et Joel Coen, Bruno Podalydès, Alfonso Cuarón, Wes Craven, Gus Van Sant, Nobuhiro Suwa, Olivier Assayas, Alexander Payne et Gérard Depardieu.

3. Ni l'édition française (Éditions du Losange) ni l'édition américaine (New Yorker Video) du DVD de *Gare du Nord* que j'ai consultées n'incluent le générique de fin que Scheinfeigel (2000 : 44) liste dans son analyse plan par plan. J'ai choisi de conserver les crédits également car il me semble qu'ils apparaissaient dans la version de *Gare du Nord* sur laquelle Scheinfeigel travaillait, et parce que le fait qu'elle les ait inclus va dans le sens de mon interprétation de la structure en miroir du film. Même si les six films étaient présentés les uns à la suite des autres au cinéma comme un long métrage, Emmanuel Siety souligne qu'il était plus facile de soumettre chacun d'eux sous leur propre visa commercial, en raison des règlementations appliquées aux films tournés en 16 mm par le Centre national du cinéma et de l'image animée (CNC) (Siety 2008 : 119). Cet argument contribue à expliquer pourquoi Siety accorde de l'importance au fait

Je préfère associer ces plans-ci à un quatrième segment qui interviendrait comme une transition au milieu du film, dans la mesure où ce découpage corrobore la structure en miroir de *Gare du Nord*, par laquelle Rouch cherchait à mettre en parallèle le quotidien et le merveilleux qu'avaient fait interagir les surréalistes parisiens des années 1920 ; je reviendrai sur ce point par la suite.

Premier segment (0:00-0:07) : écran noir et titre du film.

Deuxième segment (0:08-0:34) : plan d'ensemble et panoramique au-dessus de Paris jusqu'à l'appartement au dernier étage.

Troisième segment (0:35-8:34) : premier plan-séquence, à l'intérieur de l'appartement.

Quatrième segment (8:35-9:40) : couloir, ascenseur, entrée de l'immeuble.

Cinquième segment (9:41-15:47) : second plan-séquence, dans la rue et sur le pont La Fayette près du dépôt de trains de la gare du Nord.

Sixième segment (15:48-16:07) : plan d'ensemble et panoramique sur Paris.

Septième segment (16:08) : générique.

Le fait que les deux plans-séquences nécessitèrent respectivement sept et trois prises chacun (Eaton 1979 : 19) témoigne de la volonté de Rouch et son équipe de véhiculer une impression de mouvement ininterrompu et d'un montage homogène. Sam Di Iorio remarque que Rouch avait déjà mis le montage au service de la transparence phénoménologique dans une scène clé de *Chronique d'un été*, dans laquelle Jean-Pierre Sergent et Marceline Loridan font le récit de leurs déceptions personnelles : les deux prises avaient en réalité été faites à plusieurs mois d'intervalle (Di Iorio 2007 : 34). Jacques Aumont identifie de façon convaincante trois types de plans-séquences. Le premier, visible dans *La Règle du jeu* (1939) de Jean Renoir, est un plan fixe composé avec une grande profondeur de champ qui permet de représenter plusieurs actions simultanées se déroulant sur différents plans. Le deuxième, comme dans *Empire* (1964) de Andy Warhol, est un plan d'ensemble fixe à grande profondeur de champ dont la durée est excessivement longue afin de mieux souligner cette impression de continuité du temps. Le troisième a pour particularité d'être tourné à l'aide d'une caméra mobile qui optimise l'expérience

que les crédits des six courts métrages apparaissent tous ensemble après le dernier film, *La Muette* de Claude Chabrol.

spatiale (Aumont 2013 : 25-26). Les trois premières minutes et demie du tout début de *Touch of Evil* (*La Soif du mal*, 1958) d'Orson Welles constituent une parfaite illustration de ce dernier type de plan-séquence. C'est celui-ci qui se rapproche le plus de l'effet que Rouch et son équipe – le réalisateur Étienne Becker et la monteuse Jackie Raynal – ont cherché à obtenir dans *Gare du Nord*, en tournant la séquence de la dispute qui tourne au vinaigre en mouvement continu[4] dans l'appartement exigu du couple[5].

Personne n'arrive à s'entendre sur l'origine des dialogues entre les trois personnages de *Gare du Nord*. En 1982, Rouch déclara que des bribes de dialogues avaient vu le jour autour d'une table de bistrot, sous la forme d'arguments simples autour des vacances, de la beauté et de la liberté, que l'on demanda ensuite aux acteurs de se renvoyer en ricochet (Serceau 1982 : 139). En 2007, Nadine Ballot raconta à Joram Ten Brink qu'elle et Rouch avaient écrit le scénario juste avant le début du tournage (Ten Brink 2007 : 142). Huit ans plus tard, elle me fit savoir qu'il était fort probable que Rouch avait donné des instructions quant à certains éléments qu'il souhaitait voir apparaître à l'écran pour chaque séquence, même si elle ne se rappelait pas qu'il y eut un scénario écrit en tant que tel (Ungar 2015a). Ce témoignage concorde avec les dires de Rouch (Serceau 1982) et ce que Ballot avait rapporté à Ten Brink au sujet de son travail avec le cinéaste : l'improvisation mise en scène était déjà à l'œuvre dans *La Pyramide humaine* (Ten Brink 2007 : 136). En outre, il semble tout à fait cohérent si l'on considère que chez Rouch, le scénario-dispositif prime sur le scénario-programme ; ce que préférait également Godard (Marie 2002 : 77).

À l'exception du nombre de segments calculé différemment, le découpage et le commentaire qui suivent sur *Gare du Nord* s'appuient sur l'analyse plan par plan et la transcription des dialogues effectués par Scheinfeigel (Scheinfeigel 2008b : 33-44). Le *timecode* utilisé pour les DVD

---

4.   Comme le montre la deuxième illustration p 211, Rouch recourt également à une grande profondeur de champ « à la Renoir », afin de saisir toutes actions qui se tiennent simultanément sur plusieurs plans.

5.   Dans *Timecode* (2000), le réalisateur Mike Figgis s'empare de la réalisation en temps réel pour l'amener à un autre niveau : en montrant simultanément quatre prises de vue de 93 minutes enregistrées par quatre caméras numériques sur un écran divisé en quatre sections. Comme le fait remarquer Francesco Casetti, cet effet rend possible de nombreuses correspondances et interactions parmi le flot des images (Casetti 2015 : 155).

Illustration 1. Début de la dispute au petit-déjeuner.

Illustration 2. Odile et Jean-Pierre seuls ensemble.

français et américains est toutefois approximatif et s'écarte de l'analyse de Scheinfeigel par certains aspects, qui seront détaillés ci-dessous.

Premier segment (0:00 à 0:09) : écran noir suivi du titre du film en bleu vif et du nom du réalisateur en lettres sombres. Tous deux sont présentés sur fond gris clair, au son d'un marteau-piqueur.

Deuxième segment (0:10 à 0:36) : plan d'ensemble à grande profondeur de champ sur les toits de Paris ; on distingue au loin la basilique du Sacré-Cœur et la gare du Nord dans la partie droite du cadre. La caméra effectue un mouvement panoramique en continu vers la droite, en zoomant légèrement au-dessus de la gare et d'une grue rouge-orangé dans un plan frontal. Elle s'immobilise ensuite afin d'effectuer un plan général d'un appartement situé au dernier étage d'un immeuble résidentiel, où l'on aperçoit une jeune femme en train d'arroser des plantes sur le rebord de sa fenêtre. Le segment s'achève au moment où le personnage féminin referme la fenêtre. Le bruit du marteau-piqueur sert de transition tout en rendant audible le bruit du chantier, à l'origine de l'altercation conjugale dans le plan-séquence suivant.

En dépit d'un panoramique plus rapide et de l'atmosphère sonore créée par le marteau-piqueur, la scène d'ouverture de *Gare du Nord* n'est pas sans rappeler le plan de situation de *Psycho* (*Psychose*, 1960) d'Alfred Hitchcock : en trois plans raccordés ensemble en fondu enchaîné, la caméra survole l'horizon du centre-ville de Phoenix, Arizona, avant de s'infiltrer en zoom descendant au travers des stores vénitiens d'une fenêtre légèrement entrouverte. Une fois à l'intérieur de la pièce, la caméra effectue un mouvement panoramique d'à peu près 90 degrés sur la gauche, avant de se fixer en un plan large, dans lequel apparaît une femme (Janet Leigh dans le rôle de Marion Crane), étendue sur un lit. Un homme (Sam Loomis, incarné par John Gavin), dont on ne distingue d'abord que le buste de profil, se tient debout à ses côtés. Crane est en sous-vêtements, Loomis est seulement vêtu d'un pantalon. Le moment semble succéder à une scène d'amour, et l'impression d'intimité qui en résulte contraste vivement avec le décor prosaïque dans lequel évolue le couple marié de *Gare du Nord*. L'habillage sonore dans la séquence d'ouverture de *Psychose* est étrangement calme : le spectateur peut entendre des cordes en sourdine à la suite de la musique poignante (« poignardante ») du générique composée par Bernard Hermann. Dans *Gare du Nord*, seul le marteau-piqueur reste audible ; le film ne comporte aucun accompagnement sonore.

Troisième segment (0:37 - 8:34) : Scheinfeigel liste pas moins de quarante trois plans dans cette séquence. Ce segment s'ouvre sur un plan rapproché sur le profil droit d'Odile que l'on aperçoit dans sa cuisine. Le geste par lequel elle ferme les fenêtres correspond, d'un point de vue temporel, à la clôture du deuxième segment, avant qu'elle n'appelle son mari pour l'informer que le petit-déjeuner est servi. Un panoramique rapide sur le côté droit saisit Jean-Pierre et le suit vers la gauche tandis qu'il s'assied à la droite d'Odile, près de la fenêtre qui surplombe la ville.

Pendant les années 1970, la hauteur des nouveaux bâtiments résidentiels en construction à Paris était limitée à environ 35 mètres, la plupart du temps divisés en six étages (sept si l'on se base sur le système américain en comptant à partir du rez-de-chaussée). Le dernier étage servait souvent de logement pour les employés de maison, les étudiants, ou d'autres personnes contraintes de gravir péniblement des escaliers abrupts. L'appartement du couple – dans lequel Ballot vivait à l'époque – est suffisamment récent pour être pourvu d'un accès par ascenseur et d'une salle de bains. Ces caractéristiques sont neutralisées par l'exiguïté des lieux, à laquelle Odile fera référence en disant à Jean-Pierre que « l'une des choses terribles dans le mariage, c'est qu'on ne peut pas s'isoler ».

Odile demande à son mari s'il comprend que la présence de la grue et le bruit des travaux signifieront bientôt qu'ils auront besoin de baisser les stores s'ils veulent conserver un peu d'intimité. Jean-Pierre contourne la question en lui demandant si son œuf est prêt, avant de se plaindre qu'Odile l'a encore trop cuit. Quand celle-ci déclare que le bruit des camions-poubelles l'a tirée de son sommeil à quatre heures du matin, Jean-Pierre laisse échapper un petit rire en lui disant qu'il n'a rien entendu. Odile d'objecter qu'il n'a rien entendu parce qu'il est de toute façon « insensible à tout ». Elle se plaint qu'ils aient dépensé tout leur argent dans l'achat de cet appartement, et pas dans une voiture ou des voyages. Après que Jean-Pierre lui fait remarquer à quel point l'appartement est bien situé par rapport à leurs lieux de travail respectifs, Odile lui rétorque qu'il existe deux types d'hommes : « ceux qui se font toujours avoir »… et les autres. Jean-Pierre déclare alors qu'il préfère « être couillonné que couillonneur ».

La dispute dégénère à mesure que Jean-Pierre ignore les récriminations d'Odile sans que celles-ci ne semblent l'atteindre, ce qui ne manque pas d'irriter davantage son épouse ; au point même qu'elle en vient à blesser son orgueil en lui disant qu'en deux ans de mariage, les dix kilos qu'il a pris le font désormais ressembler à Winston Churchill. Odile agrémente cette pique d'une bise sur la joue de Jean-Pierre, comme le ferait une mère ou une sœur. Ses mots et ses gestes traduisent une rancœur frémissante à l'égard de son mari, qui finit par la conduire à bout de nerfs en refusant de rentrer dans son jeu. La montée en escalade de cette scène de ménage renvoie au long segment du *Mépris* (1963) de

Jean-Luc Godard, durant lequel Camille (Brigitte Bardot) et Paul Javal (Michel Piccoli) passent de la même façon de la dispute à la rupture. Dans les deux cas, la colère de l'épouse atteint un point de non-retour dont le mari ne comprend les conséquences que trop tard (trop tard pour qu'il puisse faire quoi que ce soit pour changer la donne). Les deux segments se déroulent dans un espace domestique qui donne l'impression à l'épouse d'être prisonnière et dans lequel elle se sent mal à l'aise. Néanmoins, le deux-pièces exigu que partage le couple dans *Gare du Nord* contraste avec le vaste appartement aseptisé que Javal avait espéré pouvoir financer en renonçant à ses ambitions en tant qu'écrivain pour offrir ses services – ainsi que ceux de Camille – à Jeremy Prokosch (Jack Palance), un producteur de films américain peu recommandable.

La dispute entre Odile et Jean-Pierre se poursuit tandis que tous deux s'affairent dans l'appartement avant de partir au travail. Aux plans rapprochés par-dessus l'épaule dans la cuisine se succèdent des plans d'ensemble à grande profondeur de champ qui montrent, comme dans l'illustration 2, Odile occupée à s'habiller dans la chambre en plan frontal, tandis que Jean-Pierre se rase dans la salle de bains à l'arrière-plan. Odile traite son mari de « minable » et achève de lui faire perdre son sang-froid : il lui répond qu'elle n'est qu'une « pauvre petite conne » qui se sent supérieure sous prétexte qu'elle est « bien roulée ». Odile gifle alors Jean-Pierre en retour avant de lui dire qu'elle n'oubliera jamais ce qu'il lui a dit, et en le prévenant de ne pas l'attendre ce soir. Elle sort de l'appartement tandis que Jean-Pierre la supplie de se calmer.

Quatrième segment (8:35 - 9:40) : Odile regarde le Sacré-Cœur au loin depuis une petite fenêtre sur le palier et déclare que d'ici six mois, ils auront l'impression de vivre « dans un tunnel ». Lorsque Jean-Pierre lui fait remarquer qu'elle ne peut pas le tenir responsable de la construction d'un nouvel immeuble (« c'est pas de ma faute »), elle se met à envier les gens qui vivent dans des maisons cossues avec jardin dans des coins chics comme Auteuil ou Neuilly. Odile entre dans l'ascenseur et ferme la grille en fer forgé au visage de Jean-Pierre. Tandis que l'ascenseur descend dans le noir, on distingue par intermittence le profil de la jeune femme à chaque palier. Sur la bande-son se fait entendre la voix de Jean-Pierre qui l'appelle (« Odile… Odile… écoute… Odile… ») et s'estompe à mesure qu'elle est recouverte par un sifflotement et le bruit ambiant de la rue. Ce segment sépare le film ici en deux parties à peu près égales. Son traitement visuel en quasi parfaite obscurité est par ailleurs motivé par des raisons pratiques : il permet de cacher le fait que Rouch et Becker avaient besoin de changer les bobines de film à ce moment-là. C'est seulement après la fin du film que l'on peut comprendre cette plongée dans l'obscurité comme un prélude à une rencontre qui comble le désir d'Odile de tirer un trait sur sa vie avec son « raté » de mari.

Cinquième segment (9:41 - 15:47) : une caméra à l'épaule filme Odile en plan moyen, de dos, tandis qu'elle bifurque à droite sur le trottoir de son immeuble, puis à gauche au carrefour. L'effet visuel est semblable à un autre segment que l'on retrouve dans *Chronique d'un été* (réalisé par Rouch en compagnie d'Edgar Morin), dans lequel une caméra vraisemblablement tenue à la main emboîte le pas à Marceline Loridan tandis qu'elle arpente une rue parisienne. Le bruit de la circulation autour suggère que le personnage se trouve non loin d'une rue plus passante. Odile tourne à droite à l'intersection suivante avant de diriger tout à coup son regard hors-champ, au moment où une voiture freine brusquement à sa droite. Le conducteur sort de la voiture et lui demande si elle va bien. Odile lui adresse un sourire gêné et poursuit son chemin sur le trottoir. L'homme la suit et lui propose de la conduire en voiture jusqu'à sa destination. Quand il lui apprend que c'est la première fois qu'il passe dans ce « drôle de quartier », elle lui demande où il vit : à Auteuil, répond-il, dans « une vieille maison avec un jardin ».

Cette rencontre fortuite reconstruit l'expérience du narrateur à la première personne du roman d'André Breton, *Nadja* (1928). Dans *Gare du Nord*, le fait qu'Odile frôle la mort en traversant la rue, parce qu'elle n'a pas regardé si une voiture venait, suggère à quel point elle est contrariée après son altercation avec Jean-Pierre. À titre de rappel, Odile est le nom du personnage principal féminin interprété par Anna Karina dans *Bande à part* (1964) de Godard, de même que le titre d'un roman de 1937 écrit par Raymond Queneau, se revendiquant à l'époque encore du surréalisme[6]. Le narrateur à la première personne du roman de Breton fait le récit de sa rencontre avec une femme qui se fait appeler Nadja parce que, dit-elle, « en russe c'est le commencement du mot "espérance", et parce que ce n'en est que le commencement » (Breton 1928 : 75). Rouch semble faire référence à cette rencontre mais renverse ici les rôles : c'est le personnage féminin,

---

6. Sur les relations complexes qu'a entretenues Queneau avec le surréalisme parisien des années 1920, voir Andrews (1999).

Odile, qui croise la route d'un inconnu (Gilles Quéant). Lorsque celle-ci lui déclare qu'ils se sont rencontrés uniquement parce qu'il a failli l'écraser avec sa voiture, sa réponse – « parce qu'il y a des moments exceptionnels où la moindre rencontre peut être interprétée comme un signe du destin » (Scheinfeigel 2000 : 40, 42) – fait à nouveau écho au dialogue quasi-métaphysique qui se tient entre André et Nadja dans le roman de Breton[7].

Illustration 3. Le sombre et bel inconnu d'Odile.

Illustration 4. Odile abandonnée sur le pont de la mort.

7.   Dix ans après *Nadja*, Breton fit également d'une rencontre déterminante le sujet de *L'Amour fou* (1937), qui comporte une enquête réalisée avec Paul Éluard sous la forme d'un questionnaire demandant aux participants quelle a été la rencontre capitale de leur vie (Breton 1937). Voir aussi le poème « Tournesol » dans le recueil *Clair de terre* (Breton 1923).

Après qu'Odile a décliné la proposition de l'homme à partir avec lui « au hasard » « n'importe où », il lui avoue que ce jour-là, il avait l'intention de mettre fin à ses jours, avant que leur rencontre – et son sourire – lui fasse comprendre que tout était possible dans la vie. Lorsqu'Odile refuse sa proposition une seconde fois – « Je ne peux pas ! Je ne peux pas ! » –, il compte jusqu'à dix avant que la caméra n'effectue un panoramique à droite et le montre en train d'escalader le grillage. Un panoramique rapide sur la gauche donne ensuite à voir Odile en gros plan, qui se tourne vers lui et s'écrie : « Non ! Monsieur ! Monsieur ! Non ! Monsieur ! Monsieur ! Vous êtes fou ! » Le sifflement strident du train étouffe ses cris.

Des plans rapprochés filmés en *travelling* suivent avec fluidité les deux personnages à mesure qu'ils discutent en marchant tout au long de ce second plan-séquence. Certaines prises de vue se concentrent sur le profil gauche d'Odile tandis qu'elle lève les yeux vers ce grand homme mystérieux, vêtu d'un costume-cravate. D'autres pivotent face aux deux personnages pour montrer le trottoir et le pont grillagé derrière eux. La bande sonore donne à entendre à la fois les dialogues et le bruit ambiant de la rue. Le décor du pont surplombant le dépôt ferroviaire en prolongement de la rue La Fayette remplit au moins trois fonctions. La première fait appel aux souvenirs d'enfance de Rouch traversant lui-même ce pont en compagnie de son père, Jules (1884-1973), qui désignait la voie ferrée en dessous par l'expression « les rails de la mort » parce que certaines personnes s'y suicidaient en se jetant sur les rails à l'approche d'un train. La deuxième fonction réside dans le fait qu'Albert Caquot, l'un des ingénieurs à l'origine de la construction de ce pont dans les années 1920, ne fut nul autre que le tuteur de Rouch à l'École nationale des ponts et chaussées (les deux références se trouvent dans Henley 2009 : 188). Une troisième fonction se rapporte une nouvelle fois à *Nadja*, dans lequel André rencontre pour la première fois une jeune femme mal habillée qui s'avance vers lui, alors qu'il vient de s'arrêter au 120, rue Lafayette (*sic*) « devant la vitrine de la librairie de *L'Humanité* et [...] fait l'acquisition du dernier ouvrage de Trotski » (Breton 1962 : 63). C'est donc tout sauf un hasard si Rouch situe le second plan-séquence sur le pont de la rue La Fayette.

Le sixième segment (15:48 - 16:08) s'ouvre sur un plan d'ensemble aérien filmé de très haut au-dessus du pont, suivi d'un léger zoom montrant Odile de face, les mains agrippées à la clôture. Le plan se poursuit par un lent panoramique descendant sur le corps de l'étranger étendu en contrebas sur les rails, qui remonte ensuite lentement à la verticale pour s'achever sur un plan de grand ensemble du Sacré-Cœur, que l'on distingue à peine au loin. Les mouvements de caméra s'apparentent ici à ceux du deuxième segment, avec un changement d'échelle visuelle qui suggère l'insignifiance relative de l'incident, rappelant ceux que les journaux rapportent dans les brèves de faits divers. Conformément au principe structurant de *Paris vu par...*, Rouch insère les actions dramatiques dans les troisième et cinquième segments, soit dans les scènes qui ont lieu dans le quartier de Paris choisi pour les liens que celui-ci entretient avec son enfance, ses études supérieures, et sa fascination pour les surréalistes parisiens – illustrée par la rencontre fatidique sur le trottoir dans *Nadja* d'André Breton. Quelque soixante-dix ans avant la publication de *Nadja* et plus d'un siècle plus tôt que *Gare du Nord*, Charles Baudelaire fut à l'origine de ce que je considère comme la source première de ce tête-à-tête fortuit dans « À une passante », un sonnet qui fait partie de la section des « Tableaux parisiens » dans *Les Fleurs du mal* (1857)[8].

Septième segment (16:08 à la fin) : séquence de générique (voir mes remarques en note ci-après).

Gare du Nord est en adéquation avec la manière dont Rouch explore l'ethno-fiction dans les films qu'il a tournés en Afrique, aussi loin que *Jaguar*, *Moi, un Noir* et *La Pyramide humaine*, avec une prédilection pour les surréalistes parisiens, comme en témoigne le *Nadja* de Breton. En même temps, le film remplit les huit critères établis par Michel Marie et associés par ce dernier au cinéma de la Nouvelle Vague en tant que pratique technique et esthétique

---

8.   La rue assourdissante autour de moi hurlait.
Longue, mince, en grand deuil, douleur majestueuse,
Une femme passa, d'une main fastueuse
Soulevant, balançant le feston et l'ourlet ;
Agile et noble, avec sa jambe de statue.
Moi, je buvais, crispé comme un extravagant,
Dans son œil, ciel livide où germe l'ouragan
La douceur qui fascine et le plaisir qui tue.
Un éclair... Puis la nuit ! – Fugitive beauté
Dont le regard m'a fait soudainement renaître,
Ne te verrai-je plus que dans l'éternité ?
Ailleurs, bien loin d'ici ! Trop tard ! Jamais peut-être !
Car, j'ignore où tu fuis, tu ne sais où je vais,
Ô toi que j'eusse aimée, ô toi qui le savais !

Illustrations 5 et 6. Deux vues de Paris avec le Sacré-Cœur au loin.

(Marie 2002 : 70-71). Par conséquent, *Gare du Nord* catégorise Rouch comme : (premier segment) un auteur qui tourne en décor naturel avec un plan d'action (deuxième et troisième segments) et une équipe restreinte (quatrième segment), effectue des prises de son directes (cinquième segment) avec ajout minimal d'éclairage tout en filmant des acteurs amateurs (Ballot) (septième segment) ou peu connus (Schroeder et Quéant) (huitième segment) qu'il dirige de façon plus libre que les pratiques conventionnelles ne le permettent d'ordinaire[9]. En termes formels et stylistiques, *Gare du Nord* déplace le souci que ce « diable » de montage causait à Rouch depuis la salle de montage au lieu de tournage lui-même. Selon Jackie Raynal, qui était en charge de monter les six courts métrages de *Paris vu par...*, Rouch travaillait à partir des *rushes* originaux afin de choisir *la* prise d'une séquence prolongée, celle qu'il voulait pour *Gare du Nord*, tout en faisant de la synchronisation du son et de l'homogénéité des mouvements de caméra ses priorités absolues (Ungar 2015b)[10]. En ce qui concerne la bande-son, Rouch mettait un point d'honneur à ce que rien ne soit enregistré après le tournage. Ce qui fait de *Gare du Nord* un film de producteur dans le sens où Barbet Schroeder comptait faire de *Paris vu par...* un manifeste des Films du Losange, qu'il avait lancé avec Éric Rohmer en 1963 comme « un mouvement esthétique lié à certaines conceptions économiques » (Siety 2008 : 323). D'un point de vue esthétique de même que budgétaire, *Paris vu par...* peut donc être considéré comme six films en un.

Le jeu d'acteur, dans *Gare du Nord*, se concentre sur celui de Nadine Ballot, dont la performance dans le rôle d'Odile Michel a été décrite par Marie comme étant tout aussi bonne que celle de n'importe quelle actrice professionnelle (Marie 2002 : 18). Deux ans plus tôt, dans

---

9.   Nadine Ballot (née en 1941) n'a suivi aucune formation d'actrice et ne s'est jamais considérée comme telle, de son propre aveu. Outre les cinq films de Rouch dans lesquels elle apparaît, elle tient un bref rôle muet à la toute fin de *Tirez sur le pianiste* (1960) de François Truffaut, celui de la serveuse qui remplace Léna (Marie Dubois). Barbet Schroeder (né en 1941) interpréta le rôle principal masculin dans *La Boulangère de Monceau* (1963), le premier des *Six contes moraux* d'Éric Rohmer. Sa carrière se poursuivit en France et aux États-Unis en tant qu'acteur dans *Céline et Julie vont en bateau* (1974) de Jacques Rivette, mais aussi en tant que réalisateur avec *Barfly* (1987), *JF partagerait appartement* (1992) et, plus récemment, l'épisode intitulé *Les Grands* (*The Grown-Ups*) pour la saison 3 de la série *Mad Men* (2009). Dans le segment de la « Porte de Choisy » du film *Paris, je t'aime*, Schroeder joue le rôle de monsieur Henny, un vendeur de cosmétiques dont c'est le premier jour de travail, dans le quartier chinois de la frange sud du 13e arrondissement. Gilles Quéant (1922-2003) était un acteur professionnel célèbre pour ses rôles dans *Vivre sa vie* (1962) de Jean-Luc Godard, *L'Année dernière à Marienbad* (1961) d'Alain Resnais et Alain Robbe-Grillet, *Les Veuves de quinze ans* (1965) de Jean Rouch et *La Mariée était en noir* (1968) de François Truffaut.

10. Voir les remarques de Raynal sur son travail de monteuse dans « Souvenirs d'une femme dans le cinéma français: Jackie Raynal en conversation avec Lynn Higgins. » *Esprit créateur*, vol. 42, n° 1 (2002), p. 9-27.

Illustrations 7 et 8. Une Odile songeuse évalue les possibilités qui s'offrent à elle.

La Punition, Rouch avait choisi Ballot pour jouer Nadine, une étudiante en philosophie exclue de son établissement au motif de retards répétés. Errant à travers les rues de Paris, la jeune fille rencontre trois hommes à qui elle fait la même proposition que celle qu'adresse le bel et sombre inconnu à Odile dans *Gare du Nord* : partir ensemble à l'aventure.

Les trois hommes refusent la proposition de Nadine et la jeune fille s'en retourne au domicile familial le soir même, après s'être rendu compte que la notion de l'« amour fou » chère aux surréalistes était une illusion (Henley 2009 : 395). *Liberté*, le titre provisoire qu'avait initialement choisi Rouch pour *La Punition*, donnait l'impression simultanée d'une promesse et d'un fardeau, dans la lignée des notions existentialistes de décision et de responsabilité qui furent soulevées en France dans l'immédiat après-guerre par des écrivains et philosophes comme Jean-Paul Sartre et Albert Camus. Là où *La Punition* encourage l'identification au personnage de Ballot dans un élan proto-féministe, l'incapacité du personnage à convaincre ne serait-ce que l'un des trois hommes qu'elle rencontre à s'enfuir avec elle vient en partie de l'impression qu'ont ces hommes d'elle : trop jeune et trop bien dans sa peau pour être prise au sérieux.

D'étudiante, Ballot se transforme en jeune mariée dans *Gare du Nord*. Scheinfeigel (2008 : 176) affirme que le second plan-séquence répond au souhait d'Odile de se débarrasser de Jean-Pierre, en le faisant disparaître sous les traits du mystérieux inconnu rencontré dans la rue après sa « sombre plongée » en ascenseur dans un état de rêve. Pour Daniel Serceau, l'esprit libre d'Odile, s'il semble manifeste dans le premier plan-séquence lors de sa dispute avec Jean-Pierre, est contredit par son refus de vivre une vie d'aventure et de mystère comme le lui propose l'inconnu, alors même qu'elle reprochait à Jean-Pierre une vie trop ennuyeuse à ses côtés. Toujours selon Serceau, parce qu'elle critique son mari sans se considérer elle-même comme responsable de ce qu'est devenue sa vie maritale, Odile révèle sa véritable subjectivité lorsqu'elle rejette la proposition de l'inconnu (Serceau 1996 : 184). Sans pour autant discréditer l'interprétation freudienne que fait Scheinfeigel à ce propos, les commentaires de Serceau attestent de la complexité du point de vue d'Odile dans toute sa dimension, en la tenant responsable en partie d'un sentiment d'insatisfaction qu'elle attribue entièrement à Jean-Pierre. Quand j'ai demandé à Ballot de quelle façon elle avait appréhendé son interprétation d'Odile en se basant sur les indications que lui avait données Rouch d'après son plan d'action, elle m'a répondu qu'elle avait sans doute, dans ses souvenirs, puisé dans sa propre aversion pour la vie de couple et dans les tensions qui régnaient dans sa vie personnelle à l'époque. Aucun de ces deux éléments ne diminue évidemment la force de sa performance, qui fait bien de *Gare du Nord* un film porté par Odile – et par extension, Ballot.

Dans un essai de 1973, Jean-André Fieschi défendait la place centrale de *Gare du Nord* dans la filmographie de Rouch. Et ce malgré la spécificité de ce film en tant que fiction parisienne, en apparence dépourvue du charme et du côté exotique, subversif, des films que le réalisateur avait précédemment tournés en Afrique. Ce qui frappa Fieschi dans *Gare du Nord* quinze ans après les remarques qu'avait suscitées *Moi, un Noir* chez Godard, c'est le séisme que les films de Rouch avaient causé durablement à la suite de Vertov, Flaherty et Rossellini – un tel séisme que celui-ci constitue un point de rupture. Selon Fieschi, il y a un avant et un après *Gare du Nord*. Près d'un demi-siècle plus tard, ce film a conservé sa singularité parmi les expérimentations rouchiennes avec les techniques de réalisations typiques de la Nouvelle Vague, pour se faire rencontrer (« fusionner ») l'intrigue et sa durée au sein d'un contexte narratif qui relie à la fois le surréalisme des années 1920 et l'histoire personnelle de Rouch, matérialisée par le « pont de la mort » de la rue La Fayette au-dessus des voies ferrées de la gare du Nord. Fieschi poursuit :

> Ce que le travail de Rouch envoie voler en éclats (avec pour résultat, comme le disait Boulez à propos de la musique après Debussy, que le cinéma tout entier « respire » différemment), c'est le système d'oppositions par lequel les catégories cinématographiques avaient été conçues, depuis l'axe original Lumière-Méliès, comme celles de documentaire/fiction ; style/improvisation ; naturel/artificiel ; etc. (1979 : 67)

Quarante et presque soixante ans plus tard, les commentaires de Fieschi et Godard sur Rouch demeurent toujours valables, au point que Michel Marie réévalue en 1997 la place de *Gare du Nord* au-delà du cadre de la Nouvelle Vague et au sein du cinéma français des années 1960 dans son ensemble. Si, comme Fieschi l'écrivait en 1973, le cinéma français après Rouch se met à « respirer » différemment, *Gare du Nord* marque encore à ce jour un pan sous-exploré et sous-évalué de ce changement.

Références bibliographiques

Andrews Chris, 1999. « Surrealism and Pseudo-Initiation: Raymond Queneau's *Odile* », *Modern Language Review*, vol. 94, n° 2, p. 377-394.

Aumont Jacques, 2013. *Montage*. Montreal: Caboose, traduit par Timothy Barnard.

— 2015, *Le Montage*. « *La seule invention du cinéma* ». Paris: Librairie philosophique J. Vrin.

Baudelaire Charles, 1857. *Les Fleurs du mal*. Paris: Poulet-Malassis et de Broise.

Breton André, 1937. *L'Amour fou*. Paris: Gallimard.

— [1923] 1966. *Clair de terre*. Paris: Gallimard.

— [1928] 1998, . *Nadja*. Paris: Gallimard.

Casetti Francesco, 2015. *The Lumière Galaxy: Seven Key Words for the Cinema to Come*. New York: Columbia University Press.

Di Iorio Sam, 2007. « Total Cinema: *Chronique d'un été* and the End of Bazinian Film Theory », *Screen*, vol. 48, n° 1, p. 25-43.

Eaton Michael (dir.), 1979. *Anthropology, Reality, Cinema: The Films of Jean Rouch*. London: British Film Institute.

Fiant Antony et Hamery Roxane (dir.), 2008. *Le Court Métrage français de 1945 à 1968 (2): Documentaire, fiction: allers-retours*. Paris: Presses universitaires de Rennes.

Fieschi Jean-André, [1973] 1979. « Slippages of Fiction: Some Notes on the Cinema of Jean Rouch », *in* Eaton Michael. (dir.), 1979. *Anthropology, Reality, Cinema: The Films of Jean Rouch*, London: British Film Institute, p. 67-77.

Godard Jean-Luc, 1958. « Jean Rouch remporte le prix Louis-Delluc », *in* Bergala Alain, 1985, *Jean-Luc Godard par Jean-Luc Godard*, Paris: Cahiers du Cinéma, p. 155.

— 1959a. « Étonnant *(Moi, un Noir,* Jean Rouch) », *in* Bergala Alain, 1985, *Jean-Luc Godard par Jean-Luc Godard*, Paris: Cahiers du Cinéma, p. 177-178.

— 1959b. « L'Afrique vous parle de la fin et des moyens (Jean Rouch) », *in* Bergala Alain, 1985, *Jean-Luc Godard par Jean-Luc Godard*, Paris: Cahiers du Cinéma, p. 180-183.

Godard Jean-Luc, Narboni Jean et Milne Tom (dir.), 1972. *Godard on Godard*. New York: Da Capo Press.

HENLEY Paul, 2009. *The Adventure of the Real: Jean Rouch and the Craft of Ethnographic Cinema*. Chicago : University of Chicago Press.

MARIE Michel, 2002. *The French New Wave: An Artistic School*. Malden (Massachusetts) : Wiley-Blackwell, traduit par Richard Neupert. Édition originale : *La Nouvelle Vague, une école artistique*. Paris : Nathan.

— 2008. « Préface », *in* SCHEINFEIGEL Maxime 2008, *Jean Rouch*, Paris : CNRS Éditions, p. VII-X. En ligne : http://books.openedition.org/editionscnrs/378 [lien valide 20 septembre 2017].

MOULLET Luc, 1986. « Jean-Luc Godard », *in* HILLIER Jim (dir.), *Cahiers du Cinéma : The 1960s New Wave, New Cinema, Reevaluating Hollywood*, Cambridge (Massachusetts) : Harvard University Press.

OLLIER Claude, 1965. « Cinéma-surréalité », *in* OLLIER Claude, *Souvenirs écran*, Paris : Cahiers du Cinéma/Gallimard, 1981. Première publication 1965 : *Cahiers du cinéma, n° 172*.

PRÉDAL René, 1982. « Une mise-en-scène exemplaire : le piège spatio-temporel de *La [sic.] Gare du Nord* », *in* Prédal René (dir.), *CinémAction* n° 17 : *Un griot gaulois*, Paris : L'Harmattan. p. 150-152.

SCHEINFEIGEL Maxime, 2000a. « De la nuit et des formes : *La Corde*, Alfred Hitchcock, 1948/*Gare du Nord*, Jean Rouch, 1964 », *Cinergon*, n° 8-9, p. 23-31.

— 2000b. « Découpage de *Gare du Nord* », *Cinergon*, n° 8-9, p. 33-44.

— 2008. *Jean Rouch*. Paris : CNRS. Éditions

SERCEAU Daniel, 1982. « *Les Veuves de quinze ans* et la société française pré-68. Entretien avec Jean Rouch », *in* PRÉDAL René (dir.), *CinémAction* n° 17 : *Un griot gaulois*, Paris : L'Harmattan, pp. 137-139.

— 1996. « 1964 : La Caméra dell'arte de *Paris vu par...* », *CinémAction*, n° 81, p. 183-185.

SIETY Emmanuel, 2008. « L'Étoile et le losange : une étude de Paris vu par... », *in* FIANT Antony et HAMERY Roxane (dirs), *Le Court Métrage français de 1945 à 1968 (2). Documentaire, fiction : allers-retours*, Paris : Presses universitaires de Rennes, p. 119-134.

TEN BRINK Joram (dir.), 2007. *Building Bridges: The Cinema of Jean Rouch*. London : Wallflower.

UNGAR Steven, 2015a. Entretien avec Nadine Ballot à Paris (1er juin, n.p.).

— 2015b. Entretien avec Jacqueline Raynal à Paris (3 juin, n.p.).

Films cités

AKERMAN Chantal *et al.*,1984, *Paris vu par... 20 ans après.*
CARNÉ Marcel, 1938, *Hôtel du Nord.*
CHABROL Claude, 1964, *La Muette,* dans *Paris vu par...*
COEN Ethan *et al.*, 2006, *Paris je t'aime*
— *et al.*, 1964, *Gare du Nord,* dans *Paris vu par...*
DOUCHET Jean, 1964, *Saint-Germain des Prés,* dans *Paris vu par...*
FIGGIS Mike, 2000, *Timecode.*
GODARD Jean-Luc, 1960, *À bout de souffle.*
— 1962, *Vivre sa vie.*
— 1963, *Le Mépris.*
— 1964, *Bande à part.*
— 1964, *Montparnasse et Levallois,* dans *Paris vu par...*
HITCHCOCK Alfred, 1948, *La Corde (Rope).*
— 1958, *Sueurs froides (Vertigo).*
— 1960, *Psychose (Psycho).*
POLLET Jean-Daniel, 1964, *Rue Saint-Denis,* dans *Paris vu par...*
RENOIR Jean, 1939, *La Règle du jeu.*
RESNAIS Alain et ROBBE-GRILLET Alain, 1961, *L'Année dernière à Marienbad.*
RIVETTE Jacques, 1974, *Céline et Julie vont en bateau.*
ROHMER Éric, 1963, *La Boulangère de Monceau.*
— 1964, *Place de l'Étoile,* dans *Paris vu par...*
ROUCH Jean, 1955, *Les Maîtres fous.*
— 1954-1967, *Jaguar.*
— 1958, *Moi, un Noir.*
— 1959, *La Pyramide humaine.*
— 1962, *La Punition.*
— 1964, *Gare du Nord,* dans *Paris vu par...*
— 1965, *Les Veuves de quinze ans.*
ROUCH Jean *et al.*, 1965, *Paris vu par...* (projet collectif).
ROUCH Jean, MORIN Edgar, 1961, *Chronique d'un été.*
ROSSELLINI Roberto, 1945, *Rome, ville ouverte (Roma Città Aperta).*
SCHROEDER Barbet, 1987, *Barfly.*
— 1992, *JF partagerait appartement.*
— 2009, *Les Grands (The Grown-Ups),* épisode 12, saison 3 de la série *Mad Men.*

Truffaut François, 1960, *Tirez sur le pianiste.*
— 1968, *La Mariée était en noir.*
Warhol Andy, 1964, *Empire.*
Welles Orson, 1958, *La Soif du mal (Touch of Evil).*

Chemin faisant avec un bricoleur de génie

Nadine BALLOT

Jean Rouch et Nadine Ballot en train de préparer des sardines sur la plage de
Sanary, 1963.
© Fonds Nadine Ballot

De 1958 à 1964 : sept années vécues dans le sillage privilégié de Jean Rouch, au fil de l'élaboration de ses films en Côte-d'Ivoire et en France. Le « bricolage rouchien » découle alors des aléas de l'improvisation – la sienne et celle des protagonistes – et s'accomplit pendant la synchronisation finale des éléments obtenus[1]. Sachant que la mémoire va dans le sens qu'on veut bien lui donner, j'ai néanmoins réveillé quelques souvenirs de cette période où son travail était étroitement lié à la progression des techniques légères puis synchrones de captation de l'image et du son[2]. Deux facteurs essentiels favorisent alors sa liberté d'action : salarié par le Centre national de la recherche scientifique, il n'est pas entravé par l'obligation de rentabiliser les expériences cinématographiques parallèles à son travail d'ethnologue ; de plus, le soutien du producteur-providence Pierre Braunberger lui permet depuis déjà quelques années d'évoluer par approximations successives dans un système de semi-fiction. Ainsi libéré des nécessités du formatage commercial de l'époque, il filme au gré de ses envies les personnages qui l'intéressent…

La Pyramide humaine

En 1958, Rouch vient de terminer *Moi, un Noir*[3]. J'ai 17 ans lorsque je le rencontre à Abidjan chez Jean-Luc Tournier, directeur de l'Institut français d'Afrique noire (IFAN) en Côte-d'Ivoire. Élève au lycée parmi des Africains et des Européens, je lui parle de nos rapports paisibles mais qui ne vont jamais au-delà de la sortie des classes. Pour cet homme de 41 ans, les éléments de l'aventure sont réunis et cette rencontre va provoquer son désir d'aller plus loin. Quant à moi, je ne réalise pas jusqu'où ce projet va nous mener…

1.   Le « bricolage rouchien » est lié à ce que les surréalistes, dont il a souvent souligné l'influence sur sa vie, appellent le « hasard objectif ». À propos des surréalistes, de la poésie et du bricolage, Claude Lévi-Strauss a écrit que le hasard objectif se trouve entre « pensée sauvage » et « pensée scientifique » et que « sans jamais remplir son projet, le bricoleur y met toujours quelque chose de soi » (1990 : 35), une formule qui me semble s'appliquer parfaitement à Jean…
2.   Voir le film de Rina Sherman : *Michel Brault, le cinéma est ce qu'on veut en faire* (*Michel Brault, The Cinema is What You Want it to Be*), 2013.
3.   En 1958, *Moi, un Noir* a remporté le prix Louis-Delluc, un prix du film français fondé en 1937 par Maurice Bessy et Marcel Idzkowski en hommage à Louis Delluc (1890-1924), le premier journaliste et fondateur des « ciné-clubs ». Présidé par Gilles Jacob, le prix est décerné annuellement le deuxième jeudi de décembre au restaurant du Fouquet's, sur les Champs-Élysées, par un jury de vingt critiques et de personnalités.

L'année suivante, en juillet 1959, une dizaine d'élèves du lycée étant disponibles pendant quelques semaines, Rouch nous réunit et propose des rôles : les racistes, les sceptiques, les indifférents, et me fait endosser celui de la « débarquée[4] ». Il lance un thème, suggère une situation et selon nos réactions, filme des scènes à deux ou trois personnages qui marchent, se baladent à scooter, à vélo, ou en pirogue sur la lagune… Une sorte de « *work in progress* » où nous évoluons selon notre fantaisie et la sienne, en liberté surveillée sous l'œil de sa caméra… Quand la prise de son devient nécessaire, un décor est installé chez Jean-Luc Tournier et quelques protagonistes ajoutés afin de constituer une classe vraisemblable. Denise[5], la « sage » du groupe, médiatrice des conflits qui surviennent, tempère les réactions de chacun et facilite la conclusion des discussions orageuses. Nous donnons vie à nos personnages dans une improvisation habilement conduite par notre « meneur de jeu-apprenti sorcier[6] ». Mes camarades africains sont très à l'aise dans ce système, mais je me sens prisonnière dans ce rôle de fille inconsciente des troubles qu'elle provoque en acceptant des tête-à-tête avec des garçons noirs ou blancs.

Jean, Nadine et Elola lors du tournage de *La Pyramide humaine*, avril 1960.
© Fonds Nadine Ballot

4. Ce qui signifie « nouvelle arrivée ». En réalité, mon père travaillait dans une banque et j'ai vécu depuis l'âge de 4 ans, avant les indépendances africaines, plusieurs années en Côte-d'Ivoire et dans d'autres colonies d'Afrique.
5. Denise est la fille de Daniel Ouzzin Coulibaly, compagnon de route du Rassemblement démocratique africain (RDA) avec Félix Houphouët-Boigny.
6. Expression du critique Louis Marcorelles qui connaissait bien les motivations de Rouch (voir le supplément radio et télévision du *Monde*, 1er-2 mars 1987).

Au bord de la mer, un bateau échoué constitue un décor idéal, on se baigne, on s'amuse, ce sont les vacances. Nathalie, la superbe danseuse de la Royale Goumbé[7], nous invite à Treichville, un faubourg populaire d'Abidjan... Les filles rivalisent de coquetterie, les garçons se prennent au jeu, mais lorsque Jean lance une discussion sur l'apartheid en Afrique du Sud exposé par Denise, notre feuilleton insouciant débouche soudain sur la découverte d'une situation raciale insoutenable. Cet épisode marque le début d'une conscience politique chez certains d'entre nous, moi la première... Rouch invente aussi des scènes où règne la poésie, celle qu'il vit au jour le jour : Jean-Claude lit un poème de Paul Éluard, *La Pyramide humaine* (1926), et rêve qu'il m'entraîne dans une maison abandonnée où il me récite des vers en jouant du piano. Dans un autre rêve, Raymond m'épouse dans l'église de culte harriste de son village... Des années plus tard, Jean Rouch dira : « Je pense que la poésie est la seule drogue qui ne soit pas dangereuse (Devanne 1998). » Moi, je sais que durant cette période, elle l'a été, surtout pour lui.

Nous rentrons à Paris où Pierre Braunberger visionne des heures de *rushes* et accepte de financer le tournage des pièces manquantes de ce puzzle romanesque afin de concocter une histoire présentable. Rouch bouscule son emploi du temps surchargé pour tourner les scènes nécessaires à la cohérence du psychodrame. On se retrouve tous à Abidjan avec un opérateur et un ingénieur du son, et une surprise-partie est organisée d'où découleront des scènes déjà tournées. On danse, on s'amuse, on oublie complètement les techniciens. L'opérateur Louis Miaille exprime son exaspération, offusqué par notre indifférence aux contraintes de la caméra sur trépied et des projecteurs. Michel Fano, qui doit pourtant lutter contre l'humidité pour protéger son magnétophone, assume la situation avec élégance... Le film subit encore quelques greffes indispensables orchestrées par Rouch. À Paris, on enregistre des dialogues devant les images projetées sur un écran au studio du Panthéon. Mes camarades africains sont incroyablement naturels et, une fois de plus, je suis sauvée par leur aisance...

Cette première expérience avec Rouch m'a ouvert la porte d'un monde où l'imaginaire et la connaissance sont compatibles et dont la richesse

---

7.   Une société de danse et d'entraide. Trois ans plus tard, j'assisterai Rouch pour le tournage d'un documentaire sur cette goumbé.

surpasse n'importe quelle possession matérielle. Un monde auquel, depuis lors et jusqu'à aujourd'hui, je me suis efforcée de rester fidèle.

Chronique d'un été

Jean Rouch et Edgar Morin ont décidé, lors d'un festival en Italie[8], de tourner ensemble. Edgar parle de ce projet sur la vie des Français à l'autre producteur-providence de l'époque, Anatole Dauman, qui accepte de le financer[9].

L'aventure commence en mai 1960 avec, selon l'expression de Marceline Loridan, « la bande à Rouch et la bande à Morin ». Celle de Morin est issue de milieux sociaux très divers et presque tous sont déjà engagés dans la vie active. Encore lycéenne, je suis impressionnée par eux. Comparse souvent muette, je tends le micro ou porte le magnétophone dans les scènes de rue, ou bien je fais partie du décor, intervenant parfois de façon discrète... Je garde cependant un souvenir très fort d'une séquence sur la terrasse du Trocadéro : Rouch demande à deux de mes camarades africains de *La Pyramide humaine* (1959) s'ils connaissent la signification du numéro tatoué sur l'avant-bras de Marceline, et quand elle leur explique que c'est le numéro matricule tatoué en 1943 par les SS à son arrivée au camp de Birkenau[10], je réalise soudain qu'elle a vécu l'horreur des camps et, bouleversée, je ne peux retenir mes larmes...

Un autre souvenir particulièrement marquant est celui du tournage de la scène où Marceline marche en portant le magnétophone et parle à son père mort en déportation. Michel Brault, assis dans le coffre arrière de la 2 CV de Rouch poussée à la main, la filme de face pendant qu'elle avance. Cette séquence débute place de la Concorde et se poursuit sous le pavillon Baltard des Halles, alors situé au centre de Paris. La performance technique est étonnante, mais celle de Marceline encore plus : par

8. C'est au premier Festival *dei Popoli* de Florence, en 1959, qu'Edgar Morin demande à Jean Rouch de transposer son expérience cinématographique et ethnographique africaines sur celui de la jeunesse parisienne de l'été 1960. Le titre de ce film serait *Comment vis-tu ?* – qui deviendra finalement *Chronique d'un été*.

9. Voir le film de Hernán Rivera Mejía, *À propos d'un été* (2012) dans lequel, cinquante ans après le tournage de *Chronique d'un été*, Edgar Morin et plusieurs des protagonistes du film évoquent ce sujet.

10. Voir *Ma vie balagan*, Marceline Loridan-Ivens (2008 : 92). Marceline témoigne également dans *Et tu n'es pas revenu* (2015).

une coïncidence troublante, tous les éléments ce jour-là se sont succédé – à commencer par le démontage inattendu, la veille de cette scène, des décors d'un film de guerre sur la place de la Concorde où Rouch avait décidé de la filmer – pour aboutir à ce moment où elle confie au seul micro le monologue improvisé s'adressant à son père disparu. Le « hasard objectif », là encore ?

Edgar Morin pense que la bonne chère et le vin facilitent la mise à nu des opinions et des sentiments. Les scènes qu'il décide ont donc souvent lieu autour d'une bonne table où chacun s'exprime, et l'improvisation n'est alors pas trop contraignante. Rouch, lui, préfère les scènes tournées en plein air et réussira à utiliser les talents de Michel Brault à plusieurs reprises. Au mois d'août, je prépare un examen à Paris et ne fais pas partie du déplacement de l'équipe à Saint-Tropez, où le tournage se poursuit. Mais lorsque Jean décide d'entraîner Michel Brault et Landry vers la côte basque sous prétexte de tourner de nouvelles scènes[11], il me demande de les rejoindre. De cette escapade subsistent quelques séquences, parmi lesquelles une corrida où Landry l'Africain découvre les mœurs étranges des Européens pendant que je feins l'admiration. En réalité je n'aime pas la corrida, et mon manque de conviction est évident[12].

Le tournage du film a été un véritable laboratoire ambulant. Pendant plusieurs mois, en discontinu compte tenu de la disponibilité de chacun, plusieurs opérateurs y ont participé, avec un matériel différent. J'ai accompagné plusieurs fois Rouch à Lausanne dans le laboratoire de l'inventeur du Nagra Stefan Kudelski à qui il demandait de résoudre certains problèmes techniques. Michel Brault racontera plus tard avoir utilisé un prototype de caméra quasiment mis au point au jour le jour car elle n'était pas tout à fait prête pour le son synchrone…

Quand il a fallu monter, exploitation commerciale oblige, un film de 90 minutes à partir des dizaines d'heures de *rushes*, Rouch a une

---

11.   Le documentaire de Florence Dauman, *Un été + 50* (2011), comporte une sélection de séquences inédites de *Chronique d'un été*, dont une avec Nicole Berger et Landry où l'on aperçoit, en arrière-plan, Pierre Braunberger en maillot de bain sur la plage de Saint-Jean-de-Luz…

12.   C'est un des nombreux éléments en faveur des thèses qui traiteront de l'inadéquation du terme « cinéma-vérité » en général, et dans ce film en particulier. Voir à ce sujet l'ouvrage remarquablement documenté de Séverine Graff *Le cinéma-vérité. Films et controverses* (Graff 2014).

fois de plus utilisé sa technique du bricolage, au grand regret de Morin qui pensait, et l'a maintes fois expliqué par la suite, que seule la durée réelle des scènes individuelles et en gros plan permet de capter la vérité de celui qui parle[13].

Ma modeste participation à ce film a été le début d'une amitié avec Marceline et avec Edgar, que je rencontre toujours avec autant de plaisir.

Michel Brault, Nadine Ballot, Pierre Braunberger et Jean Rouch à San Sebastian pendant le tournage de *Chronique d'un été*, 1960.
© Fonds Nadine Ballot

La Punition

Pendant un week-end d'automne de cette même année, Rouch veut expérimenter un tournage plus rapide, avec Michel Brault à la caméra, et me met au centre d'une situation vécue durant sa propre jeunesse[14]. Je dois rencontrer trois hommes, dans trois lieux différents, et il nous entraîne dans cette entreprise inédite, quitte à bricoler ensuite ce qui aura été

13.   Voir le film d'Hernán Rivera Mejía, *à propos d'un été* cité plus haut.
14.   Rouch avait choisi ce schéma à partir d'une journée de liberté vécue quand il était lycéen. Tournée les 15 et 16 octobre 1960, cette expérience dont le titre provisoire était *Liberté* n'a été montrée à la télévision qu'en 1963.

filmé pour obtenir un résultat acceptable par le producteur Pierre Braunberger. La prise de son est simple : sous mon manteau est accroché un micro-cravate dont le fil descend jusqu'en bas du vêtement, et je porte dans mon cartable le Nagra qui sera branché lors des dialogues.

Rendez-vous est pris un matin d'automne, et l'aventure commence mal : en retard, je cours vers le lycée Fénelon (où je n'ai jamais mis les pieds), sonne à la porte et m'y engouffre. Mais lorsque je veux en ressortir la concierge s'y oppose. Prise de panique, je réussis à ouvrir la porte et m'échappe vers Michel et Jean qui m'attendent, traverse le boulevard Saint-Germain et longe les arcades de l'Odéon vers le jardin du Luxembourg. Ce parcours est une improvisation simultanée en trio : Michel Brault me filme latéralement ou me précède en marchant à reculons, Jean derrière lui le guide pour éviter les obstacles [15].

Au Luxembourg, Jean-Claude Darnal nous attend assis sur une chaise au bord du bassin [16]. Cette rencontre est pour moi une épreuve : je ne suis pas comédienne et n'ai toujours aucune disposition pour l'improvisation. Ce n'est pas un problème pour Rouch puisqu'il déclarera plus tard que pour lui, l'important était de montrer que l'on pouvait désormais fabriquer de la fiction à partir de la réalité. Mais ce jour-là, j'ai l'impression de ne pas être à la hauteur : le faux étudiant a douze ans de plus que moi, il est chanteur, parfaitement à l'aise pour m'aborder, et prend les rênes d'une situation qui menace de s'enliser du fait de mon manque d'inspiration... Quand Rouch me souffle de proposer à ce garçon paisible de partir au bout du monde avec moi, évidemment rien ne permet dans les conditions où nous sommes de planter là travail, famille, patrie pour vivre une telle aventure, et la tentative d'amour fou tourne court...

Je dois ensuite prendre un bus pour le Jardin des plantes où attend Landry, mon camarade africain de *La Pyramide humaine* et de *Chronique d'un été* [17]. Avec lui tout est plus facile, l'improvisation redevient un jeu entre copains et nous échangeons des banalités jusqu'au moment où nous

15. Les images muettes du début du tournage seront sonorisées au montage, avec la voix off de Jean simulant celle du professeur me renvoyant du lycée, et une fugue de Jean-Chrétien Bach choisie par la monteuse Annie Tresgot.
16. Jean-Claude Darnal est alors marié à Catherine que j'ai connue pendant le tournage de *Chronique d'un été*, mais Rouch a évité que l'on ne se croise afin de ne pas déflorer la rencontre. Détail amusant, Catherine m'a prêté le manteau que je porte pendant le tournage afin de camoufler le fil de liaison entre le micro-cravate et le Nagra.
17. Landry n'a pu être à Paris ce jour-là et cette partie du film sera tournée le lendemain.

arrivons dans la Grande Galerie de l'Évolution, un lieu hautement poétique dans l'imaginaire de Jean. Nous nous embourbons pourtant dans un échange sans intérêt mais la caméra capte des images de ce décor qui nous projette dans l'ailleurs, et effectue ce que je ressens comme un sauvetage...

Pour la dernière partie de cette journée, Rouch a recruté un ami ingénieur électronicien de son âge. Notre rencontre a lieu sur les quais de la Seine, devant les bouquinistes, et là encore je me sens incapable de faire évoluer la situation. Par un réflexe de défense je me mets à imiter son accent mondain pour parodier ce qu'il dit... Plus tard, dans son appartement, renonçant à inventer quoi que ce soit, fatiguée, je feins de m'endormir dans un fauteuil après avoir vainement tenté de m'intéresser à la situation... Tel est le souvenir peu glorieux que je garde de cette expérience.

Au montage, Rouch trouvera une fois de plus la façon de sortir de cette impasse formelle en bricolant quelques citations littéraires. Simplement désireux d'expérimenter les performances de Michel Brault avec sa caméra baladeuse tout en utilisant le thème de la rencontre cher à son cœur, il n'attendait pas de virtuosité de ma part. Michel, dans l'hommage que lui a consacré l'Office national du film canadien après sa mort en septembre 2013, parle de son propre chemin cinématographique : « Long métrage, court métrage, on ne faisait pas la différence. [...] Je fonctionnais par instinct [...]. Pour filmer les gens, il n'est pas nécessaire de se cacher : il faut simplement faire accepter sa présence »...

Quelle leçon !

La Goumbé des jeunes noceurs

Pour ce film documentaire tourné en octobre 1963 à Abidjan pendant que j'effectuais une enquête statistique destinée à une thèse de troisième cycle, j'ai assisté Rouch dans la mesure de mes moyens. Il s'agissait de filmer des immigrants mossi de Haute-Volta (l'actuel Burkina Faso) venus chercher du travail à Abidjan, qui avaient constitué une association de danse et d'entraide et se réunissaient le soir dans le quartier populaire de Treichville pour des exhibitions de chant et de danse.

Dans ces deux images, prises avec un Rolleiflex 4x4 offert par Jean pour mon anniversaire[18], on le voit filmant un des musiciens qui travaille pendant la journée comme jardinier. Sa caméra est recouverte d'une housse matelassée qui étouffe le bruit du moteur. Son Nagra, porté en bandoulière ou posé par terre, est relié par un fil à la caméra.

© Nadine Ballot

18.   Voir le film *L'inventaire de Jean Rouch* (de Julien Donada et Guillaume Casset, 2011) dans lequel Jean, en 1993, réagit devant des objets qu'on lui apporte. En manipulant le Rolleiflex qu'il m'a offert, il dit son admiration pour cet appareil qui permet, en se penchant vers le viseur, de « rentrer dans l'image », selon les termes du photographe Brassaï…

Gare du Nord

En 1964 nous tournons *Gare du Nord*, un des sketchs de *Paris vu par...*[19]. Cette fois, Rouch a décidé de tourner une fiction de 20 minutes en temps réel ! Utilisant les thèmes surréalistes du désir d'évasion, de la rencontre et de la mort, il invente une histoire qui débute dans mon appartement situé entre les gares du Nord et de l'Est. Quelques jours avant le tournage, nous rédigeons, avec Barbet Schroeder qui jouera le rôle de mon mari, l'essentiel du dialogue. L'image est confiée à Étienne Becker assisté par Patrice Wyers, et le son à Bernard Ortion. La veille du tournage, tous se retrouvent chez moi pour répéter dans le lieu où nous devrons évoluer durant la première moitié du film – dix minutes pendant lesquelles le couple prend son petit-déjeuner, se prépare pour aller travailler, se dispute violemment et se quitte. Rouch a encore une fois créé les conditions d'une performance technique – surtout pour l'opérateur qui devra filmer nos déplacements dans cet espace très exigu.

Le lendemain, c'est le plongeon collectif dans l'aventure et un premier miracle s'accomplit : nous tournons sans problème la scène en continu dans l'appartement puis dans le couloir vers l'ascenseur où Étienne effectue un fondu au noir pendant la descente des sept étages après la rupture du couple. Rassurée par la réussite de cette première séquence, je sors de l'immeuble et attends que l'équipe me rejoigne après avoir rechargé la caméra, qui n'a que 10 minutes d'autonomie...

Rouch a indiqué à Gilles Quéant, un acteur professionnel que je ne connais pas, les déplacements et le dialogue qui doivent suivre : quand je traverse la rue, une voiture s'arrête brutalement, l'homme en descend, me rejoint pour s'excuser, marche près de moi, me propose de le suivre pour partir à l'aventure – celle dont mon personnage rêvait dans la séquence précédente –, je refuse, il se suicide. Pour toute l'équipe, la difficulté est de faire coïncider la durée du dialogue avec celle du parcours jusqu'au pont qui enjambe les voies de chemin de fer de la gare de l'Est[20].

19.   Barbet Schroeder est le producteur de ce film composé de six sketchs dont les autres réalisateurs sont Claude Chabrol, Jean Douchet, Jean-Luc Godard, Jean-Daniel Pollet, Éric Rohmer.

20.   Le suicide de l'homme incarné par Gilles Quéant intervient sur le pont qui enjambe les voies de chemin de fer de la gare de l'Est. Lorsque Rouch était enfant, son père les lui avait montrées en lui disant qu'elles menaient vers la mort les soldats partant au combat...

Après mon refus plusieurs fois réitéré de le suivre, l'homme énonce sa décision de se tuer et ces quelques minutes aboutissent à son suicide à l'issue d'un compte à rebours qu'il émet inexorablement pendant qu'une incroyable chorégraphie technique et corporelle se déroule autour de nous...

Le second miracle a eu lieu. Rouch a gagné son pari[21].

Les Veuves de quinze ans

Ma dernière expérience avec Jean – toujours en 1964 – est d'un tout autre ordre. Tourné avec une équipe classique et un matériel lourd, ce film doit faire partie d'un ensemble de courts métrages intitulé *Les Adolescentes.*

Il choisit le milieu aisé du 16e arrondissement parisien et me demande, avant le tournage, d'enquêter dans les lieux que fréquentent les jeunes bourgeois afin de cerner leur façon de vivre, leur langage, leurs aspirations. Sur son conseil j'ai entamé l'année précédente des études en sciences humaines, et son penchant pour la pédagogie trouve là, peut-être, une occasion de m'inciter à l'observation de mes contemporains... Et il me fait jouer le rôle d'une incitatrice à la transgression des bonnes mœurs auprès des deux adolescentes!

Il me reste très peu de souvenirs de ce tournage hormis la présence de Gilles Quéant, le comédien de *Gare du Nord*, dans le rôle d'un ami du père de Marie-France, la jeune fille sage, et celle de Maurice Pialat qui tient le rôle d'un photographe dans une scène avec Véronique, l'autre jeune fille, qui ne pense qu'aux aventures sans lendemain avec des garçons. Maurice Pialat avait une sorte d'intensité retenue qui m'intimidait, et je me sentais étrangère à ces dispositifs de tournage éloignés du « bricolage » rouchien auquel je m'étais conformée pendant les années précédentes.

Notre aventure commune s'est terminée là. J'ai épousé Étienne Becker l'année suivante, et un autre épisode de ma vie a commencé. Mais c'est une autre histoire...

21. En 1998, Jean-André Fieschi a souhaité me rencontrer la veille de son départ à Niamey pour tourner avec Jean Rouch et son équipe de copains nigériens *Mosso Mosso: Jean Rouch comme si...* et m'a dit à quel point *Gare du Nord* l'avait marqué; selon ses termes, j'étais un gri-gri pour son projet. Cette rencontre a été le début d'une belle amitié, trop courte puisqu'il est mort d'une crise cardiaque le 1er juillet 2009 au Brésil, sur la scène de la cinémathèque de São Paulo où il devait parler... de Jean Rouch.

Photographies prise chez moi la veille du tournage :
À gauche, une discussion entre Barbet Schroeder et Étienne Becker ;
on aperçoit derrière eux Patrice Wyers
À droite, Rouch entre Étienne Becker et Sandro Franchina.
© Nadine Ballot

Cette photographie prise pendant le tournage montre Rouch
assis dans l'herbe avec Marie-France de Chabaneix. Derrière eux,
Gilles Quéant attend sur son cheval.
© Nadine Ballot

Références bibliographiques

DEVANNE Laurent, 1998. « Rencontre avec Jean Rouch » [propos recueillis par Laurent Devanne], n.p.

GRAFF Séverine, 2014. *Le cinéma-vérité : films et controverses*. Rennes : Presses universitaires de Rennes (préface de François Albera).

LÉVI-STRAUSS Claude, 1990. *La Pensée sauvage*. Paris : Pocket.

LORIDAN-IVENS Marceline, 2008. *Ma vie balagan*. Paris : Robert Laffont, écrit en collaboration avec Elisabeth D. Inandiak.

— 2015, *Et tu n'es pas revenu*. Paris : Grasset, écrit en collaboration avec Judith Perrignon.

Films cités

DAUMAN Florence, 2011, *Un été + 50*.

DONADA Julien et CASSET Guillaume, 2011, *L'Inventaire de Jean Rouch*.

FIESCHI Jean-André, 1998, *Mosso Mosso : Jean Rouch comme si…*

RIVERA MEJÍA Hernán, 2012, *À propos d'un été*.

ROUCH Jean, 1958, *Moi, un Noir*.

— 1959, *La Pyramide humaine*.

— 1962, *La Punition*.

— 1964, *Gare du Nord*, dans *Paris vu par…*

ROUCH Jean *et al.*, 1965, *Paris vu par…* (projet collectif).

— 1965, *La Goumbé des jeunes noceurs*.

— 1965, *Les Veuves de quinze ans*.

ROUCH Jean et MORIN Edgar, 1961, *Chronique d'un été*.

SHERMAN Rina, 2013, *Michel Brault, le cinéma est ce qu'on veut en faire* (*Michel Brault, The Cinema is What You Want it to Be*).

L'aventure d'*Enigma* : Rouch et la bande des quatre

Daniele PIANCIOLA

Un jour, alors qu'Alberto Chiantaretto, Marco di Castri et moi-même assistions à l'ouverture du Festival international cinema Giovani, l'ancêtre de l'actuel Festival du film de Turin (TFF), nous aperçûmes Jean Rouch dans le hall du cinéma Charlie Chaplin. L'un d'entre nous suggéra que nous l'abordions ; après une première hésitation, on finit par se jeter à l'eau : « Bonsoir, *Maestro*. Nous aimerions faire un film avec vous. » Avec un sourire, il nous répondit : « Un film avec moi ? Hé, pourquoi pas ? »

La bande des quatre : Jean Rouch, Daniele Pianciola,
Alberto Chiantaretto et Marco di Castri, Turin, 1986.
© Daniele Pianciola

C'est ainsi qu'à notre grande surprise, nous fûmes emportés dès le premier instant par le *détournement à la Rouch**... Nous avions en tête le Rouch africain, le Rouch de *La Chasse au lion à l'arc* (1967) et de *Bataille sur le grand fleuve* (1951), celui de *Moi, un Noir* (1958) et de *Chronique d'un été* (1961). En jeunes intellectuels turinois, nous pensions que notre ville était le champ d'investigation idéal pour un film *à la Rouch**; nous voulions réaliser avec lui un film sur la classe ouvrière qui connaît la ville industrielle, celle qui connaît l'immigration, la politique, les crises de la gauche.

> Eh bien, avait-il dit, faisons un film sur Nietzsche!

Nous ne savions que répondre. Nietzsche, vraiment? « Oui, et peut-être même sur Giorgio de Chirico. » À terme, ce *détournement** nous obligea à redécouvrir Turin, à réétudier la ville sous un jour nouveau, à la voir à travers le prisme souvent déformant de l'idée que s'en faisait Jean, idée certes radicalement différente de la nôtre, mais qui néanmoins la rejoignait par endroits. Heureusement, d'ailleurs, car sinon nous n'aurions jamais pu mener à bien cette aventure. Notre profonde admiration pour Jean était l'une des clés de voûte de notre projet, mais ce n'était pas tout; il y avait d'importants points communs entre la *folie rouchienne** et notre *folie turinoise**, dont notamment un amour inconditionnel pour l'art et pour cet art tout particulier qu'est la mécanique, une sorte d'adoration de l'objet manufacturé et de l'outil, de la tradition industrielle qui est au cœur de l'identité de la ville, sentiment ô combien partagé par Rouch en sa qualité de *bâtisseur de ponts et chaussées**.

Les dimanches, Jean était toujours en vadrouille: il filait à la campagne où il avait dans un garage une Bugatti – la voiture rutilante qui joue les *prima donna* dans *Petit à petit* (1970) – dont il raffolait, qu'il avait réparée avec l'aide de quelques amis mécaniciens, eux aussi tombés sous son charme. Sa culture, française, n'était pas la nôtre; il portait en lui une forte tradition surréaliste. Il adorait le défi de la provocation, de l'inattendu, du *ready-made*. Dans une scène que nous avons tournée à l'intérieur de l'usine Fiat, Sandro Franchina, l'ingénieur fou qui rêve d'un monde conçu pour les hommes et non pour les machines, se saisit (en improvisant complètement) d'un vélo qu'un contremaître avait laissé là et l'emporte le plus naturellement du monde, comme si c'était le sien. Au plan suivant, l'ouvrier en colère vient réclamer son vélo. Tout ceci, quoique totalement imprévu, a été soigneusement filmé en 16 mm

---

*   En français dans le texte (NdT).

et conservé au montage final. Jean avait un amour immense pour ces petits accidents – n'importe qui d'autre aurait crié « coupez! » sans une seconde d'hésitation. C'était un *déplacement total**, l'équivalent cinématographique du *ready-made*, le contrepoint de l'urinoir de Duchamp ou du taureau de Picasso. Rouch créait de l'art à partir de tout ce que le hasard offrait à son Aaton.

Jean Rouch, « ça tourne ! », Turin 1986.
© Daniele Pianciola

La leçon la plus importante que Jean m'ait donnée est celle du courage. En ce sens, il a vraiment été comme un père pour moi. Le courage ne peut être enseigné en tant que théorie, on ne l'apprend que par l'exemple ; pour apprendre le courage à son fils, un père doit lui-même en faire preuve. Dans le monde du cinéma, être courageux veut dire oser, et j'ai vu Jean oser des choses que je n'aurais jamais cru possibles. Par exemple, la scène du cauchemar du peintre dans *Enigma* (1988) : le peintre, comme hypnotisé, descend en titubant les marches qui mènent au vaste hall en ruines sous la villa. La caméra le filme tandis qu'il avance ainsi, comme un ivrogne, et à ce moment, Jean ose lui tendre la caméra toujours en marche ; le peintre, Gilbert, s'en saisit de ses mains tremblantes et se met à tourner sur lui-même en une valse frénétique, la pièce tout autour n'étant plus qu'un tourbillon flou, puis dans un même geste il rend la caméra à Jean et s'écroule au sol. Vue aérienne : le peintre étendu, immobile, au centre de la pièce. Coupez. C'était un chef-d'œuvre d'invention cinématographique, une scène magistrale, et réalisée avec trois fois rien. Aujourd'hui, on nous répète qu'il faut absolument une Steadicam manœuvrée par un cadreur spécialisé, avec un assistant opérateur en prime juste pour la mise au point, et de nombreuses prises avant d'en avoir une qui tienne la route. Ou des drones… Mais on n'a pas la même émotion, le même émerveillement, on ne se demande pas : comment est-ce possible ? Comment est-ce qu'ils ont fait ?

Jean Rouch montre au peintre où il doit tomber lors du tournage d'*Enigma*, Turin, 1986.
© Daniele Pianciola

Le courage, c'est sentir chaque embryon d'idée originale qui germe dans notre cerveau, et le laisser grandir et naître sans se soucier de ce qu'il sera à la fin, sans se dire qu'il y a autant de chances que jaillisse de notre tête Alien, créature monstrueuse, qu'Athéna, déesse de la sagesse.

Un autre exemple est cette scène où, tout en haut de la Mole Antonelliana, le réalisateur Philo Bregstein, qui joue l'*alter ego* de Nietzsche, reçoit la visite du peintre. L'espace y était extrêmement limité ; 4 mètres carrés tout au plus, sur un balcon étroit bordé de toutes parts par un vide vertigineux. C'était un dialogue entre deux personnages, donc nous ne pouvions filmer que de deux façons : soit en champ-contre-champ avec deux caméras, soit une seule caméra, mais en ping-pong. Dans les deux cas, c'était loin d'être idéal. Alors, qu'a fait Rouch, à votre avis ? Il faut garder en tête que la Mole était la plus haute structure de la ville au moment de sa construction, et le plus haut bâtiment en brique au monde, un véritable casse-tête architectural. C'est un lieu de vide, de vertige, de déséquilibre, perché au bord de l'abysse. Nous devions composer avec ces éléments, plutôt que de suivre la grammaire traditionnelle du cinéma.

Jean filme l'arrivée du peintre de dos, avec la caméra à l'envers sur son épaule, de sorte qu'on voie le peintre approcher la tête en bas, puis quand ce dernier le dépasse, il fait tourner la caméra à 180 degrés vers le haut, la caméra passe ainsi sur les magnifiques colonnes néoclassiques du temple, puis vient se poser, à l'endroit, sur le philosophe et le peintre qui le rejoint tout juste. Résultat saisissant. Second *coup de théâtre**. À nouveau, le courage.

Ces deux séquences, outre leur qualité de parfaits exemples de « *bravura* » cinématographique, démontrent également un principe remarquable qui est en quelque sorte l'application filmique du rasoir d'Ockham, et que l'on pourrait énoncer ainsi : « Tu ne filmeras point une séquence par des moyens complexes s'il est possible de le faire d'une façon plus simple et plus directe. » La manière dont Jean tournait ses meilleures séquences était intimement liée à leur matière première, leur sujet : un acteur descendant en titubant un escalier était l'occasion d'une valse tourbillonnante avec la caméra, l'arrivée d'un personnage au sommet d'une montagne symbolique pour quérir la sagesse d'un philosophe ne pouvait être racontée que par un radical *bouleversement** de perspective. Le sujet dicte la façon dont on le filme. La matière et la technique sont consubstantielles. Mais on filme toujours au plus près, avec soi-même, avec la solution technique la plus simple possible.

À l'époque, notre petit groupe de jeunes cinéastes était fasciné par ce que l'on appelait le *cinéma du réel**. Nous cherchions des nouvelles techniques de cinéma qui mettraient directement en lumière les grands problèmes de la société : le chômage, la dévalorisation du travail individuel face à la puissance industrielle, les luttes sociales des années 1960 et 1970, le désir d'égalité, de liberté, de justice, l'antimilitarisme, la déségrégation et le féminisme, la contestation de l'impérialisme, du colonialisme, du racisme. Avec *Enigma*, c'est tout le contraire que Jean nous a appris, aussi étrange que cela puisse paraître venant de l'auteur de *Chronique d'un été* (1961), de *Moi, un Noir* (1958) et des *Maîtres fous* (1955). Il nous a appris l'importance d'un *cinéma de l'irréel**, ou plutôt même d'un *cinéma du surréel**. Le surréalisme l'attirait profondément, et il était tout particulièrement fasciné par les tableaux métaphysiques de Giorgio de Chirico. Jean nous a appris qu'il existe aussi dans le réel un domaine qui est celui du fantastique, de l'imagination, des rêves, de la poésie, de l'art, de la peinture. Toutes ces choses ne sont ni plus ni moins vraies que notre « monde réel » : il s'agit simplement de différents niveaux de réalité, et tous sont dignes d'étude.

Tournage des scènes finales d'*Enigma* sur le sous-marin, Turin, 1986.
© Daniele Pianciola

Sur les rives du Pô à Turin, dans les jardins de l'association des vétérans de la marine, se trouve un objet étrange, un grand morceau de ce qui était autrefois un sous-marin, vestige de la Première Guerre mondiale, avec sa tourelle, son périscope et toute sa machinerie interne. Une tranche de sous-marin, donc : un merveilleux *ready-made* ! Quand nous le montrâmes à Jean, il en fut ravi et s'empressa avec une grande joie surréaliste d'en faire un élément central du film et de sa conclusion. Lorsque Philo Bregstein, interprétant Nietzsche, découvre le sous-marin à la fin du film, il déclare :

> Les ingénieurs sont des magiciens, parfois, ils construisent des jouets avec des petits bouts d'autres choses… [Il prend une carte postale où l'on voit la Mole se découpant contre le ciel, au-dessus des toits de la ville]. Ils ont construit des sous-marins, ils ont construit la Mole… [puis, avec une exaltation soudaine :] non, c'est moi qui ai construit la Mole, je suis Antonelli ! [Il baisse les yeux, contemple la ponte noire de la Mole qui jaillit tel un périscope de la mer d'icebergs que forment les toits gris] et… oui, je suis Amundsen, j'ai voyagé là, bien au-delà du pôle Nord !

Une scène visionnaire et une immense démonstration de bravoure théâtrale et philosophique de la part de Bregstein, qui connaissait parfaitement la pensée de Nietzsche, et qui avait parfaitement compris l'esprit d'*Enigma*, ce point de rencontre et de fusion entre les idées de Nietzsche et celles de notre *milieu turinois**.

Philo Bregstein
jouant son
propre rôle sur
la Mole, Turin, 1986.
© Daniele Pianciola

Nous lui suggérâmes donc de faire du sous-marin le *deus ex machina* du film, et il eut tout de suite de grandes idées pour ce vieux bout de ferraille militaire : à la fin du film, les enfants et l'ingénieur monteraient à bord et disparaîtraient dans les eaux du Pô pour se lancer dans un voyage invisible vers Louxor… Mais pour cela, il nous aurait fallu non seulement mettre à l'eau le sous-marin, mais surtout réussir à faire démarrer ses moteurs, ce qui était impossible dans l'état où il était. Qu'importe, nous étions fous ! Nous en fîmes construire une copie exacte au format 2:1 par les meilleurs techniciens de la ville, Adriano Pederzoli et son équipe, de chez Unistudio. La réplique n'étant évidemment pas fonctionnelle, on truqua la scène en faisant couler l'eau de plus en plus vite à l'arrière-plan pour donner l'impression qu'elle avançait. À grands renforts de valves et de tuyaux, nous remplîmes totalement le petit plan d'eau où cette réplique avait été érigée : « Fumée, fumée ! Maintenant, faites couler l'eau ! Encore, plus vite ! Action ! »

Et aussi invraisemblable que cela paraisse, ça a marché. Pas parfaitement, mais presque. En tout cas, suffisamment pour que l'on ait effectivement l'impression de voir le sous-marin s'immerger. Cette scène est incroyable. Ou plus précisément, elle projette le spectateur à la frontière entre le croyable et l'incroyable, dans cet entre-deux merveilleux qui est après tout l'idéal de toute fiction, de toute création artistique : un point de suspension entre l'illusion et la réalité, où le spectateur oscille et choisit lui-même de croire ou non.

Puis on filma l'intérieur du sous-marin, avec ses formidables machines de cuivre et d'acier, ses leviers et ses mystérieux panneaux de commande que nous avions tous imaginés, enfants, lecteurs de Jules Verne, rêvant à Nemo et à son *Nautilus*. La copie avait fini par nous coûter une fortune, mais cela en valait la peine, pour ce bonheur enfantin que nous avons retrouvé à *partager joyeusement notre imaginaire**, comme aimait à dire Jean.

Jean Rouch lors d'une réunion avec des étudiants qui ont suivi le tournage d'*Enigma*, Turin, 1986.
© Daniele Pianciola

Enigma a été tourné avec un budget minuscule. Notre approche était celle d'une bande d'amateurs complets, toujours en quête des effets spéciaux les moins chers possible. Le film est néanmoins d'une richesse magnifique : il n'y a qu'à voir le sous-marin… le palais du mécène, avec ses merveilles d'art moderne, est un authentique château du XVIIIᵉ siècle, la villa à flanc de colline est la véritable villa de Riccardo Gualino, et la pièce aux dimensions changeantes où le peintre confronte le mécène lors de son second cauchemar existe réellement ; elle génère, naturellement par illusion d'optique, un effet spécial qui, dans les années 1980, nous aurait coûté des millions à réaliser nous-mêmes. Il en va de même pour les détails les plus infimes : le fauteuil du mécène est un authentique Mackintosh, ses costumes viennent de chez le meilleur couturier de la ville, les robes de Sabina ont été faites sur mesure par les meilleurs tailleurs. Pour nous, de grands peintres ont réalisé des faux de Chirico et des copies de chefs-d'œuvre du Quattrocento, et des sculpteurs, une allégorie de la mélancolie en marbre de Carrare. Malgré tout cela, le film reste humble, il garde son esthétique modeste, son style amateur. C'est exactement ainsi que Jean l'avait imaginé et l'avait voulu. Il refusait le professionnalisme, préférait l'approche du *dilettante**. Comme son épouse Jane le disait : « Il ne sait pas comment faire un film. *Il joue**. » Et Jean acquiesçait toujours avec un grand rire. C'était sa manière d'être : il avait cette curiosité de l'enfant qui ne peut s'empêcher de démonter et remonter les choses pour voir comment elles fonctionnent. Avec le montage de ses films, il avait la même attitude. Il s'amusait, y passait un temps fou, et Marco, qui l'avait accompagné à Paris pour assister au montage aux côtés de Françoise Beloux, avait souvent bien du mal à lui rappeler qu'il y avait des dates à respecter.

Jean Rouch enseignant la ciné-gym aux élèves stagiaires qui ont suivi le tournage d'*Enigma*, Turin, 1986.
© Daniele Pianciola

Parallèlement au tournage du film en lui-même s'est déroulée une autre aventure unique, un atelier qui occupait à plein temps une douzaine de jeunes cinéastes en herbe désireux de sortir un peu des sentiers battus, dirigé par un grand réalisateur, notre regretté confrère Alberto Signetto. Ces jeunes cinéastes accompagnaient Jean tout au long de la journée, regardaient ses films l'après-midi et en discutaient avec lui le matin, assistaient à l'écriture d'*Enigma*, ainsi qu'à tous les tournages, assaillant Jean de mille questions sur son métier et sa manière de penser. Un jour, le sujet était : « que pensez-vous de la révolution numérique ? », et le lendemain, c'était : « quelle est votre attitude face à la mort ? ». Jean était un professeur formidable, comme il le démontrait d'ailleurs parfaitement lors d'un cours magistral d'une journée sur toutes les choses à faire et à ne pas faire lorsque l'on filme caméra à la main. Les images tournées par les stagiaires lors de cette journée constituent un manifeste vivant de la *ciné-gymnastique**, qui est un outil indispensable pour tout réalisateur. Tous ces jeunes étudiants sont devenus des professionnels du cinéma ou de la vidéo : réalisateurs, producteurs, cadreurs, et, pour la plupart, monteurs dans le domaine du film documentaire.

À l'époque, l'association des cinéastes de Turin était très divisée : il y avait d'un côté ceux qui ne juraient que par Hollywood, Coppola, et tous ces grands noms, et de l'autre, nous, qui admirions Frederick Wiseman et Jean Rouch. Pour lancer le projet qui deviendrait *Enigma*, nous avions fini par faire sécession et nous détacher du reste de l'association. Ce qui nous intéressait, c'était d'utiliser nos caméras pour raconter la ville elle-même. De par nos tempéraments, nous nous sentions évidemment attirés vers la France.

Nous avions un fort penchant pour le cinéma français. Dès que nous avions un peu de temps et d'argent, nous filions à Paris pour nous régaler de films dans les petits cinémas du Quatier latin et du Marais, à la cinémathèque du palais de Chaillot. Paris était la cinémathèque du monde. Nous étions profondément influencés par la Nouvelle Vague : Rouch, bien sûr, mais aussi Jean-Luc Godard, Alain Resnais, Éric Rohmer, Chris Marker. Malgré leurs différences évidentes, ils étaient tous liés à nos yeux par un *fil rouge** d'importance : chacun à sa façon exprimait une chose unique et profondément française, la volonté d'un *cinéma de concept**, un cinéma où dialoguent des idées, des points de vue, qu'ils soient politiques, idéologiques, philosophiques ou sociologiques, un cinéma mettant en scène les idées, les passions et les croyances comme autant d'acteurs. Vous vous souvenez des marqueurs bleus et rouges de Godard, qui remplit ses cahiers en gros plans ? Vous vous rappelez *La Chinoise* (1967) ? Et ce chef-d'œuvre absolu de Resnais, *Mon oncle d'Amérique* (1980) ? Là encore, quel courage ! Car il faut bien être sacrément courageux pour réaliser un documentaire à propos d'une théorie de biologie comportementale. Et le résultat, loin d'être ennuyeux, est un film fascinant et profond, dans lequel on se reconnaît à chaque scène. *Dionysos*, tout comme *Enigma*, a clairement une dimension de manifeste intellectuel ; c'est une déclaration d'amour de Jean à tout ce que nous ne savons pas encore, à tout ce qu'il nous reste à découvrir.

Jean Rouch avec Daniele Pianciola, Alberto Chiantaretto, Marco di Castri, Mimmo Calopresti et Tina Castrovilli, discutant du cadre d'un plan. Turin, 1986.
© Daniele Pianciola

Aujourd'hui, en repensant à cette époque, il serait facile de tomber dans une hagiographie rouchienne et d'oublier toutes les épreuves que nous avons endurées pour tourner *Enigma*. Car en plus de l'effort physique et matériel, il y avait l'épuisement moral, intellectuel, psychologique. Tard le soir, quand nous arrêtions enfin de travailler, il nous arrivait d'en parler entre nous : « Ce vieux fou veut nous tuer à la tâche ! ». « Le film ne va nulle part ! Sait-il seulement quelle fin lui donner ? Non, il n'en a pas la moindre idée ! ». « Ce projet insensé va nous anéantir, nous détruire, tous autant que nous sommes ! C'est un désastre ! »

Nous filmions presque toujours à deux caméras, c'était Marco le second caméraman. Tourner ainsi n'est jamais facile. Le faire en improvisant ne serait-ce qu'un peu est très difficile, et s'y prendre comme nous sans préméditation ni coordination aucune est pure folie. Remo Ugolinelli (probablement le meilleur ingénieur son que l'Italie ait jamais connu, il s'occupait du son sur tous les films de Marco Bellocchio) avait accepté de travailler avec nous pour une bouchée de pain, juste pour le plaisir de collaborer avec Rouch, dont il était aussi féru que nous, mais

Jean Rouch cadrant un plan. Turin, 1986.
© Daniele Pianciola

après deux jours de tournage, il n'en pouvait plus, et il a démissionné. Il n'était jamais prévenu à l'avance de ce qui allait se passer, ni où, et pour cause : nous ne le savions pas nous-mêmes.

Marco n'est pas un caméraman ordinaire. Il y a dans ses gestes une légèreté rare, il possède un véritable don pour la composition et un sens inné du rythme filmique, une sorte de « *Glückliche Hand* » (« main heureuse »). Sans le savoir, il avait reçu une éducation très rouchienne ; il savait filmer à la main comme personne et avait une longue expérience dans le reportage, donc dans l'improvisation. Il avait parfaitement conscience qu'en filmant, comme aimait à le dire Jean, on est le premier spectateur de son film. Le premier spectateur, mais également, dans un coin de notre tête, le premier monteur ; on se demande constamment : « Mais comment vais-je bien pouvoir découper cette séquence ? » Jean filmait invariablement avec son Aaton et une lentille de 10 mm. Cela signifiait que pour un sujet correctement éclairé, placé à une distance d'au moins 1 mètre, l'image était toujours nette, pour peu que l'on pense à faire la mise au point sur l'hyperfocale. Mais la plupart du temps, Jean s'en fichait royalement – sa vue avait commencé à baisser sérieusement et il refusait de porter des lunettes – résultat, ce qu'il filmait lui-même était souvent complètement flou.

Quoi qu'on lui dise, il répondait toujours « on rattrapera ça au montage ! », c'était devenu comme une blague entre nous. Évidemment, une fois à la table de montage, il n'y a rien à faire pour ce genre de choses. Françoise Beloux faisait parfois des miracles, mais souvent, c'était impossible, et Jean ne s'en souciait guère. Un jour où nous filmions un *travelling* dans le château du mécène, Mario Mikasawa, qui filmait des arrière-plans avec une petite caméra Hi-8, a dû se précipiter hors du champ de la première caméra opérée par Jean, qui était entré sans prévenir. Hélas, en bas de l'image, on aperçoit Mario qui s'enfuit tant bien que mal, tel un lapin pourchassé par un coyote. Pour autant, Jean a-t-il arrêté de filmer ? Non, évidemment. Peut-être qu'il n'avait simplement pas vu Mario, peut-être qu'il l'avait vu mais s'en moquait... Qui sait ? Ou peut-être obéissait-il aveuglément à sa règle d'or : la première prise est toujours la meilleure. Évidemment, il n'en a rien dit à Tina Castrovili, la scripte, pas plus qu'il n'a coupé la scène au montage. Il n'en avait vraiment rien à faire, cela l'amusait simplement. Il avait ce rire charmeur et contagieux de ceux qui savent rester jeunes toute leur vie. Ainsi verra-t-on à jamais filer dans un coin de l'image un animal étrange... un lapin ? Un chien ? Un coyote, à la poursuite d'un lapin dans le palais du mécène ?

Il avait sans doute raison. Après tout, en effet, pourquoi pas un coyote ou un chien de chasse ? Le mécène est fantasque, il pourrait très bien avoir dans son palais un animal exotique, comme les Gonzague et les Médicis au Cinquecento... Jean était le *dominus* absolu de projet et de l'équipe. Et de plein droit, car nous avions tous accepté de bon cœur son autorité, et consenti à ce qu'il prenne en main notre scénario, à ce qu'il le détourne à sa manière, en bon surréaliste.

Jean ajustant les réflecteurs pour la première scène d'*Enigma*, Turin, 1986.
© Daniele Pianciola

Quand on détourne un avion ou un navire, il est de coutume de braquer une arme sur le pilote et de lui ordonner clairement quelque chose comme : « Cap sur Cuba ! » Mais notre grand détourneur à nous ne nous a jamais vraiment donné de direction ou de destination ; il ne savait pas où nous allions, et nous non plus. C'était la panique.

Dans une autre scène, Franco Barberi (le mécène), à son bureau, discute avec Sabina, assise en face de lui. Jean filme Franco, Marco filme Sabina. Action ! Sabina se lève, déclare que le peintre se comporte comme un enfant – « *un bambino* » – puis quitte la pièce. Le mécène en reste stupéfait, bouche bée. Tout le monde s'attendait à ce que Jean dise : « coupez ! » mais il n'en fait rien, il continue à filmer Franco, pour une longue, très longue minute. Il faut savoir que quand une caméra tourne, le caméraman entend à chaque instant le *chk-chk-chk* de l'argent qui s'en va ; chaque seconde de film, c'est vingt-quatre billets qu'on ne reverra plus. Marco commençait à craindre que Jean se soit endormi, à le voir se pencher sur le bureau… mais là, il se passe quelque chose d'incroyable : Franco se dit qu'on attend qu'il réagisse, il s'empare alors des croquis du peintre et les rature rageusement avant de s'exclamer : « comme un enfant, comme un enfant ! » Alors, et alors seulement, Jean revient à lui et dit « coupez ! » Un remarquable tour de force de Franco Barberi, qui a sauvé la scène, et peut-être le film tout entier. *Chapeau** !

Jean et le mécène (Gianfranco Barberi) planifiant un plan au-dessus de Turin, 1986.
© Daniele Pianciola

Jean avait-il eu raison d'agir ainsi ? Bien sûr que oui. Mais sur le moment, personne ne savait ce qui allait se passer, pas même Franco Barberi, ni Jean lui-même, le réalisateur, caméraman, premier-spectateur-de-son-film, seul-maître-après-Dieu, capitaine du sous-marin à la dérive qu'était *Enigma*, sous les yeux terrifiés du reste de l'équipage de pauvres coréalisateurs et producteurs que nous étions.

Accablés par la peur de couler, nous réagissions tous différemment au stress. Marco, qui en tant que second caméraman avait une sorte d'intimité technique avec Jean, faisait de son mieux pour redresser la barre petit à petit, de jour en jour. Quant à moi, je ne pouvais que souffrir comme tous les autres devant le film qui semblait n'aller nulle part, mais en même temps j'étais fasciné par le jeu de roulette russe qu'était l'improvisation en direct. J'avais toujours eu horreur de filmer en ayant déjà tout écrit, en connaissant à l'avance les moindres détails du où, quand, comment. Même quand nous tournions des documentaires, j'adorais cet émerveillement que suscitent l'impromptu, le hasard, la découverte de l'inconnu, les interactions imprévues entre les lieux, les acteurs, les situations, les documents. Ce n'était jamais de tout repos, mais je serrais les dents et je m'agrippais à mon siège, tentant tant bien que mal de suivre Jean dans ce périple fou qui commençait tous les matins, quand il nous retrouvait aux premières lueurs pour prendre un café, nous saluait de son grand sourire et déclarait : « Voilà la bande des quatre ! Comment ça va aujourd'hui ? »

Jean Rouch, avec Daniele, Marco et élèves pendant les repérages dans la ville de Turin, 1986. © Daniele Pianciola

« La bande des quatre » : c'est ainsi que Jean avait rapidement baptisé le petit groupe que nous formions avec Alberto et Marco. L'allusion n'était pas tant au film de Jacques Rivette qu'à la faction politique qui régnait sur le Parti communiste chinois du temps de la Révolution culturelle. Tout comme on ne sait pas vraiment lesquelles des décisions de la bande étaient authentiques et lesquelles émanaient en réalité de Mao Zedong, le rôle que chacun d'entre nous effectua précisément dans l'élaboration du film demeure assez mystérieux. En règle générale, on proposait et Jean disposait. Il avait toujours le dernier mot. Mais en toute honnêteté, Jean acceptait toutes nos suggestions ou presque avec enthousiasme, et c'est toujours avec une grande loyauté que nous mettions notre imagination, nos ressources et notre connaissance de la ville au service de sa vision à lui. Si Jean avec son éternel sourire était notre Mao, Marco, lui, tenait plus de Zhou Enlai : en habile diplomate photographique, il savait parfaitement faire passer ses idées par ses plans et ses montages. Moi, j'avais une pleine confiance en notre capitaine ; tel Ismaël suivant Achab à bord du Pequod, je suivais Rouch, conscient que nous encourions parfois le risque du naufrage du film-même. J'avais pour lui comme une affection filiale, j'adhérais joyeusement à ses *coups de théâtre**les plus fous, nous les fomentions même ensemble. Parmi la bande historique, c'est sans doute à l'épouse de Mao, Jiang Qing, que je ressemblais le plus, toujours à suivre ses ordres sans jamais faillir, même quand le doute m'assaillait. Alberto était le plus résistant d'entre nous. Si l'on veut pousser la comparaison jusqu'au bout, il était certainement notre Lin Biao, toujours prêt à protester, à critiquer, à défendre ses opinions jusqu'au bout et par tous les moyens. Comme il le dit aujourd'hui :

> Nous n'étions déjà plus des enfants. Nous étions jeunes, mais des adultes tout de même. De toute ma vie, je n'ai jamais rencontré qui que ce soit qui exige et qui parvienne à obtenir une obéissance si entière, une telle soumission. Même moi, j'ai fini par lui céder. On ne pouvait rien face à lui.

Effectivement, on ne pouvait tout simplement pas s'opposer à Jean. Il fallait l'accepter comme un père. Alberto s'y refusait, il voulait à tout prix lui tenir tête. Mais on ne peut pas s'opposer à son père ; pour cela, il faut le tuer. Et bien sûr, nous étions incapables de tuer Jean (en termes de cinéma, évidemment). Pendant longtemps, Alberto lutta, tenta de le pousser vers une structure narrative plus rigoureuse, mais Jean en

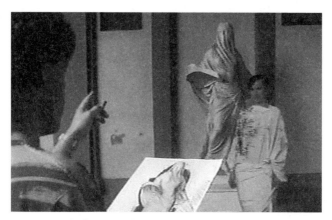

Le peintre (Gilbert Mazliah) et la femme du mécène (Sabina Sacchi), Turin, 1986.
© Daniele Pianciola

revenait toujours à sa méthode à lui, surréaliste, celle qui voulait que chaque scène succède à la précédente sans intrigue prédéterminée, que chacune comme un psychodrame miniature repose intégralement sur l'interaction des acteurs. Alberto aurait sans doute préféré que l'on écrive à l'avance le scénario et les dialogues avant même de filmer ; ce que Jean voulait, lui, c'était provoquer des rencontres et des confrontations entre des éléments contraires, et les capturer sur le vif. Quant à moi, j'étais déjà parfaitement satisfait de constater que Jean acceptait bel et bien nos suggestions : le trajet en bateau sur les rives du Pô, qui donne à la région ces allures de jungle qu'elle avait pour nous, enfants, quand nous nous imaginions sur les traces des pirates d'Emilio Salgari ou celles de Huckleberry Finn, au bord du Mississippi ; le voyage des garçons au pays des morts dans le musée égyptien ; la découverte des jumeaux dans la chambre souterraine du temple ; l'ascension de la Mole ; le cauchemar du mécène qui confronte le peintre dans la pièce aux dimensions changeantes, et bien d'autres encore. Malgré la faiblesse du scénario, une certaine maladresse dans le traitement des personnages et le côté cliché et désuet de ce *happy end* à la Chaplin, dans *Enigma*, j'ai vu prendre vie tout ce que Turin a de mystérieux, d'ancien et de moderne, d'audacieux et d'étonnant. Je me suis senti libéré des contraintes du réalisme narratif que nous avions inconsciemment héritées de la tradition du cinéma académique. Chaque jour, j'assistais à l'invention de nouvelles façons de filmer, j'apprenais à parler cette autre langue du

cinéma, si différente et si profondément jeune, grâce à un homme qui avait l'âme d'un enfant, que j'ai aimé comme un père.
Traduit par Robinson Lebeaupin

Films cités

GODARD Jean-Luc, 1967, *La Chinoise*.
RESNAIS Alain, 1980, *Mon oncle d'Amérique*.
ROUCH Jean, 1951, *Bataille sur le grand fleuve (Chasse à l'hippopotame)*.
— 1955, *Les Maîtres fous*.
— 1958, *Moi, un Noir*.
— 1967, *La Chasse au lion à l'arc*.
— 1970, *Petit à petit*.
— 1986, *Dionysos*.
— 1988, *Enigma*.
ROUCH Jean et MORIN Edgar, 1961, *Chronique d'un été*.

L'origine des concepts de Jean Rouch[*]

Dirk J. NIJLAND

Joost Verheij (production et son), Steef Meyknecht (caméra) et Dirk Nijland au
Comité du film ethnographique, musée de l'Homme, en 1991, en train de manger
des radis pendant la préparation de tournage de *La Bande à Rouch*, un film sur
les coulisses de *Madame l'Eau* qui offre un aperçu de la façon dont Jean Rouch
conçoit le cinéma…
© Françoise Foucault

[*] Ce texte, légèrement modifié, est celui d'une conférence donnée en 2012 dans le cadre
du symposium « Participatory – what does it mean ? » du Festival international du film
ethnographique de Göttingen (GIEFF).

Lors du Bilan du film ethnographique, Jean Rouch demandait souvent
aux réalisateurs qui présentaient un film : « Avez-vous montré votre film
aux personnes que vous avez filmées, et qu'en ont-elles pensé ? » Au fil
des ans, cette question est devenue symbolique de l'un des concepts de
base qu'il a développé au cours de son œuvre : la notion d'anthropologie
partagée. Pour Rouch, la pratique de l'anthropologie partagée tendait
à tisser un lien entre l'étude et son objet ; elle consistait en un échange
de connaissances entre l'anthropologue et les personnes appartenant
au peuple ou à la culture qu'il étudiait. L'idée de la « caméra participante » jouait également un grand rôle dans la pratique rouchienne de
l'anthropologie partagée.

Dans cet article, nous allons examiner la genèse de certains concepts
dans la pensée de Rouch, et leur évolution tout au long de sa carrière de
cinéaste et d'ethnographe. Jean Rouch[1] est avant tout connu pour les
longs métrages qu'il a réalisés avec ses amis africains, Damouré Zika,
Lam Ibrahim Dia, Tallou Mouzourane et Moussa Hamidou. Mais son
œuvre ne s'arrête pas là : outre ses nombreux autres films, il a également
beaucoup photographié et écrit, sans compter son travail avec diverses
associations dans les domaines de l'éducation, du film documentaire
et du cinéma en général. L'étendue et la diversité de ses accomplissements sont en grande partie dues à sa capacité à mettre en perspective
ses projets professionnels et sa vie personnelle. Comme il le disait, il ne
faut jamais être trop sérieux, mais il faut également avoir du courage.
L'idée du sérieux comme une chose à éviter jouait un rôle important
dans sa personnalité ; il l'expliquait souvent en évoquant le *Pourquoi-
Pas ?*, le navire océanographique à bord duquel son père avait servi pour
une expédition au pôle Sud. Il avait toujours très à cœur de sortir des
sentiers battus, et pensait également qu'il ne fallait pas chercher la perfection ni craindre l'échec. Et pour vivre selon ces principes, un certain
courage était effectivement nécessaire. Quand il recevait des invités au
musée de l'Homme, joueur comme il était, il les faisait parfois traverser
à pied la place du Trocadéro jusqu'à la statue du maréchal Foch, alors
qu'il n'y pas de passage piéton à cet endroit. Ses instructions étaient :
« N'attendez pas, traversez simplement ; regardez les conducteurs dans
les yeux, ils ralentiront. » Il les suivait toujours à une petite distance,

---

1.   Dans cette section, je reprends une présentation d'un article précédent (2007). Voir
      aussi Stoller (1992) et Henley (2009).

pour ne pas les abandonner. Cependant, ce genre d'anticonformisme n'était pas une règle absolue. Au moment d'entrer dans un bâtiment officiel, il ordonnait : « Cravate ! » Cet aspect plus formel de sa personnalité s'exprimait notamment dans la veste et la cravate bleu sombre qu'il arborait lui-même comme un uniforme. Jean Rouch menait une vie de concentration et de discipline, mais il n'en savait pas moins passer d'une chose à une autre avec une grande aise.

La genèse de Jean Rouch

Rouch naît à Brest le 31 mai 1917, d'une famille d'artistes et de scientifiques. Son père météorologue, haut placé dans la marine française, travaille à Alger de 1926 à 1928, puis à Casablanca. Sa mère est issue d'une famille de peintres et de poètes. Ainsi, dès son plus jeune âge, il est en contact permanent avec des gens issus de milieux et de cultures très variés. En 1930, ses parents l'envoient vivre à Paris auprès de sa famille maternelle, pour qu'il puisse aller dans un bon lycée. Il habite alors Montparnasse, haut lieu de la vie artistique parisienne, et y découvre grâce à sa famille le monde de la peinture, du cinéma, de la littérature et du surréalisme. Après le lycée, sur les conseils de son père, il suit une classe préparatoire puis une formation d'ingénieur à l'École nationale des ponts et chaussées, et commence donc à l'automne 1937 à étudier « les routes et les ponts », comme il s'amusait à le dire.

Dès 1938, alors âgé de 21 ans, Rouch devient un visiteur assidu du musée de l'Homme, tout juste inauguré, et de son auditorium, où Henri Langlois dirige les premières séances hebdomadaires de la Cinémathèque française. Deux ans plus tard, sous l'Occupation, Rouch finit ses études et commence à suivre des conférences de l'anthropologue Marcel Griaule, disciple de Marcel Mauss et spécialiste des Dogon.

La découverte d'une vocation ethnographique

Fin 1941, voulant quitter le Paris occupé, il s'engage comme ingénieur des Travaux publics des colonies au Niger et se retrouve à la tête d'une main-d'œuvre de 20 000 hommes, avec pour mission de construire une route reliant Niamey à Gao. Ces hommes sont pour l'essentiel des Songhay, un peuple de fermiers et de pêcheurs (appelés Sorko). Malgré une légère islamisation, la plupart des Songhay demeurent convaincus que le monde est gouverné par quelque cent vingt esprits ou entités surnaturelles. Ils communiquent avec ces esprits par l'intermédiaire d'individus (des médiums) qui ont la faculté d'entrer en transe afin de laisser les esprits les posséder et s'exprimer à travers eux. Ainsi, les Songhay invoquent leur faveur, ou leur demandent de l'aide pour résoudre divers problèmes.

En 1942, dix des travailleurs aux ordres de Rouch meurent, frappés par la foudre. Le nom de Dongo est prononcé, et le reste des hommes refuse de reprendre le travail avant que l'affaire ne soit réglée. Perplexe, Rouch demande conseil à Damouré Zika, un Sorko songhay de 15 ans qu'il avait rencontré un jour en nageant dans le Niger, et engagé comme assistant. Damouré emmène Jean voir sa grand-mère, une Zima, une prêtresse réputée du village de Simiri. Elle lance un appel à Dongo, dieu du tonnerre, demandant paix et harmonie dans la société et pour les dix hommes morts. Rouch est si profondément marqué par cette expérience que, dès lors, son intérêt ethnographique envers le peuple songhay prend le pas sur ses travaux d'ingénieur. Damouré Zika, qui restera un grand ami de Rouch toute sa vie, joue un rôle très important dans ses recherches, notamment en le présentant aux différents villages songhay et en écrivant et traduisant des textes pour lui. Ensemble, ils effectuent de grandes expéditions, restant parfois des semaines ou des mois entiers à un même endroit ou y retournant régulièrement. Plus tard, Lam Ibrahim Dia (un Peul) et Tallou Mouzourane (un Bella) rejoignent leur équipée, et ils se donnent le nom de « DaLaRouTa ». Tous trois deviendront des figures majeures de la pratique rouchienne de l'observation participante, et il les mentionne comme collaborateurs dans sa thèse de 1961[2].

2.   Pour des exemples, voir Rouch (1989 et 2008). On y voit clairement en pratique la vision remarquablement égalitaire de Rouch dans ses relations avec son équipe et les participants de ses études. Pour ses relations avec ses amis et ses employés, voir aussi les films de Bregstein (1978) et Meyknecht, Nijland et Verhey (1993).

Jean Rouch lors du tournage de *Madame l'Eau* en 1992, avec Tallou Mouzourane creusant le canal qui conduit l'eau du Niger, pompée par un simple moulin à vent néerlandais de l'ingénieur Frans Brughuis, vers les terres agricoles de Lam Ibrahim Dia en boubou blanc.
© Dirk Nijland

Tallou Mouzourane, Jean Rouch, Lam Ibrahima Dia et Damouré Zika,
« DaLaRouTa » près d'Amsterdam, pour le tournage de *Madame l'eau*.
© Françoise Foucault

Les premiers films de Jean Rouch

En 1946-1947, Rouch et ses amis Pierre Ponty et Jean Sauvy, tous deux
ingénieurs hydrauliques, se lancent dans un voyage de 4 200 km le long
du fleuve Niger, depuis sa source jusqu'à son embouchure. Pour couvrir leurs frais, ils écrivent des articles sous le nom de plume commun
de Jean Pierjeant ; Sauvy trouve des sujets, Rouch écrit une première
version des articles et Ponty les remanie. Damouré et Lam se joignent à
eux pour la seconde partie du voyage. Outre son Rolleiflex, Jean a avec
lui une caméra 16 mm Bell & Howell à moteur à ressort, achetée sur
un marché aux puces. Le 16 mm deviendra par la suite son principal
format d'expression cinématographique. Sans véritable formation de
cinéma, il avait néanmoins assisté à de nombreuses projections du musée
de l'Homme et de la Cinémathèque, dont notamment celle de *Nanouk
l'Esquimau* (1922), de Robert Flaherty[3].

---

3.   Dans le film Ciné-Mafia (1980), Rouch ajoute avoir vu *Nanouk l'Esquimau* pour la
      première fois avec son père, à 7 ans, à Brest.

Jean Rouch avait l'habitude d'observer les choses sous différents points de vue. Enfant, il avait appris le dessin et l'aquarelle, puis, plus tard, la photographie. Quand il suivait les cours de Marcel Mauss et de Marcel Griaule, tous deux soulignaient l'importance de trouver les meilleurs points d'observation et vantaient les mérites du film comme outil de documentation (Griaule 1957 ; Mauss 1967). Griaule insista pour que Rouch utilise une caméra dans ses recherches ethnographiques en parallèle du voyage le long du Niger. La légende raconte qu'au début du périple, le trépied de la caméra fut perdu ou cassé ; aussi Rouch commença-t-il à filmer à la main. Cet incident lui permit de développer une technique de caméra plus mobile, plus participante, technique qui ne parvint à maturité qu'au début des années 1970 avec ses premiers plans-séquences (également inspirés par Michel Brault et sa « caméra mobile »).

Après son retour à Paris, Rouch monta un premier film de 30 minutes à partir de ses enregistrements d'une chasse à l'hippopotame à laquelle il avait assisté. Ce film fut ensuite remanié par d'autres pour donner lieu à une version commerciale en 35 mm, intitulée *Au pays des mages noirs* (1947)[4]. Bien que Rouch lui-même ne soit pas responsable du montage, les plans sont de qualité et la narration articulée par le *découpage** descriptif des scènes se présente bien comme une succession de différents points de vue. Bien des années plus tard, Rouch soulignait encore le bon côté du moteur mécanique de sa caméra Bell & Howell Filmo 70 : le temps passé à le remonter à la main lui permettait de réfléchir au point de vue de sa prochaine prise par rapport aux précédentes, et donc de réfléchir, déjà, au montage du film dans son ensemble. Comme il le disait, l'analyse et la synthèse de l'événement doivent avoir lieu simultanément quand on filme (Rouch 1979 : 74 ; 1988 : 227).

Rouch retourna au Niger entre septembre 1948 et mars 1949. Avec Damouré, il se rendit à cheval dans différents villages lointains pour y faire les recherches qui menèrent à sa thèse. Les prises de vue qu'il réalisa au cours de ses voyages furent par la suite assemblées en trois films : *Initiation à la danse des possédés* (1948), *Circoncision* (1949), et *Les Magiciens de Wanzerbé* (1948)[5]. Une fois de plus, le cadrage et le *découpage**,

---

*   En français dans le texte (NdT).
4.   Voir Rouch (1948, 1997 et 1988 : 230). Pour ses premières publications ethnographiques, voir 1997, 2008 de sa bibliographie, sur le site http://comite-film-ethno.net/jean-rouch/bibliographie.html [lien valide 7 septembre 2017]).
5.   Pour plus d'informations, voir Rouch (1950 et 2008).

sur ce dernier film tout particulièrement, sont remarquables. Le moteur à ressort de la caméra permettait de filmer jusqu'à 25 secondes en continu, mais la plupart des plans durent entre 6 et 7 secondes. On trouve notamment un court « plan marché » ; la caméra commence derrière un mur puis se déplace pour révéler le magicien Mossi. De plus, le film a ceci de fascinant qu'on y voit à la fois des images du comportement réel de Mossi et des scènes écrites à l'avance où il joue son propre rôle. Damouré apparaît également dans le film ; il y incarne un client de Mossi.

Entre juillet 1950 et mai 1951, Rouch retourna en Afrique pour retrouver Damouré Zika, Lam Ibrahim Dia ainsi que le linguiste Roger Rosfelder, qui les rejoignit avec un Acémaphone, le tout premier magnétophone. Construit par Yves Sgubbi, l'appareil pesait une quinzaine de kilos. Un moteur mécanique assurait le mouvement des bandes magnétiques et les composants électriques étaient alimentés par des piles. À la demande de Griaule, ils tournèrent en couleur (sur pellicule Kodachrome) un film sur les Dogon, *Cimetière dans la falaise* (1950), puis Rouch filma une autre chasse à l'hippopotame à Ayorou, avec les Sorko, qui devint en 1951 le film *Bataille sur le grand fleuve.*

Bataille sur le grand fleuve : retours, analyses *a posteriori*, anthropologie partagée et contre-don audiovisuel

Fin 1953, Rouch et son épouse Jane partirent pour le Ghana en voiture, pour y mener une vaste étude sur la migration des Songhay (Jane Rouch 1956). Sur la route, ils s'arrêtèrent à Ayorou pour montrer *Bataille sur le grand fleuve* aux chasseurs Sorko. La projection fut une expérience formidable pour ceux qui avaient été filmés, tout comme pour Rouch lui-même. Selon les sources, le film aurait été projeté entre trois et cinq fois (Henley 2009 : 64). Au début, les spectateurs s'intéressaient plus au projecteur et au générateur qu'au film lui-même, puis ils commencèrent à se reconnaître sur l'image et furent très impressionnés, notamment par le fait de pouvoir voir les morts. La trame et la narration du film leur apparurent lors des visionnages suivants, et certains émirent quelques critiques sur différents aspects du film, notamment la bande-son : un chant de chasse « *gowey gowey* » accompagnait les images de la chasse à l'hippopotame, or la chasse en elle-même devait être silencieuse pour ne pas faire fuir les animaux[6].

Cette séance d'échange autour du film, de *feedback*, fut une révélation pour Rouch, qui comprit alors tout le potentiel qu'avait ce genre de films en termes de communication entre le chercheur-cinéaste et ceux qu'il étudiait : leurs retours n'étaient pas seulement l'occasion d'éclaircir d'éventuels malentendus ou de corriger les erreurs du film, ils offraient aussi au chercheur la possibilité de poser des questions précises sur diverses pratiques ou phénomènes dont il avait été témoin sans les comprendre, puisque leurs participants avaient été trop occupés pour les lui expliquer sur le moment. Rouch eut également l'impression que, pour la première fois, ses spectateurs comprenaient vraiment ce qu'il faisait : il dressait un portrait d'eux et de leur culture. Ils sentirent que c'était là quelque chose d'important et qu'ils se devaient de l'aider à mener à bien ce projet ; aussi se montrèrent-ils dès lors bien plus coopératifs. Ce fut un très grand moment pour Rouch. L'un des membres du public, un vieil ami de Rouch, un chasseur venu d'un village situé une centaine de kilomètres à l'ouest, fut si content du film qu'il invita Rouch à venir filmer une de ses chasses au lion[7]. Damouré Zika et Illo Gaoudel s'étaient brièvement aperçus à l'écran (dans *Bataille sur le grand fleuve*, on voit Damouré avec un bébé hippopotame, et vers la fin, Illo suit les traces d'un mâle adulte qui s'était échappé) ; exaltés, ils voulaient à présent que Jean réalise un film où ils auraient les premiers rôles.

Dans son premier article majeur sur la place du film dans l'anthropologie, « Le film ethnographique » (1968), Rouch évoque ainsi les idées de *feedback*, d'analyse *a posteriori* et de « caméra participante ».

---

6.   Étant donné le poids de l'Acématophone, il n'était pas possible d'enregistrer l'audio de la chasse en direct comme les images, mais Rouch avait pu enregistrer les mélodies séparément.

7.   C'est ainsi que Rouch filma le formidable documentaire *La Chasse au lion à l'arc* (1967), qu'il agrémenta d'un commentaire poétique. Les prises de vue furent réalisées petit à petit entre 1958 et 1965 ; Rouch inaugura pour l'occasion une nouvelle caméra, une Beaulieu 16 mm. À l'origine, cet appareil avait été équipé d'un moteur mécanique à ressort, ou peut-être d'un moteur électrique rudimentaire, mais Stefan Kudelski (l'inventeur des magnétophones Nagra) l'avait doté d'un nouveau moteur, assez puissant pour enregistrer le son en même temps que les images. Hélas, ce moteur était si lourd qu'il déséquilibrait la caméra au point que l'horizon paraît oblique sur certains plans. Un agrandissement du film en 35 mm fut réalisé et projeté dans plusieurs salles parisiennes ; plus tard, il remporta le Lion d'or lors de la 26e édition de la Mostra de Venise.

Bien que *Bataille sur le grand fleuve* et cette séance de projection et d'échange avec les Sorko ne soient pas directement mentionnés, l'article dit tout de même que « la technique de la projection des films aux hommes que l'on filme, inaugurée par Flaherty dès 1921, est peut-être l'une des plus fructueuses techniques de l'ethnographie actuelle ». Rouch affirme que ces séances de *feedback* (projection en compagnie des personnes qui ont participé au film) rendent possible ce qu'il baptise l'analyse *a posteriori*, une noble entreprise dans laquelle se lancent ensemble l'étudiant et l'étudié en regardant le film côte à côte, afin d'éviter les erreurs qui pourraient survenir lors d'analyses ultérieures se basant uniquement sur des notes ou des souvenirs. Il souligne cependant l'importance de connaître son sujet le mieux possible avant même de commencer à filmer.

En termes d'inspiration, Rouch cite Flaherty avant tout. Après avoir passé un hiver entier avec les Inuits de la baie d'Hudson, Flaherty réalisa *Nanouk l'Esquimau* en collaboration avec Nanook et sa famille, afin de documenter quelques aspects de la vie quotidienne traditionnelle de ce peuple. Ils jouaient leur propre rôle par petits bouts, devant la lourde caméra sur trépied qu'il fallait déplacer à chaque changement de point de vue. Flaherty développa ses *rushes* sur place et les projeta aux Inuits pour en parler avec eux, comme Rouch le ferait par la suite, et c'est ainsi qu'il réussit à leur faire comprendre ce qu'était le film et ce qu'il cherchait à faire en les filmant. Rouch baptise cette méthode de travail basée sur une relation de confiance mutuelle la « caméra participante », terme que son ami Luc de Heusch avait déjà employé en 1962 (voir de Heusch 1962 : 36 ; Rouch 1968 : 448). Dans un article de 1979 intitulé « La caméra et l'homme », Rouch définit plus précisément cet échange entre l'anthropologue et son sujet comme l'« anthropologie partagée », et les séances de projection et d'échange (le *feedback*), un geste tout à fait « maussien », comme le « contre-don audiovisuel » (voir Rouch 1979 : 100-1).

Recherches approfondies sur la migration et premières fictions documentaires : *Jaguar, Moi, un Noir* et *La Pyramide humaine*

Après la projection à Ayorou, Rouch et son épouse se remirent en route pour le Ghana, accompagnés de Damouré, Lam, Illo et quelques autres. Les autorités britanniques lui apportèrent une aide financière de taille pour mener une enquête approfondie sur la migration des Songhay vers les villes du littoral, comme Accra sur la Côte-de-l'Or. En plus de Rouch, l'étude était réalisée par ses amis Damouré, Lam, Illo et Oumarou Ganda. C'était une entreprise de grande envergure, qui impliquait notamment la distribution de cinq cent questionnaires dans divers points de passage tels des ports, des ponts, des postes de contrôle aux frontières. La plupart des migrants étaient des travailleurs journaliers, tantôt dockers, employés de la voirie ou des mines d'or, mais quelques-uns étaient également tailleurs ou commerçants à leur propre compte. Cette étude, principalement quantitative, donna lieu à une dizaine de publications, dont la plus importante parut en 1956 sous le titre « Migrations au Ghana (Gold Coast) : enquête 1953-1955 » (Rouch 1956).

Rouch n'était pas satisfait de cette approche purement statistique, qui ne prenait pas en compte le sens qu'avait la migration aux yeux des migrants eux-mêmes. En suivant l'approche de Flaherty, tout en gardant en tête les remarques de Damouré et d'Illo, il se tourna vers la forme documentaire de l'ethnofiction pour traiter ce sujet plus en profondeur. Il connaissait également les méthodes des réalisateurs néoréalistes italiens comme Roberto Rossellini qui, plutôt que d'employer des acteurs professionnels, préféraient aller chercher dans les rues des gens qui semblaient correspondre à leurs personnages, filmaient toujours en décor naturel, jamais en studio, et sans script défini, en laissant improviser leurs « acteurs ». Mettant à profit ces techniques et l'expérience qu'il avait acquise au fil de ses travaux précédents, Rouch tourne *Jaguar* avec Damouré, Illo et Lam en 1953 et 1954. Lam avait effectué depuis le Nigéria un périple similaire aux migrations qu'ils étudiaient, et Illo, un Songhay, était lui aussi parti travailler au Ghana. Le film fut tourné avec la vieille Bell & Howell à ressort qu'il fallait remonter à la main entre chaque prise. La plupart des saynètes fictives du film furent jouées et enregistrées en une seule fois ; les deuxièmes ou troisièmes prises étaient très rares. Après des projections de différentes versions temporaires, le film sortit sous sa forme finale en 1967. Son titre désigne les migrants qui parviennent au bout de leur voyage, en clin d'œil à la marque automobile. Il décrit les aventures souvent burlesques d'un groupe de Nigériens qui traversent des terres inconnues pour rejoindre les grandes villes de la côte et y tenter leur chance. Ils finissent par ouvrir un petit commerce sur le marché d'Accra, qu'ils baptisent *Petit à petit*, un nom que Rouch reprendra comme titre pour un film de 1970. Le jeu d'acteur de Damouré qui interagit avec énormément de monde lors des scènes en extérieur est tout à remarquable. Rouch emploie la même approche pour filmer en 1990 *Liberté, Égalité, Fraternité et puis après...*

Quelques années plus tard, en 1958, Rouch réalisa *Moi, un Noir*, qui met en scène Oumarou Ganda, qui avait participé à l'enquête statistique, et quelques autres amis migrants. Le film raconte la vie quotidienne, les rêves et les joies d'un groupe de jeunes Nigériens partis vivre à Abidjan, en Côte-d'Ivoire. Tout comme *Jaguar*, il fut tourné avec une petite caméra 16 mm sans son et un budget dérisoire. Les dialogues furent ajoutés plus tard; ceux de *Jaguar* furent enregistrés à Accra, dans les studios de la Gold Coast Film Unit, et ceux de *Moi, un Noir*, dans les locaux d'une station radio à Abidjan. Les acteurs improvisèrent le dialogue au cours de projections du film édité mais toujours muet, et firent également quelques réflexions sur eux-mêmes en tant qu'acteurs et qu'êtres humains. *Moi, un Noir* a ceci de particulièrement impressionnant qu'il constitue à la fois une description frappante de la condition des strates inférieures de la population à l'époque des colonies, mais également un portrait intemporel de l'humanité, et de sa capacité à garder le sourire jour après jour alors même qu'elle doit lutter pour survivre. Ainsi, le personnage d'Edward G. Robinson, qui rêve de devenir champion du monde de boxe, est présenté en contraste avec Ganda, qui l'incarne, et son expérience personnelle de la guerre en Indochine. Luc de Heusch suggère que ce genre de films va plus loin dans l'exploration de la condition humaine que le documentaire classique qui ne montre pour ainsi dire que les vaguelettes à la surface de l'eau, là où *Moi, un Noir* nous donne à voir les courants profonds (de Heusch 1962: 21-23). En 1981, Rouch décrit son approche en ces termes:

> Ma seule façon de traiter la fiction est celle dont je pense savoir traiter la réalité. Ma règle d'or est: une seule prise, un seul angle par prise, et tout est filmé dans l'ordre chronologique. Aujourd'hui, l'inspiration n'a plus la même place: ce n'est plus uniquement au réalisateur d'improviser ses plans et ses mouvements de caméra, c'est aussi aux acteurs d'inventer l'action qu'ils ne connaissent pas encore, les dialogues qui naissent de réplique en réplique. Cela signifie que l'ambiance, l'humour et les humeurs de ce diablotin capricieux que je nomme la « grâce » jouent un rôle essentiel dans les interactions et les réactions, et ce ne peut qu'être irréversible [...]. Mais en même temps, quelle joie, quel ciné-plaisir pour ceux qui sont filmés et celui qui les filme! (Feld 2003: 186)

Pour désigner ce type de films, Rouch parlait de *ciné-vérité**, de *film de fiction**, d'*autobiographie filmée** ou de *psycho-* ou *sociodrame** plutôt que d'*ethnofiction**.

Avec le temps et l'expérience, il comprit de mieux en mieux le rôle de catalyseur que peut jouer la caméra dans de tels films. C'est notamment le cas dans *La Pyramide humaine* (1959), tourné avec des lycéens noirs et blancs d'Abidjan. Au fil d'un sociodrame en partie déclenché par la caméra elle-même, des conflits émergent et une réalité latente, jusqu'alors dissimulée pour maintenir en place l'ordre établi de cette société raciste, apparaît au grand jour. Ainsi, ce film peut être vu comme le premier pas vers le *cinéma-vérité**[8]. Il fut tourné avec la vieille Bell & Howell mais aussi d'autres caméras plus sophistiquées qui permettaient d'effectuer les prises de son en simultané, ce qui donnait parfois lieu à de longs dialogues « synchrones ».

Ciné-vérité, caméra mobile et ciné-transe

La *pièce de résistance** du *cinéma-vérité**, *Chronique d'un été*, fut tournée en France et coréalisée par le sociologue Edgar Morin en 1961. Pour la première fois, Rouch et Morin utilisèrent un prototype de caméra Éclair en conjonction avec un magnétophone Nagra, respectivement conçus par André Coutant et Stefan Kudelski. Les deux appareils, légers et relativement peu bruyants, enregistraient l'image et le son en synchronisation presque parfaite[9], ce qui rendait enfin possible de « capturer la réalité visuelle authentique », ce que les Kinoks et Dziga Vertov (un cinéaste russe que Rouch admirait, et qui l'avait beaucoup influencé, notamment dans la façon dont il nommait les concepts qu'il inventait) avaient déclaré être la véritable fonction du cinéma dès les années 1920[10].

---

8. Voir Henley (2009 : 91).
9. Voir Rouch (1988 : 234). Rouch participa également au développement de la caméra Aaton de Jean-Pierre Beauviala.
10. Les Kinoks filmèrent la révolution Russe dans la série de films *Kino-Pravda* (1922 à 1929). Dans une certaine mesure, ils adoptèrent une démarche proche de celle du *cinéma-vérité*, comme en atteste le manifeste « ciné-œil » de Vertov (1923 : 15, 59). D'un côté, eux aussi ne s'autorisent qu'à filmer la réalité concrète et tangible – dans leur cas, les bâtiments, les rues, les champs – mais d'un autre, contrairement aux films héritiers du *cinéma-vérité* plus tardifs, l'interprétation qu'ils en font (au montage, ou par d'autres effets cinématographiques comme la surimpression de texte ou d'images) est clairement mise au premier plan.

Sur une idée d'Edgar Morin, ils voulaient dresser le portrait d'un groupe de Parisiens, et ils commencèrent ainsi à filmer les gens dans la rue en leur posant la question : « Êtes-vous heureux ? » Le tournage se poursuivit avec un groupe d'amis de Rouch et Morin, qui continuèrent à interroger les passants sur divers thèmes comme la vie, le bonheur, le racisme. Par exemple, la question de l'Holocauste est soulevée par une jeune femme juive, Marceline Loridan, la future compagne de Joris Ivens ; l'Algérie est également évoquée. En plus d'interroger les passants directement, ils les encourageaient aussi à se poser des questions les uns aux autres. À travers ces dialogues et les situations qu'ils faisaient naître, les participants en venaient parfois à se considérer sous un jour nouveau, à porter un regard différent sur leurs semblables. Morin et Rouch provoquaient leurs interlocuteurs avec ces questions, la caméra leur servait de catalyseur. Les *rushes* furent projetés et les réactions du public filmées, y compris celles de Morin et Rouch devant la version finale du film. L'équipement léger, portable et presque silencieux qui capturait son et image en quasi-simultané permettait de créer non seulement un *cinéma direct**, c'est-à-dire un cinéma capable de suivre une action dans son déroulement, mais allait plus loin et permettait même d'enregistrer une situation spécifique créée par le fait même de filmer. C'est là le concept central du *cinéma-vérité** de *Chronique d'un été*, ce que Rouch lui-même appelait « ciné-vérité ».

Cependant, ce film fut surtout pour Rouch l'occasion de s'intéresser à d'autres aspects du cinéma : le montage et le cadrage. Lui-même n'était pas à la caméra pour *Chronique d'un été* ; différents chefs-opérateurs ont effectué les prises de vue, dont le Canadien Michel Brault, que Rouch admirait beaucoup pour les plans mobiles et fluides qu'il obtenait en marchant avec la caméra à l'épaule. Le montage de *Chronique d'un été* ne fut pas une mince affaire, car il y avait plus de vingt heures de *rushes*. Pour raccourcir cette étape, Rouch imagina des plans plus longs filmés par une caméra en mouvements – des plans-séquences – et ainsi d'obtenir directement en filmant les effets d'ordinaire produits par le montage (par exemple, un changement de point de vue ou d'angle obtenu non pas par une coupure entre deux plans fixes mais par un mouvement de caméra à l'intérieur d'un même plan long)[11].

11.   Initialement, Rouch avait étudié la possibilité d'écrire à l'avance le plan détaillé de quelques films, dont *Gare du Nord* (1964), un court métrage tourné en 16 mm sur la

Rouch filma ses premiers plans-séquences avec une caméra Éclair à objectif grand angle de 10 mm synchronisée avec un Nagra pour le son (manié comme toujours par Moussa Hamidou), comme par exemple dans le film de 11 minutes *Tourou et Bitti, les tambours d'avant.* En un plan court et un plan long, le film montre une partie d'un rituel de possession, dans le village de Simiri. Rouch, qui avait une certaine culture philosophique, décrit ce film dans les commentaires comme « un film ethnographique à la première personne ». Grâce ou à cause des mouvements de la caméra dynamique, tous les aspects du rituel ne sont pas toujours visibles, mais il est évident que c'est Rouch lui-même qui l'observe, et l'on voit comment sa vision évolue d'un plan à l'autre. Ainsi, on pourrait dire que Rouch a bel et bien inventé une *caméra participante**. Ce terme, employé pour la première fois par Luc de Heusch (1962 : 36-37, 50) puis ensuite par Rouch (1968 : 447), nous dévoile l'un des pans du concept, mais l'idée centrale était la confiance profonde au cœur de ses relations avec ses collaborateurs et ses sujets. Rouch associe également la « caméra participante » au sens le plus littéral à son concept de *ciné-transe** : il s'agit de l'essence de ce que ressent chaque caméraman ou camérawoman lorsqu'ils filment, lorsqu'ils sont connectés par le viseur de leur caméra à l'événement et aux personnes qu'ils capturent. Cette sensation est d'autant plus aiguë quand la caméra est mobile et peut se rapprocher ou s'éloigner de son sujet, passer d'un gros plan à un plan large en une seule prise. L'intensité de cette sensation de participer à la chorégraphie générale de l'événement – Rouch parle d'ailleurs d'un ballet – à laquelle s'ajoute impératif quasi-inconscient de réaction immédiate est en effet comparable à un état de transe. C'est ce qu'il explique dans son article intitulé « Essai sur les avatars de la personne du possédé, du magicien, du sorcier, du cinéaste et de l'ethnographe » (Rouch 1973), basé sur sa longue expérience de la transe acquise aux côtés des Songhay et en tant que caméraman, particulièrement sur *Tourou et Bitti, les tambours d'avant.* Cet article pénétrant explore les changements personnels que subit le cinéaste ethnographe en parallèle avec ceux que subit le Songhay possédé lorsqu'il entre en contact avec les forces supérieures ;

---

vie d'un jeune couple, tourné principalement en deux plans dans un petit deux-pièces sous les combles, avec Étienne Becker à la caméra. Il sortit en salles en tant que l'une des six parties du film collectif *Paris vu par...* (1965), projet auquel ont également participé Godard, Rohmer et Chabrol. Ce projet est un bon exemple des relations que Rouch entretenait avec la Nouvelle Vague.

le « double » (l'âme, l'essence) de l'esprit ou divinité en question prend la place du « double » du médium (également appelé le « cheval ») pour enfin le posséder véritablement.

Tout au long de sa vie, Rouch développa sa manière bien à lui d'interagir avec d'autres cultures, d'y « participer », et ainsi les concepts de *caméra participante**, de *feedback*, d'analyse *a posteriori**, d'*anthropologie partagée**, de contre-don audiovisuel, de *sociodrame**, de *ciné-vérité** et de *ciné-transe**.

Conclusion

Rouch était un homme de terrain, il préférait la pratique à la théorie. Il mentionnait souvent après coup ses découvertes et inventions conceptuelles, mais rarement dans le cadre d'écrits détaillés. Tout le processus de *feedback* et d'échange autour de *Bataille sur le grand fleuve* ou *Horendi* (1979 : 99 et 1971 *via* Feld 2003 : 90) n'est jamais réellement décrit, bien qu'il constitue une avancée essentielle dans la méthode de la recherche ethnographique.

Rouch était unique et versatile, non seulement en tant que cinéaste et ethnographe mais aussi dans d'autres domaines (voir Nijland 2007). Cependant, il n'est pas le seul à avoir eu des pratiques et des centres d'intérêt aussi variés. En ce qui concerne le *feedback* notamment, outre Flaherty, viennent à l'esprit Darwin dans ses recherches sur l'expression des émotions ([1872] 1998 : 306, par exemple), Griaule et son emploi de la photographie au cours de son travail de terrain en Afrique en 1933 (Clifford 1988 : 68), ou encore John Collier Jr avec son ouvrage *Visual Anthropolgy: Photography as a Research Method* (1967, inédit en français) ; pour ce qui est des procédés de reconstruction ou de reconstitution dans le cinéma documentaire, on peut penser au film *Misère au Borinage* (1933) de Storck et Ivens (une reconstitution d'une manifestation se transforme en mouvement véritable, voir Ivens 1970 : 63), à Luc de Heusch qui réalise *Rwanda, tableaux d'une féodalité pastorale* en 1955 ou à Pierre Perrault et son merveilleux *Pour la suite du monde* (1963) ; dans le domaine du *cinéma direct**, il y a *Les Raquetteurs* (1958) de Michel Brault et Gilles Groulx (Marcorelles 1973 : 71), et du côté du *Direct Cinema* à l'anglo-saxonne, on trouve *We are the Lambeth Boys* (1958) de Karel Reisz et *Primary* (1960) de Richard Leacock, et toute l'œuvre de Donn Alan Pennebaker et des frères Maysles.

Rouch peut également être vu comme un précurseur des post-modernistes, tout particulièrement avec *Jaguar, Moi, un Noir, La Pyramide humaine, Chronique d'un été* et *Tourou et Bitti, les tambours d'avant*. Il leur ressemble aussi dans ses choix de mots, lorsqu'il définit comme « texte » la structure du film et qu'il explore la notion d'un dialogue entre créateur et sujet – et ce, sans jamais tomber dans un narcissisme pourtant facile. Il ne faut pas oublier qu'il est aussi l'auteur de quelques films plus impersonnels, dans un style de recherche « entomologique », tels *Batteries Dogon* (1966, étude des rythmes et des percussions) et *Horendi* (1972, étude des danses). C'est par la conjonction de toutes ces méthodes et de tous ces savoirs qu'il atteint son but final : une ethnographie véritable, capable de fournir une représentation authentique des hommes et de leur culture.

Traduit par Robinson Lebeaupin

Références bibliographiques

CLIFFORD James, [1988] 1996. *Malaise dans la culture : l'ethnographie, la culture et l'art au xxe siècle*. Paris, École nationale supérieure des Beaux-Arts (éd. originale 1988. *The predicament of culture. Twentieth century ethnography, literature and art*. Cambridge/Massachusetts/ Londres : Harvard University Press).

COLLIER John Jr., 1967. *Visual Anthropology: Photography as a Research Method*. New York/Londres : Holt, Rinehart and Winston.

DARWIN Charles, 1998 [1872]. *The Expression of the Emotions in Man and Animals*. New York : Oxford University Press.

FELD Steven (dir. et trad.), 2003. *Ciné-Ethnography./Jean Rouch*. Minneapolis : University of Minnesota Press.

FRANCE Claudine de, 1982. *Cinéma et Anthropologie*. Paris : Éditions de la Maison des sciences de l'homme.

GRIAULE Marcel, 1957. *Méthode de l'ethnographie*. Paris : Presses universitaires de France.

HENLEY Paul, 2009. *The Adventure of the Real: Jean Rouch and the Craft of Ethnographic Cinema*. Chicago : Chicago University Press.

HEUSCH Luc DE, 1962. *Cinéma et sciences sociales : panorama du film ethnographique et sociologique*. Paris : UNESCO [Rapports et documents de sciences sociales, n° 16].

Ivens Joris, 1970. *Autobiografie van een filmer.* Amsterdam: Born N.V. Uitgeversmaatschappij (traduction de *The camera and I.* Berlin [DDR], Seven Seas Books, 1969).

Leroi-Gourhan André, 1948. « Cinéma et sciences humaines : le film ethnologique existe-il ? », *Revue de géographie humaine et d'ethnologie*, n° 3, p. 42-51.

Marcorelles Louis, 1973. *Living Cinema, New Directions in Contemporary Film-making.* Londres : George Allen & Unwin Ltd.

Mauss Marcel, 1967. *Manuel d'ethnographie.* Paris : Payot.

Nijland Dirk, 2006. « The Bilan Adventure : The Shadow-journey ». En ligne : http://comitedufilmethnographique.com/dirk-nijland [lien valide 6 septembre 2017].

— 2007. « Jean Rouch : A Builder of Bridges », *in* Ten Brink Joram (dir.), *Building Bridges : The Cinema of Jean Rouch*, Londres : Wallflower Press, pp. 21-35.

Rouch Jane, 1956. *Le rire n'a pas de couleur.* Paris : Gallimard.

Rouch Jean, 1948. « "Banghawi" : chasse à l'hippopotame au harpon par les pêcheurs Sorko du Moyen-Niger », *Bulletin de l'IFAN*, n° 10, p. 361-377.

— 1950. *Les Magiciens de Wanzerbé.* Paris : Caliban.

— 1954. *Le Niger en Pirogue.* Paris : Nathan.

— 1956. « Migrations au Ghana (Gold Coast) : enquête 1953-1955 », *Journal de la Société des Africanistes*, n° 26, p. 33-196. En ligne : www.persee.fr/doc/jafr_0037-9166_1956_num_26_1_1941 [lien valide 17 septembre 2017].

— 1968. « Le film ethnographique », *in* Poirier Jean, *Ethnologie Générale*, Paris : Gallimard, n° 24, p. 429-471.

— 1973. « Essai sur les avatars de la personne du possédé, du magicien, du sorcier, du cinéaste et de l'ethnographe », *in* Dieterlen Germaine (dir.), *La Notion de personne en Afrique noire : [actes du Colloque international] du Centre national de la recherche scientifique, Paris, 11-17 octobre 1971*, Paris : CNRS Éditions.

— 1979. « La Caméra et l'homme », *in* France Claudine de, *Pour une anthropologie visuelle*, La Haye : Mouton / Paris : École des hautes études en sciences sociales.

— 1981. « Entretien avec Enrico Fulchignoni », *in Jean Rouch : une rétrospective*, Paris : ministère des Affaires étrangères / CNRS.

— 1988. « Our Totemic Ancestors and Crazed Masters », *in* HOCKINGS
P. et OMORI Y. (dir.), *Cinematic Theory and New Dimensions in
Ethnographic Film*, Osaka : National Museum of Ethnology [Senri
Ethnological Studies], p. 225-238.

— 1989. *La Religion et la Magie songhay*, 2ᵉ éd. revue et augmentée.
Bruxelles : Éditions de l'université de Bruxelles (éd. originale : Paris :
Presses universitaires de France, 1960).

— 1997. *Les hommes et les dieux du fleuve. Essai ethnographique sur
les populations Songhay du Moyen-Niger, 1941-1983*, Paris : Éditions
Artcom.

ROUCH Jean, MERLE DES ISLES Marie-Isabelle et SURUGUE Bernard
(dir.), 2008. *Alors le Noir et le Blanc seront amis : carnets de mission,
1946-1951*. Paris : Mille et une nuits.

STOLLER Paul, 1992. *The Cinematic Griot : The Ethnography of Jean Rouch*.
Chicago : The University of Chicago Press.

TEN BRINK Joram (dir.), 2007. *Building Bridges : The Cinema of Jean Rouch*.
Londres : Wallflower Press.

VERTOV Dziga, 1923. « Kinoks-Révolution », *LEF*, n° 3.

Films cités

BRAULT Michel et GROULX Gilles, 1958, *Les Raquetteurs*.

BREGSTEIN Philo, 1978, *Jean Rouch et sa caméra au cœur de l'Afrique
(Jean Rouch en zijn camera in het hart van Afrika)*.

FLAHERTY Robert, 1922, *Nanouk l'Esquimau (Nanook of the North)*.

HEUSCH Luc de, 1955, *Rwanda : tableaux d'une féodalité pastorale*.

LEACOCK Richard, 1960, *Primary*.

MEYKNECHT Steef, NIJLAND Dirk et VERHEY Joost, 1993, *La Bande à
Rouch (De Bende van Rouch / Rouch's Gang)*.

PERRAULT Pierre, 1963, *Pour la suite du monde*.

REISZ Karel, 1958, *We are the Lambeth Boys*.

ROUCH Jean, 1947, *Au pays des mages noirs*.

— 1948, *Les Magiciens de Wanzerbé*.

— 1948, *Initiation à la danse des possédés*.

— 1949, *Circoncision*.

— 1950, *Cimetière dans la falaise*.

— 1951, *Bataille sur le grand fleuve (Chasse à l'hippopotame)*.

— 1954-1967, *Jaguar*.

— 1958, *Moi, un Noir.*
— 1959, *La Pyramide humaine.*
— 1964, *Gare du Nord*, dans *Paris vu par…*
— 1967, *La Chasse au lion à l'arc.*
— 1970, *Petit à petit.*
— 1971, *Tourou et Bitti, les tambours d'avant.*
— 1972, *Horendi.*
— 1980, *Ciné-Mafia.*
— 1990, *Liberté, Égalité, Fraternité et puis après…*
— 1992, *Madame l'eau.*
Rouch Jean et Morin Edgar, 1961, *Chronique d'un été.*
Rouch Jean *et al.*, 1965, *Paris vu par…* (projet collectif).
Rouch Jean et Rouget Gilbert, 1966, *Batteries Dogon: éléments pour une étude des rythmes.*
Storck Henri et Ivens Joris, 1933, *Misère au Borinage.*

Jean Rouch et le super-8 au Mozambique : les origines d'une école documentaire

Zöe GRAHAM

Ce chapitre porte sur un épisode relativement méconnu de la carrière de Jean Rouch : la création, à la fin des années 1970, d'ateliers de formation à la réalisation de films au format super-8 en République du Mozambique, alors nouvellement indépendante. Un certain nombre de cinéastes internationaux et progressistes étaient arrivés au Mozambique à cette époque, inspirés par les possibilités qu'offrait cette jeune nation à ceux désireux d'imaginer un cinéma nouveau. C'est précisément là que Jean Rouch allait trouver l'opportunité de mener à bien l'un de ses objectifs de toujours, à savoir la démocratisation des pratiques filmiques, pour faire du cinéma une véritable « caméra-crayon[1] » dans une nation en grande partie analphabète. À travers la pédagogie qu'il a conçue au Mozambique pour l'enseignement du documentaire, Rouch a donc mis sa pratique ethnographique du cinéma au service de l'éducation communautaire et du changement social.

Claude Jutra avait un jour observé que le plus remarquable chez Rouch était sa capacité à mener quatre ou cinq vies en même temps (Brault et Jutra 1960 : 6). En me penchant sur l'expérience de Rouch au Mozambique, je compte dévoiler une autre de ses vies, jusque-là négligée : celle d'un éducateur de cinéma novateur et orienté sur la pratique.

---

1. Dans un entretien mené par Dan Yakir, Rouch reprend l'expression « caméra-stylo » d'Alexandre Astruc pour en faire le plus démocratique « caméra-crayon », que l'on peut placer entre toutes les mains (Yakir 1978).

Afin de bien cerner l'héritage de Jean Rouch, tant d'un point de vue cinématographique qu'anthropologique, il est essentiel de comprendre son implication dans la formation des jeunes cinéastes, ainsi que les projets pédagogiques qu'il a initiés tout au long de sa carrière. Rouch a rarement détaillé ses théories sur la pédagogie, raison pour laquelle, sans doute, cet aspect de sa carrière de cinéaste est demeuré en grande partie absent de toute discussion critique sur son œuvre[2]. Son séjour au Mozambique représente donc un moment charnière, au cours duquel ses idées concernant la pédagogie ont commencé à se cristalliser autour de ce format d'enseignement basé sur l'atelier. Cette étape constitue un lien entre ce qui a précédé – à savoir le développement au sein du système éducatif français d'un enseignement cinématographique basé sur la pratique –, et ce qui a suivi : la co-création des Ateliers Varan, école transnationale de cinéma documentaire, qui aujourd'hui encore forme les jeunes cinéastes du monde entier selon la pédagogie de Rouch.

L'implication de Rouch dans un enseignement pratique du cinéma destiné aux anthropologues et aux cinéastes a précédé d'au moins dix ans son expérience au Mozambique. En effet, après Mai 68, Rouch ouvrait le département cinéma de l'université Paris X–Nanterre, où il proposait les premiers cours pratiques de réalisation en super-8, en collaboration avec Colette Piault, Enrico Fulchignoni et Claudine de France. Pour Rouch, ce département novateur représentait alors « l'un des endroits de l'avant-garde du cinéma » (Devanne 1998 : n.p.). En 1976 a suivi la création du premier DEA (Diplôme d'études approfondies) de cinéma en France, en partenariat avec l'université Paris I Panthéon-Sorbonne[3]. Avec l'apparition, dès la fin des années 1960, d'un matériel de prise de vue léger et peu coûteux, Rouch a vu l'opportunité d'étendre ces techniques au plus grand nombre, au-delà du contexte universitaire.

---

2. Dans la préface de son ouvrage de référence *The Adventure of the Real: Jean Rouch and the Craft of Ethnographic Cinema* (2009), Paul Henley évoque la création par Jean Rouch de programmes doctoraux basés sur la pratique, son soutien pour les jeunes cinéastes de France et d'ailleurs, ainsi que la fondation de l'école de cinéma documentaire, les Ateliers Varan. Ces aspects de sa carrière restent cependant à explorer davantage.

3. Selon Claudine de France, ce diplôme a joué un rôle essentiel en ouvrant la voie pour la création d'un doctorat en cinéma, et a permis d'accomplir l'un des rêves de Jean Rouch en promouvant des projets de recherche qui plaçaient la pratique filmique sur un pied d'égalité avec l'écrit.

Dans un entretien avec René Prédal, à propos de sa préférence pour le super-8 et les nouvelles possibilités qu'il offre, Rouch explique que l'avantage de ce format, « c'est qu'on peut mettre le cinéma entre toutes les mains » (Prédal 1982 : 12).

C'est aussi en 1976 que germe l'idée de créer des ateliers de formation à la réalisation destinés à un public populaire. Rouch est alors en visite chez son ami, le diplomate français Jacques d'Arthuys, directeur à l'époque de l'Institut français de Porto, au Portugal. Rouch et d'Arthuys partagent le même intérêt pour la démocratisation des techniques cinématographiques ; ensemble, ils créent donc un atelier expérimental de prise de vue en super-8, au cours duquel ils travaillent avec des étudiants de Porto et réalisent des courts métrages sur les conditions de vie des ouvriers[4]. Comme l'explique d'Arthuys, leur objectif d'alors était d'offrir un nouvel usage à un produit de grande consommation : « avec du super-8 sonore prévu pour une utilisation individuelle et familiale, on pouvait faire un usage collectif et socialement créatif » (1980 : 23). L'année suivante, d'Arthuys est nommé au poste d'attaché culturel français à Maputo, au Mozambique, et il invite à nouveau Rouch à le rejoindre. En septembre 1977, durant la première visite de Rouch à Maputo, ils réalisent le documentaire *Makwayela* dans le cadre d'une démonstration à la première génération d'étudiants de l'Institut national du cinéma (Instituto nacional de cinema, INC). João Costa (Funcho), qui en faisait partie, se souvient de Rouch le guidant alors qu'il filmait à reculons l'unique prise du film (Graham 2015a : n.p.). Le court métrage dépeint une fabrique de bouteilles aux abords de Maputo, dont les ouvriers entonnent les chants contestataires, syncrétiques et anti-apartheid, que les travailleurs mozambicains chantaient dans les mines d'Afrique du Sud. D'après Nadine Wanono, cette expérience a conforté Rouch dans sa conviction que c'était au peuple mozambicain de créer ses propres images, afin de consigner les « traces » de son histoire (Wanono 2007). Suite à cela, Rouch et d'Arthuys proposent au gouvernement mozambicain un programme d'ateliers super-8 donnés par le Comité français du film ethnographique (CFE) à Maputo.

Jean Rouch est officiellement réinvité à Maputo en 1978 pour organiser les ateliers super-8 au sein du Centre d'études de communication (Centro

---

4.   Jean Rouch décrit brièvement les ateliers de Porto dans un entretien avec Pierre Haffner, « Comment filmer la liberté ? », qui figure dans le journal *CinémAction*, n° 17 (Prédal 1982).

de estudos de comunicação, CEC) à l'université Eduardo Mondlane (universidade Eduardo Mondlane, UEM). Pour le nouveau président socialiste Samora Machel, l'éducation et la formation doivent être une priorité absolue pour la nation, comme il l'affirme dans son célèbre discours de 1980 :

> Nous mettons la formation, l'éducation et la culture avant tout au service des masses, opprimées et humiliées par le système d'exploitation coloniale et capitaliste. (Machel 1980 : 23)

Après avoir obtenu l'indépendance le 25 juin 1975, la première initiative culturelle du nouveau gouvernement FRELIMO[5] est de créer en novembre 1975 le Service national du cinéma (Serviço nacional de cinema, SNC, qui devient rapidement l'INC) sous la tutelle du ministère de l'Information. Son double rôle consiste à produire une image propre aux Mozambicains et à assurer la distribution des films partout dans le pays, y compris dans les régions où le cinéma était jusque-là inconnu (Souza 1996 : 129). Toutefois, le FRELIMO a beau investir dans du matériel de production dernier cri, il existe très peu de cinéastes à l'époque de l'indépendance, dans la mesure où les Portugais n'avaient pas formé les Mozambicains aux aspects techniques de la production cinématographique. Entre autres spécialistes, le gouvernement invite donc un certain nombre de professionnels internationaux du cinéma – dont Jean Rouch et Jean-Luc Godard, pour la France – dans le but de former la première génération de cinéastes mozambicains[6].

En juin 1978, Jean Rouch envoie quatre de ses collègues du CFE – Nadine Wanono, Philippe Costantini, Miguel Arraes de Alencar et Françoise Foucault – pour prêter main-forte à l'organisation d'un atelier super-8 d'une durée de trois mois avec Jacques d'Arthuys à Maputo.

---

5.   L'acronyme FRELIMO signifie « Frente de libertação de Moçambique » (Front de libération du Mozambique), mouvement qui prend le pouvoir après l'indépendance. La guerre d'indépendance du Mozambique commence en 1964 lorsque le FRELIMO lance une attaque dans le nord du pays. Avec le soutien de cinéastes étrangers, le FRELIMO a recours au cinéma pendant la guerre pour diffuser le message selon lequel il se bat pour les droits des populations indigènes.

6.   Parmi les autres cinéastes intervenus au Mozambique pour donner des ateliers de formation à l'INC, on compte, entre autres, Ruy Guerra et Murillo Salles du Brésil, Margaret Dickinson et Simon Hartog du Royaume-Uni et Santiago Álvarez de Cuba.

Le CFE a pour mission de travailler en collaboration avec le TBARN[7], un groupe de recherche au sein du CEC, dont la tâche consiste à mettre en œuvre des technologies de développement durable. Les ateliers super-8 viennent compléter ce processus en enseignant le cinéma documentaire à des gens de différents secteurs tels que l'éducation, la santé, l'agriculture, les transports et la culture (Costantini 2008 : 7). Le ministère français des Affaires étrangères finance le projet par un don d'1 million de francs pour l'acquisition de matériel visuel, dont huit caméras super-8 Sankyo XL 602, huit micros Beyer M160 et Sennheiser, six projecteurs Bauer, un processor Kodak pour le développement de la pellicule et trois véhicules tout-terrain (Wanono *et al.* 1979 : 58-59). Par la suite, Rouch fait aussi appel au fabricant de caméras Beaulieu pour qu'il développe une cassette super-8 dans le but de produire des copies. Comme le souligne l'historien Guido Convents, cela permet du même coup à la France de satisfaire aux exigences de l'UNESCO selon lesquelles les pays occidentaux doivent aider à moderniser les techniques et développer les réseaux de communication dans les pays en voie de développement (Convents 2011 : 450). Bien que Jean-Paul Colleyn constate que de nombreux films de Rouch abordent le thème de l'échec d'un programme occidental de « développement » au sein de l'Afrique (Colleyn 2008 : 600), on remarque toutefois que la préférence de Rouch pour le format super-8 dans le contexte du Mozambique s'accorde avec une approche culturelle durable, en formant les gens à devenir des « artisans » cinéastes capables de transmettre des compétences à leur communauté (Haffner 1982 : 25).

Jean Rouch était convaincu du potentiel de démocratisation offert par le super-8 en tant que format plus accessible, permettant l'émergence de nouvelles formes d'expression (Marcorelles 1982 : 37) – il le comparait à l'apparition du stylo à bille des frères Bíró pour la littérature. Le fait d'enseigner aux gens comment développer des films et réparer le matériel cinématographique était la seule manière de « démythifier » le cinéma, car ainsi, disait-il, « les gens voient comment cela se fabrique » *(ibid.)*. Dès le début du projet, la méthode d'enseignement du CFE a été développée

---

7.   L'acronyme TBARN signifie « Técnicas básicas de aproveitamento dos recursos naturais » (Techniques de base d'exploitation des ressources naturelles), un centre de recherche au sein de l'université Eduardo Mondlane, créé par le gouvernement FRELIMO après l'indépendance.

en collaboration avec le CEC. La récente analyse par Nadine Wanono des rapports du CEC concernant ces ateliers met l'accent sur la logique politique du partenaire mozambicain : leurs choix de méthodes de travail collectives étaient intimement liés à la vision marxiste du FRELIMO (Wanono 2016 : 134). João de Azevedo, alors directeur du CEC, explique que leur objectif était « d'utiliser le cinéma comme moyen d'intervention technique et culturelle, permettant le dialogue entre différents sujets de la communauté, afin qu'ils puissent exprimer leurs besoins en termes de développement » (Graham 2015b).

Les ateliers débutent à Maputo le 12 juin 1978 et mettent en présence vingt étudiants sans aucune expérience cinématographique. Après les exercices théoriques et pratiques des premières semaines – au cours desquels les étudiants constituaient des groupes de quatre à cinq travaillant sur des sujets simples au sein de l'université –, ils partent pour une semaine de tournage, par groupes de deux accompagnés d'un mentor. Parmi les sujets choisis, on compte : une école expérimentale de la banlieue de Maputo, ancienne maison de correction datant de l'époque coloniale ; la production artisanale d'un marché en dehors de Maputo ; le service pédiatrique d'un hôpital général et les jouets pour enfants dans la région de Maputo (Wanono *et al.* 1979 : 55-56). Si les films sont d'abord conçus comme des « cartes postales » (*ibid.* : 59), capturant des instants de la vie quotidienne, ils ne tardent pas à s'intégrer dans les processus de transformation sociale qui se développent alors au Mozambique. Le tournage du film sur l'hôpital de Maputo exige par exemple que les étudiants et les mentors restent sur place pendant quatre jours et qu'ils prennent part aux activités du service en s'occupant des malades. Le documentaire de Nadine Wanono, *Mères mozambicaines* (*Mães moçambicanas,* 1978), basé sur les recherches de la sociologue Anna Glogowski, remplit également une fonction pédagogique en fournissant à l'équipe hospitalière un support audiovisuel pour former les autres hôpitaux du pays. Le film, qui représente des mères prêtant main-forte aux médecins pour le traitement de leurs enfants, est projeté à l'hôpital puis dans un village communautaire à 250 kilomètres de Maputo.
Atelier super-8

Atelier super-8 du Comité du film ethnographique à Maputo, 1978 : étudiants en tournage.
© Françoise Foucault

Atelier super-8 du Comité du film ethnographique à Maputo, 1978 : Démonstration de jean Rouch à la caméra.
De gauche à droite : Philippe Costantini (son), Jacques d'Arthuys (de dos) et Jean Rouch (à la caméra).
© Françoise Foucault

L'approche pédagogique développée au cours des ateliers s'accorde avec la théorie de Rouch dite de l'« anthropologie partagée », notamment par l'accent mis sur le *feedback* et la relation éthique entre cinéaste et sujet. Jean Rouch passe un mois au Mozambique durant la seconde étape de la formation, qu'il décrit comme « la plus belle école de cinéma du monde » (Devanne 1998). Il est ravi des possibilités offertes par la légèreté du matériel de tournage et de développement super-8, qui permet aux étudiants de filmer le matin et de monter l'après-midi. Le soir, ils rassemblent l'ensemble de la communauté pour regarder les *rushes*, lors de projections destinées à l'échange, au cours desquelles les spectateurs sont appelés à critiquer et à entrer en dialogue avec les films. En même temps, une autre équipe filme les réactions et les débats subséquents. L'un des deux seuls films restants au Mozambique (sur les seize produits au cours de l'atelier), *Chaque jour a son histoire* (*Cada dia tem a sua história*, 1978), a été filmé en dix jours et projeté à l'ensemble du village. Le documentaire se clôt sur une scène montrant les spectateurs de la projection du film en plein air, présentée comme le prolongement de la discussion commune amorcée par la réalisation du film. La caméra balaie la foule tandis qu'un homme s'écrie en portugais : « Maintenant, je veux connaître votre opinion ! Toutes ces questions abordées dans le film, est-ce que oui ou non, elles nous aident à résoudre les problèmes ? » Ainsi, durant les ateliers au Mozambique, cette méthode anthropologique de Rouch basée sur le *feedback* est employée dans un but pédagogique ; Rouch affirme que ce « *feedback* pédagogique » représente la base même de ces ateliers (Marcorelles 1982 : 36). La formation révèle donc ce qu'on pourrait appeler une « pédagogie réciproque » par laquelle, comme dans l'anthropologie partagée de Rouch, l'acte d'enseigner et celui d'apprendre cessent d'être un monologue et se transforment en « un dialogue permanent à plusieurs voix, une recherche à plusieurs têtes, une aventure collective » (Rouch 1981).

En plus de cette approche pédagogique réciproque, les ateliers mettent l'accent sur la relation éthique entre les étudiants et les sujets qu'ils filment. Au cours de la seconde phase des ateliers, les étudiants proposent leurs propres projets en dehors de Maputo. *A caminho da vida nova* (*En marche vers la vie nouvelle*, 1978), un film sur un village communautaire dans le district d'Erati, à 2 000 kilomètres de Maputo, était à l'origine une commande du Service national des musées, qui souhaitait faire une étude sur le peuple des Maraves. Le village étant situé près du territoire de cette tribu, il s'agissait de comparer leur mode de vie traditionnel avec celui des nouveaux villages communaux. Les étudiants décident toutefois de modifier le projet, préférant ne pas faire de film sur les Maraves à une époque où les responsables politiques luttent contre le tribalisme (Wanono *et al.* 1979 : 58). Philippe Costantini explique qu'au lieu de ça, ils se sont penchés uniquement sur la vie quotidienne du village communautaire et sur ses habitants (Marcorelles 1978 : 17). Ainsi, ces ateliers défendaient ce que Jacques d'Arthuys a appelé un « cinéma de la relation » (Azoulay 1980) par lequel les étudiants étaient encouragés à s'intégrer au sein des communautés qu'ils filmaient, tout en respectant leurs sujets et en s'exprimant avec authenticité.

Cependant, l'idéal de démocratisation de la production cinématographique qui animait Jean Rouch était sans doute trop ambitieux pour un régime centralisé, et son approche a fini par entrer en conflit avec celle des représentants du gouvernement au sein de l'INC. Comme l'explique Nadine Wanono, l'expérience des étudiants prouvait que la réalité du terrain ne correspondait pas nécessairement à l'image donnée par le FRELIMO ; leurs films « renforçaient les faiblesses des dispositifs politiques mis en place » (Wanono 2016 : 136). Par provocation, Rouch a même décrit les films de ses étudiants comme « des cocktails Molotov : pour la première fois, les gens s'expriment » (Haffner 1982 : 24). Selon lui, les ateliers bousculaient la hiérarchie des pouvoirs au sein de l'INC. Venu au Mozambique à la même époque par l'intermédiaire de Jean Rouch afin d'y développer une proposition pour la première chaîne de télévision du pays, Jean-Luc Godard relève une différence cruciale entre l'équipe super-8 de Rouch et celle de l'INC dans son article des *Cahiers du cinéma* intitulé « Le dernier rêve d'un producteur » : en effet, les derniers « travaille[nt] sur commande de la présidence », et les premiers, « selon leurs propres désirs » (1979 : 102). Bien que l'intention initiale ait été de reconduire les ateliers sur une période de cinq ans, le projet est donc écourté ; l'objectif de Rouch de participer à la création d'un « nouveau cinéma » ne s'accordait pas avec les directives du FRELIMO visant à « créer un homme nouveau » (Costantini 2008 : 7).

Malgré ce qu'on a souvent appelé l'échec du projet mozambicain de Jean Rouch, les ateliers ont bel et bien eu des suites : à la fois au Mozambique, durant les années qui ont suivi, et de manière générale, à travers la création de l'école de cinéma documentaire les Ateliers Varan en 1981.

Jean Rouch participant à une projection en plein air, Mozambique, 1978.
© Françoise Foucault

Une communauté de femmes rassemblées pour une projection en plein air avec
Nadine Wanono, Mozambique, 1978.
© Françoise Foucault

Au Mozambique, les ateliers super-8 ont éduqué une nouvelle génération de cinéastes, dont les films ont pu avoir un impact direct sur les processus de transformation sociale lancés après l'indépendance. Pour l'inauguration de la première société expérimentale de télévision du Mozambique en 1979, le gouvernement a diffusé l'intégralité des seize films produits au cours des ateliers (Arthuys d' 1980 : 23). En 1979, le FRELIMO a aussi décidé que des ateliers régionaux de cinéma seraient mis en place à Beira et Nissa, dans le nord du Mozambique. Le CFE a donné du matériel supplémentaire, y compris un laboratoire léger de développement de pellicule, transportable dans les régions rurales[8]. Onze chercheurs et cinéastes du TBARN, dont Luis Sarmento et Arlindo Mulhovo – qui travaille maintenant pour la Télévision du Mozambique (Televisão de Moçambique, TVM) – se sont installés à Marago, dans la province de Niassa, et ont continué de faire des films avec les communautés locales : sept films ont vu le jour en 1979 et quatre en 1980, abordant des questions liées à l'éducation, la santé et les pratiques artisanales[9]. Luis Sarmento explique qu'ils ont utilisé les films produits au cours des ateliers de Maputo en les projetant la nuit dans les villages pour obtenir un *feedback* de la part des habitants. En 1981, le gouvernement a fini par dissoudre le TBARN et le projet a été abandonné pour de bon. Selon Sarmento, le type de cinéma élémentaire développé en collaboration avec Jean Rouch s'accordait mal avec la vision qu'avait l'INC d'un cinéma politique et professionnalisé (Graham 2015c).

Le modèle pédagogique développé au Mozambique n'a pas tardé à être reproduit dans d'autres pays, par le biais de l'école de documentaire transnationale des Ateliers Varan : à ce jour, l'école a mené des ateliers dans vingt-trois pays différents. Après deux premiers ateliers super-8 tenus à Paris en 1980, à l'intention d'étudiants venus d'Afrique, d'Amérique latine et de France[10], l'école a été fondée officiellement le 20 janvier 1981, avec

---

8. Dans un accord non daté signé par Jean Rouch, Jacques d'Arthuys et João de Azevedo (1979 : 3) (« Projet d'accord entre le Centre d'études de communication (CEC) de l'UEM, le Comité du film ethnographique (CFE), l'université de Paris X–Nanterre et le CNRS »), on trouve la liste de matériel suivante : « une caméra super-8 Minolta, une caméra super-8 Canon, un laboratoire léger de développement pour région rurale (Kramer ou Fuji), deux générateurs de courant alternatif ; films et produits chimiques nécessaires au fonctionnement sur un an ; un moniteur vidéo couleur Sony (écran de 69 cm) ; un appareil photographique 35 mm ».

9. Courrier de João de Azevedo à Jacques d'Arthuys, daté du 8 juin 1981.

10. Louis Marcorelles propose un compte rendu de ces premiers ateliers dans son article « Quelques amis du cinéma léger », écrit en 1980 et publié à l'origine dans le programme

Jean Rouch pour secrétaire général et Jacques d'Arthuys pour directeur. Organisés dans le monde entier, les ateliers de cette école ont poursuivi la mission de Rouch consistant à démocratiser les techniques cinématographiques dans les communautés où l'accès à la technologie demeurait limité. En continuant de mettre l'accent sur les méthodes pédagogiques de *feedback* développées par Rouch, ces ateliers s'accordent avec les enseignements de la communication qui défendent l'autonomisation communautaire. La déclaration inaugurale des Ateliers Varan stipule que les ateliers de formation doivent être mis en place à la demande de, et en relation avec les organisations représentatives des pays impliqués, telles que les universités, les sociétés de production, les syndicats et les organisations culturelles[11]. Dans un atelier de début 1983 à Telemayu, en Bolivie, les Ateliers Varan sont par exemple entrés en partenariat avec la Fédération nationale des mineurs pour créer un réseau audiovisuel parallèle à la Radio des mineurs, qui était alors l'un des seuls moyens de communication du pays. Le cinéaste André Van In, l'un des formateurs de cet atelier, explique que dans ce pays où les mineurs se trouvaient marginalisés, les films des étudiants ont été diffusés au sein des communautés indigènes afin de susciter une prise de conscience critique (Van In 2016 : 28). Les ateliers sont donc pensés pour s'adapter aux conditions de communication spécifiques à chaque pays, comme l'affirme le programme de l'école : « Les ateliers s'adaptent aux conditions de communication propres aux pays. Ils forment des cinéastes de terrain, capables de capter une réalité souvent connue et accessible à eux seuls[12] » Suivant l'exemple de Rouch au Mozambique, les Ateliers Varan continuent de défendre une pédagogie « durable » du film documentaire : en accord avec cette philosophie, à la fin de chaque session de formation, le matériel est laissé sur place afin que les étudiants locaux ayant bénéficié de celle-ci puissent lancer de nouveaux ateliers.

Pour conclure, l'importance de l'expérience pédagogique de Jean Rouch au Mozambique, dans le contexte de sa carrière éclectique,

des Ateliers Varan, en décembre 1985. L'article a été republié par la suite dans « *Varan : Um mundo visível* », dirigé par Juliana Araujo et Michel Marie, Belo Horizonte, Balafon, 2016.

11.   Voir : « Ateliers à l'étranger ». En ligne : www.ateliersvaran.com [lien valide 20 septembre 2017]. « Ces formations sont mises en place dans les pays qui en font la demande, en liaison avec des organismes représentatifs tels que : universités, télévisions, syndicats, écoles de cinéma, organismes culturels. »

12.   « Ateliers Varan : Projet de création d'un atelier de cinéma documentaire au Mozambique », Paris, mai 1996. Consulté dans les archives des Ateliers Varan en août 2014.

repose sur l'impact durable qu'elle a eu sur un cinéma documentaire socialement engagé. Alors qu'on a souvent reproché à Rouch la position apolitique qu'il adoptait dans ses films[13], ce chapitre suggère au contraire qu'il est possible de trouver des preuves d'une prise de position politique de la part de Rouch dans ses initiatives pédagogiques, ainsi que dans l'« esthétique enracinée[14] » (Ginsburg 1994) des films étudiants qui se sont inscrits dans sa lignée. Peu de temps après sa première visite au Mozambique en septembre 1977, alors qu'on l'interrogeait sur le message politique de ses films africains, Rouch a déclaré :

> Je pense que c'est de l'impérialisme de projeter ses propres valeurs politiques sur l'Afrique. Ce genre de films doit être fait par les Africains.

Approfondissant son engagement, il a ajouté :

> L'une des solutions que je propose consiste à former ceux avec qui l'on travaille pour en faire des cinéastes. Je ne pense pas que cette réponse soit complète, mais elle a le mérite d'offrir aux gens une contrepartie, plutôt que de se contenter de leur prendre quelque chose. (Rouch 1977)

C'est donc dans les termes de l'anthropologie partagée que Rouch définit sa tentative pédagogique naissante. Dans le sillage de ses ateliers au Mozambique, les Ateliers Varan continuent à ce jour de préciser l'héritage de Rouch – ou, comme il le dirait lui-même, son héritage partagé.

---

13.   Paul Stoller explique que la « dimension intemporelle, apolitique » des premiers films de Rouch a provoqué des critiques de la part d'intellectuels africains. On connaît la célèbre réplique du cinéaste sénégalais Sembène Ousmane, disant à Rouch : « Tu nous regardes comme des insectes » (voir Stoller 1996 : 70).

14.   Faye Ginsburg emploie le concept d'« esthétique enracinée » pour décrire le travail de producteurs indigènes comme faisant partie d'un contexte d'action sociale plus large. En analysant le travail de producteurs de télévision aborigènes, Ginsburg explique : « Pour de nombreux producteurs aborigènes, la qualité du travail est évaluée selon sa capacité à incarner, soutenir et même renouveler ou créer certaines relations sociales... J'appellerai cette orientation "esthétique enracinée" afin d'attirer l'attention sur un système d'évaluation qui refuse de séparer production et diffusion textuelles d'avec les domaines plus larges des relations sociales » (1994 : 368). On peut transposer le concept de Ginsburg aux ateliers mozambicains de Rouch, où les films étudiants faisaient partie d'un dialogue communautaire plus large et de processus de transformation sociale déjà existants.

Références bibliographiques

Anonyme, 1979. « Coopération France-Mozambique : Opération recherche en super-8 – Document rédigé par la partie mozambicaine », Maputo : Institut de recherche scientifique du Mozambique / Centre d'études de communication de l'université Eduardo Mondlane, 31 octobre.

Arthuys Jacques d', 1980. « Caméras politiques : Les indépendants du cinéma direct », *Le Monde diplomatique*, août, p. 23.

Azoulay Éliane, 1980. « Le cinéma super-8 instrument du développement au Mozambique », *Le Continent, quotidien de l'Afrique*, p. 22.

Brault Michel et Jutra Claude, 1960. « Michel Brault et Claude Jutra racontent Jean Rouch », propos recueillis par Robert Daudelin et Michel Patenaude, *Objectif*, vol. 1, n° 3, décembre, p. 3-12.

Colleyn Jean-Paul, 2008. « Jean Rouch à portée des yeux », *Cahiers d'études africaines*, n° 191, p. 585-605.

Costantini Philippe, 2008. « O Modelo Rouch em Moçambique – Duas Utopias em Confronto », *Lisbon Docs*, n° 7, octobre, p. 7-9.

Convents Guido, 2011. *Os Moçambicanos perante o cinema e o audiovisual : uma história politico-cultural do Moçambique colonial até a República de Moçambique (1896-2010)*. Louvain / Maputo : Afrika Film Festival / Dockanema, coll. « Imagens e Realidade ».

Devanne Laurent, 1998. « Le cinéma ethnographique : entretien avec Jean Rouch », Paris : Comité du film ethnographique, 12 mars, n.p.

Ginsburg Faye, 1994. « Embedded Aesthetics: Creating a Discursive Space for Indigenous Media », *Cultural Anthropology*, vol. 9, n° 3, août, p. 365-382.

Godard Jean-Luc, 1979. « Le dernier rêve d'un producteur », *Cahiers du Cinéma*, n°300, mai, p. 70-129.

Graham Zöe, 2015a. « Entretien avec João Costa à Maputo », Mozambique, n.p.

— 2015b. « Entretien avec João de Azevedo à Paris », France, n.p.

— 2015c. « Entretien avec Luis Sarmento à Maputo », Mozambique, n.p.

Haffner Pierre, 1982. « Comment filmer la liberté ? », *in* Prédal René (dir.), *CinémAction* n° 17, Paris : L'Harmattan, p. 15-34.

Henley Paul, 2009. *The Adventure of the Real: Jean Rouch and the Craft of Ethnographic Cinema*. Chicago : Chicago University Press.

Machel Samora, 1980. « Declaramos guerra ao inimigo interno », Maputo : INLD.

Marcorelles Louis, 1978. « Les ateliers super-8 en France et au Mozambique. Partir vers les chemins qu'on n'emprunte jamais », *Le Monde*, 27 avril, p. 17.

— 1980. « Quelques amis du cinéma léger », *in* Araujo Juliana et Marie Michel (dir.), *Varan: Um mundo visível*, Belo Horizonte: Balafon, 2016.

— 1982. « 16 et super-8: de Boston au Mozambique », *in* Prédal René (dir.), *CinémAction* n° 17. p. 35-40.

Prédal René (dir.), 1982. *Un griot gaulois, CinémAction* n° 17.

Rouch Jean, 1977. « The Politics of Visual Anthropology. Jean Rouch with Dan Georgakas, Udayan Gupta and Judy Janda », *in* Feld Steven (dir. et trad.), 2003. *Ciné-Ethnography: Jean Rouch*, Minneapolis: University of Minnesota Press, p. 210-225.

— 1981. « Le Temps de l'anthropologie visuelle », *Comité du film ethnographique*, n.p.

— [1973] 1982. « La caméra et les hommes », *in* Prédal René (dir.), *CinémAction* n° 17, p. 41-44.

Rouch Jean, Arthuys Jacques et d'Azevedo João de, 1979. « Projet d'accord entre le Centre d'études de communication (CEC) de l'UEM, le Comité du film ethnographique (CFE), l'université de Paris X – Nanterre et le CNRS ».

Souza Camillo de, 1996. « State Initiatives and Encouragement in the Development of National Cinema: Mozambique », *in* Bakari Imruh et Cham Mbye B. (dir.), *African Experiences of Cinema*, Londres: BFI, p. 128-131.

Stoller Paul, 1996, « Regarding Rouch: The Recasting of West African Colonial Culture », *in* Sherzer Dina (dir.), *Cinema, Colonialism, Postcolonialism. Perspectives from the French and Francophone Worlds*, Austin: University of Texas Press, p. 65-79.

Terres Dominique, 1979. « Écrans. Mozambique: communiquer en super-8 », *Afrique-Asie*, n° 200, 12 novembre, p. 59.

Van In André, 2016. « La Longue aventure des Ateliers Varan depuis 1980 », *in* Araujo Juliana et Marie Michel (dir.), *Varan: Un Mondo Visível* [actes de colloque], Belo Horizonte: Balafon.

Wanono Nadine, 2007. « Fragments de l'histoire du Mozambique en super-8 mm », *Notícias*, 5 septembre.

— 2016. « Mémoires en super-8 mm : historique d'un support ou support historique. Témoignage et lecture critique d'un atelier de formation au Mozambique », *Le Temps des médias*, n° 26, printemps, pp. 126-143.

WANONO Nadine, ARRAES DE ALENCAR Miguel et COSTANTINI Philippe, 1978. « Rapport de mission de coopération au Mozambique », *Comité du film ethnographique*, n.p.

WANONO Nadine, ARRAES DE ALENCAR Miguel, ARTHUYS Jacques d', et COSTANTINI Philippe, 1979. « Petit Journal : Une expérience de super-8 au Mozambique », propos recueillis par Jean-Pierre Oudart et Dominique Terres, *Cahiers du Cinéma*, n° 296, janvier, p. 54-59.

YAKIR Dan, 1978. « Ciné-Transe : The Vision of Jean Rouch. An Interview », *Film Quarterly*, vol. 31, n° 3, printemps, p. 2-11.

Films cités

COLLECTIF 1978, *Chaque jour a son histoire* (*Cada dia tem a sua história*).

COLLECTIF 1978, *En marche vers la vie nouvelle* (*A caminho da vida nova*).

ROUCH Jean et ARTHUYS Jacques d', 1977, *Makwayela*.

WANONO Nadine, 1978, *Mères mozambicaines* (*Mães moçambicanas*).

Le cinéma direct : chemins croisés avec Jean Rouch, la ciné-gym et l'École de Nanterre.

Rina Sherman

J'ai appris le mouvement perpétuel presqu'en naissant.

Jean Rouch

En 1963, Jean Rouch dit que son « idéal serait de faire du cinéma de fiction improvisé ». Sa déclaration suit près d'un siècle de progrès et d'expérimentations cinématographiques qui, pour certains acteurs, trouvent peut-être leurs origines dans les séquences en mouvement de chevaux développées par Eadweard Muybridge en 1877 et dans les expériences photographiques de Jules Marey sur le mouvement humain en 1883. Une vingtaine d'années plus tard, Jean Rouch développe cette idée et offre ainsi une définition satisfaisante de ce qu'est le cinéma direct : des films narratifs improvisés sans script qui s'appuient sur la réalité.

> L'idéal serait de faire du cinéma de fiction improvisé. Le cinéma de fiction improvisé, à mon sens, est un cinéma dans lequel on ramasse les éléments du réel, et où une histoire se crée pendant le tournage. Il faut être en état de grâce. Or pour être en état de grâce il faut avoir un œil dans le viseur, il faut voir le film. (Marcorelles 1984)

Durant sa longue carrière de cinéaste et d'universitaire, Rouch ne cessa de redéfinir cet idéal filmique et de le porter au cœur du monde académique, d'abord par l'introduction du film comme un outil de recherche ethnographique incontournable, puis grâce à des innovations uniques en leur genre, à l'image de son enseignement de « gym-cinéma », dont le but était d'entraîner les ethnographes à filmer leurs sujets de près.

L'après-guerre

Partout dans le monde, le cinéma connut une période tumultueuse dans l'après-guerre : c'est l'ère du démantèlement des grands studios hollywoodiens (à partir de 1948) et de l'émergence de la télévision comme source d'influence culturelle dominante de par la place qu'elle prend au cœur des maisons d'une classe moyenne périurbaine en expansion rapide. Durant la guerre, à cause de limitations techniques, les réalisateurs d'actualités cinématographiques avaient dû composer avec la lumière naturelle et le public s'était ainsi habitué à une esthétique réaliste. Depuis la fin des années 1940, le développement de caméras 16 mm plus légères démocratisa le cinéma amateur et ouvrit la voie à tout un corpus de films réalisés par des dilettantes, typiquement des hommes des classes moyennes qui adoptent un regard spontané similaire à la « belle insouciance exaltée » décrite par Grierson (Grierson 1966 : 199) en référence au film des frères Lumière *La Sortie des usines Lumière* (1895). Dans les années 1950, la popularité croissante du cinéma en couleur s'accompagna d'une diminution du nombre de sources de lumière nécessaires pour distinguer les différents plans de l'image. Une vision du film comme moyen d'expression personnelle émergea dans le travail de cinéastes tels que Maya Deren, avec *Meshes of the Afternoon* (1943), ou Isidore Isou, avec *Traité de bave et d'éternité* (1951), qui reçut le prix des Spectateurs d'avant-garde à Cannes et marqua le début du cinéma lettriste, lequel influença tour à tour le mouvement situationniste, la Nouvelle Vague et les nouveaux réalistes. Des cinéastes tels que Jean Cocteau[1] et Jean Rouch, qui prônaient l'utilisation de pellicules 16 mm, ou encore Jonas Mekas, Stan Brakhage, John Cassavetes avec *Shadows* (1959) et Lionel Rogosin avec *On the Bowery* (1956) et *Come Back, Africa*

---

1.   Dans une émission de radio en 1950 Jean Cocteau disait : « … je crois par exemple que le 16 mm va jouer un très grand rôle. Si on arrive à sonoriser le 16 mm on fera un film de 50 millions pour 50 000 francs… » Puis, il rejoint Jean Rouch sur le fait d'être son propre caméraman : « Si vous ne faites pas un film vous-même, vous ne l'écrivez pas de votre écriture. » Mais il va plus loin que Rouch pour le montage : « Il faut monter son film soi-même : le montage c'est le style [...]. Si vous faites tourner le film, si vous faites monter le film par quelqu'un d'autre, vous ne faites pas un film de vous. C'est un film mais ce n'est pas votre film. » Extraits de « Plein feu sur les spectacles du monde », par René Wilmet, France Culture. En ligne : sur : https://www.franceculture.fr/emissions/les-nuits-de-france-culture/jean-cocteau-il-faut-monter-son-film-soi-meme-le-montage-0 [lien valide 21 octobre 2017].

(1959), participèrent à ce tournant vers un cinéma physique et hybride combinant réalité et images fabriquées ou improvisées.

Cinéma futuriste avec la « caméra-stylo »

Dès 1948, le réalisateur, scénariste et critique Alexandre Astruc défendit l'idée que le cinéma avait pris une nouvelle direction, celle de l'utilisation de l'image comme une forme d'écriture :

> Le cinéma est en train tout simplement de devenir un moyen d'expression, ce qu'ont été tous les autres arts avant lui, ce qu'ont été en particulier la peinture et le roman. Après avoir été successivement une attraction foraine, un divertissement analogue au théâtre de boulevard, ou un moyen de conserver les images de l'époque, il devient peu à peu un langage. Un langage, c'est-à-dire une forme dans laquelle et par laquelle un artiste peut exprimer sa pensée, aussi abstraite soit-elle, ou traduire ses obsessions exactement comme il en est aujourd'hui de l'essai ou du roman. C'est pourquoi j'appelle ce nouvel âge du cinéma celui de la Caméra stylo. (Astruc 1948 : 1)

Au séminaire « Poetry and the Film » organisé par le Cinema 16[2] à New York en 1953, Maya Deren construisit sa notion de la verticalité au cinéma sur l'idée d'Astruc :

> La poésie se démarque par sa construction (ce que j'appelle « structure poétique ») qui est le produit d'une investigation « verticale », pour ainsi dire, de la situation énoncée, dans la mesure où l'on analyse les ramifications du présent de cette situation en mettant l'accent sur ses caractéristiques et sa profondeur, de telle sorte que la poésie ne se préoccupe pas tant des événements qu'elle décrit que des sentiments qu'elle suscite ou des sens qu'elle génère.

Quelques années plus tard, en 1965, elle reprit cette idée lorsqu'elle décrivit son utilisation du corps dans ses films : « L'élément le plus important de votre équipement n'est autre que vous-même : votre corps

---

2.   Le Cinema 16 était un ciné-club américain fondé en 1947 par Amos Vogel (1921-2012), historien du cinéma d'origine autrichienne, conservateur audiovisuel et auteur d'un livre incontournable, *Le cinéma, art subversif* (1974, traduit en 1977). Il crée aussi le Festival du film de New York en 1963.

mobile, votre imagination et votre liberté de faire usage des deux. »
(Deren 1965 : 45-46) Le développement d'une telle expression personnelle, aspect nouveau du monde filmique, fut favorisé tout à la fois
par les changements techniques et sociaux des années 1960 et 1970, la
légèreté du matériel en 16 mm avec prise de son synchrone et la transformation du climat politique : l'émergence de mouvements féministes,
la guerre froide et une tendance globale des arts à s'engager socialement
et s'impliquer dans le quotidien des gens.

En France, au Canada et aux États-Unis, les cinéastes exploraient les
idées de grandes figures, comme celles de Dziga Vertov, notamment son
concept de « *kino-pravda*[3] » (« ciné-vérité ») dans les années 1920 en
URSS et la Worker's Film and Photo League[4] (« Ligue ouvrière du film
et de la photographie ») aux États-Unis, celles de John Grierson, qui
fut le premier à dire du docu-fiction *Moana* (1926), de Robert Flaherty,
qu'il avait de la « valeur documentaire » (Zimmerman 2013), mais aussi
celles de la société de production Frontier Films (« Films de la frontière ») aux États-Unis en 1937 ou du courant britannique du Free Cinema
(« cinéma libre »). Ils envisagèrent différents noms : « *candid camera* »
(« caméra candide »), « *direct cinema* », « cinéma-vérité », « cinéma
direct », « *observational cinema* » (« cinéma d'observation »), etc. Aux
États-Unis, Albert et David Maysles tournèrent *Grey Gardens* (« Jardins
gris », 1975), un film non scripté sur une femme et sa fille qui « mettent
en scène » leur propre vie. Ricky Leacock, D. A. Pennebaker et les frères
Maysles travaillèrent avec Robert Drew, caméraman pour les actualités de
l'United States Air Force et journaliste au magazine *Life*, sur son premier
film, *Primary* (« Primaire », 1960), qui n'avait pas de carton et presque
aucune musique ou narration en voix off. À l'Office national du film du
Canada, les cinéastes Claude Jutra et Pierre Perrault commencèrent à
documenter la vie de la communauté francophone avec Gilles Groulx et
Michel Brault, réalisateur des *Raquetteurs* (1958). Après avoir vu ce film,

3. Vertov réalise vingt-trois films d'actualité entre 1922 et 1925. « *Pravda* » veut dire
« vérité » en russe, et c'est aussi le nom d'un célèbre journal russe qui devient l'organe
officiel du Parti communiste en 1918.
4. Partie intégrante de l'Internationale communiste et affiliée au Secours ouvrier
international (SOI), un organisme de solidarité créé par Willi Münzenberg à Berlin
en 1921 avec l'aide de Lénine dans le but de venir en aide aux populations victimes
de famine. Le SOI devint par la suite un organisme de propagande qui produisit des
films, dont *Trois chants sur Lénine* (1934), le documentaire propagandiste en trois
parties de Vertov (Campbell 1977).

Jean Rouch demanda à Michel Brault de l'aider sur le tournage de *Chronique d'un été* (1961), qu'il coréalisa avec le sociologue Edgar Morin. Dans le ciné-portrait *Michel Brault, le cinéma est ce qu'on veut en faire* (Sherman 2013), il explique que tout le monde essayait d'atteindre l'idéal de la caméra-stylo énoncé par Astruc, faisant ainsi écho aux mots de Jean Rouch : « Au moins nous avions une technique ; nous savions comment procéder. C'était la "caméra-crayon" que l'on taille et avec laquelle on écrit quand, où et autant qu'on le souhaite » (Feld 2003 : 167)[5]. Cette définition « *ready-made* » se plaçait dans la continuité de sa description antérieure du futurisme qui avait donné naissance au cinéma direct :

> Dans les années 1910, il y avait toute une école de jeunes gens qui pensaient au futur et qui, de par le monde, se lançaient dans des expériences uniques. À New York, Marcel Duchamp peignait sur du verre *La Mariée mise à nu par ses célibataires, même* (plus souvent appelé *Le Grand Verre*, 1915-1923) tandis qu'à Paris, Guillaume Apollinaire faisait le tour des cafés pour enregistrer des fragments de conversations qui devinrent les *Calligrammes* [1918]. Les futuristes italiens, eux, menés par un Marinetti fou, essayaient d'inventer un monde à venir qui, effectivement, allait plus tard se matérialiser en Suisse sous la forme du dadaïsme. (Rouch 1989 : 1)

Jean Rouch et l'enseignement du film ethnographique

En 1947, Jean Rouch réalisait son premier film en amateur, *Au pays des mages noirs*, avec une caméra grand public, avant d'évoluer vers le cinéma qu'on lui connaît : hybride, ethnographique et fictionnel. Par la suite, en Afrique comme en France, il fit de l'enseignement de son savoir-faire une priorité. À la fin des années 1950, il commença à donner un séminaire au Comité du film ethnographique (CFE)[6] du musée de l'Homme à Paris

---

5. Dès 1949, Jean Rouch écrit en introduction du film *Les Magiciens de Wanzerbé* : « La caméra n'a servi ici que de crayon pour enregistrer ce que la main ne peut noter. »
6. Fondé en 1952 au musée de l'Homme après une rencontre entre André Leroi-Gourhan (futur président du CFE) et un réseau de cinéastes, de journalistes et de chercheurs, dont Marc Allégret, Roger Caillois, Henri Langlois, Claude Lévi-Strauss, Edgar Morin, Alain Resnais, Nicole Philipe et Jean Rouch (futur secrétaire général du CFE) (Gallois 2009 :18).

pour introduire les jeunes doctorants à la pratique du cinéma ethnographique. Dès 1961, il enseignait aux étudiants les techniques de réalisation d'un film ethnographique dans les galeries du musée et dans les jardins du Trocadéro avec Roger Morillère, l'un des caméramans de *Chronique d'un été*. L'année suivante, Jean Rouch demanda à Maria Mallet, membre de la troupe de mime de Marcel Marceau et adepte du yoga, de concevoir un parcours pour entraîner les étudiants en cinéma à filmer avec stabilité des prises de vue de durées variables, ce qui offrait aux ethnographes la possibilité de filmer sans trépied. L'initiative de Rouch résultait de son admiration pour la « caméra qui marche » de Michel Brault, qu'il évoqua lorsqu'il commenta le tournage, alors en cours, de *Pour la suite du monde* (1963) par Pierre Perrault et Michel Brault :

> C'est la pêche aux marsouins, un film où la caméra de Cartier-Bresson, sortie du cerveau de Vertov, retombe sur le cœur de Flaherty, où l'on a un *Man of Aran* [L'Homme d'Aran] avec du son direct. [...] C'est absolument formidable, c'est la réussite complète, c'est Rouquier, c'est *Farrebique*, avec la caméra terriblement participante qu'avait Flaherty, mais en même temps une caméra qui se promène – la caméra de Brault – avec des témoignages directs, avec des personnages fantastiques.

La première expérience de Jean Rouch avec une prise de vue en caméra portée remonterait à 1946, quand son trépied tomba par-dessus bord lors d'une descente du fleuve Niger avec Pierre Ponty et Jean Sauvy. Il aurait continué à filmer à l'épaule les séquences qui constitueraient plus tard ses deux premiers films : *Au pays des mages noirs* et *Chasse à l'hippopotame* (1951)[7]. Il pourrait bien y avoir une autre source à son intérêt pour l'analyse des techniques corporelles : en 1949, il publia un article complet avec schémas et explication de la théorie de la houle trochoïdale, « *Surf-riding* sur la côte d'Afrique » (Rouch 1949 : 49), dans lequel il décomposait méticuleusement le mouvement de surfeurs.

---

7.   Lors d'un entretien filmé avec Enrico Fulchignoni en 1982, Jean Rouch note que sa caméra ne pouvait capturer que 22 secondes d'images avant qu'il ne faille la rembobiner. « Nous faisions des films musclés », dit-il en ajoutant qu'il profitait souvent de ce temps pour repenser le plan suivant (*Jean Rouch commente... Entretiens avec Enrico Fulchignoni*, 1982, CNRS. En ligne : http://videotheque.cnrs.fr/doc=2812 [lien valide 21 octobre 2017]).

Maria Mallet vint au musée faire la démonstration de son parcours, qui prit plus tard le nom de « gym-cinéma » (Claudine de France et Anni Comolli 2015 : n.p.)[8], un ensemble d'exercices conçus pour « développer l'imagination visuelle des cinéastes » et les entraîner à intégrer au tournage des événements imprévus sans que leurs plans ne perdent pour autant en stabilité ou en fluidité. Claudine de France définit les principes de base du parcours comme le développement d'une dissociation fonctionnelle des différentes parties du corps et de mécanismes de compensation musculo-squelettiques ainsi que la recherche des centres de gravité du corps pour mieux en maîtriser l'équilibre. Partiellement basée sur le contrôle de la respiration et l'autonomie des différentes parties du corps en mouvement, la gym-cinéma entraînait les cinéastes à adopter des positions, une gestuelle et des mouvements utiles lors d'un tournage mais inhabituels dans la vie courante (de France 1980). Le parcours était enseigné à l'École de Nanterre par différents maîtres de conférences et ethnographes-cinéastes, dont Jane Guéronnet, maître de conférences et chercheuse, qui entraîna entre autres Timothy Asch, lequel transmit à son tour cet enseignement à ses étudiants de l'université de Californie du Sud (Connor, Asch T. et Asch P. 1986 : 49).

L'École de Nanterre, ou quand la fiction improvisée rencontre la recherche

En 1964, Éric de Dampierre, directeur du département d'anthropologie à l'université de Paris X Nanterre, demanda à Jean Rouch de créer un séminaire, « Introduction à l'ethnologie par le film ». La même année, Jean Rouch et l'ethnomusicologue Gilbert Rouget furent nommés à la tête du laboratoire audiovisuel créé à la Ve section (sciences religieuses) de l'École pratique des hautes études (EPHE) par Claude Lévi-Strauss et Germaine Dieterlen (Rouch et Rouget 1967 : 261-265). C'était un premier pas vers la reconnaissance du cinéma comme méthodologie de recherche à l'EPHE. Hélène Puiseux déclara même : « Avec Jean Rouch, le "laboratoire audiovisuel" montre que construire un film appartient à la recherche, car c'est construire une œuvre sur un milieu ; utiliser

---

8.   Aussi appelé « Techniques corporelles du tournage à la main pour l'anthropologue-cinéaste ».

les images, c'est les prendre comme chemin de pensée, autrement dit comme méthode de lecture du monde. (Puiseux 2002 : 33) »

Jean Rouch voulut transformer ses étudiants en chercheurs-documentaristes capables de déployer tous les outils du cinéma au service de la recherche en leur apprenant à filmer à l'épaule leur sujet d'étude sur le terrain, à utiliser les techniques d'éclairage scénographique et à commenter à l'oral et à l'écrit leurs stratégies de recherche. En 1969-1970, il créa la section Cinéma – devenue la section Cinéma anthropologique – avec Enrico Fulchignoni, professeur de psychologie sociale à l'université de Rome, Claudine de France, chercheuse au Centre national de la recherche scientifique (CNRS) qui allie au documentaire ethnographique ses recherches sur l'utilisation du cinéma en sciences sociales, ainsi que Colette Piault, cinéaste et directrice de recherche au CNRS. Cette équipe de chercheurs-cinéastes rompus aux sciences sociales apprenait aux étudiants comment filmer avec des caméras légères, notamment grâce au cours de gym-cinéma que j'ai choisi d'appeler « ciné-gym » en référence aux concepts cinématographiques de Jean Rouch : ciné-transe, ciné-œil, ciné-vérité, ciné-plaisir, ciné-ment… Au même moment, Rouch commence à donner un séminaire le samedi matin, « Cinéma et sciences humaines », avec Enrico Fulchignoni et Xavier de France, maître de conférences et chercheur en sociologie du cinéma à Paris X Nanterre, et plus tard avec l'ethnographe Germaine Dieterlen, qui passa des années à étudier la culture dogon, d'abord avec Marcel Griaule puis accompagnée de Jean Rouch. Le séminaire se tenait initialement à Nanterre avant d'être déplacé à la Cinémathèque française, dans le palais de Chaillot. En 1971, Jean Rouch fonda une unité de recherche à Paris X Nanterre, « Formation de recherches cinématographiques » (FRC), dont Claudine de France prit la tête à partir de 1980. En 1976, il créa un diplôme d'études approfondies (DEA), ce qui marqua une étape importante dans le processus de constitution d'un doctorat de cinématographie et vers l'accomplissement de son idéal, à savoir la formation d'études de recherche dans lesquelles l'audiovisuel aurait une place presque aussi importante que le texte. En 1985, Claudine de France devint directrice des deux diplômes. L'École de Nanterre adopta une pédagogie, première en son genre, qui encourageait les étudiants à positionner leur film, en termes de technique et d'analyse, au centre de leur programme de recherche.

En 2014, Gilles Remillet succéda à Claudine de France et Annie Comolli en tant que directeur de l'école. Avec Damien Mottier, dans le labex « Les passés dans le présent » de l'axe de recherche « Faire et arpenter l'histoire de Nanterre », ils conduisirent un projet d'étude de l'histoire de l'école intitulé *40 ans d'anthropologie filmique à Nanterre*[9]. La marque de Jean Rouch est encore bien présente à l'université, notamment à travers le séminaire de master 2 « Cinéma anthropologique et documentaire », qui forme chaque année à cette pratique une douzaine d'étudiants français comme étrangers.

Johannesburg et ma découverte de Jean Rouch

Contrainte de m'exiler d'Afrique du Sud en 1984, j'arrivai à Paris. Je venais alors de décrocher un baccalauréat universitaire[10] et, jusqu'à mon départ, je poursuivais des recherches de troisième cycle à l'université du Witwatersrand. Pour obtenir les crédits d'humanités, j'avais suivi durant deux ans les cours de David Hammond-Tooke, dans le cadre desquels j'avais lu de l'anthropologie culturelle. Johnny Clegg avait été mon tuteur. En 1983, peu de temps avant mon départ d'Afrique du Sud, Ramadan Suleman me présenta à Séverin Blanchet, qui animait le premier atelier Varan à Johannesburg[11]. Durant cet atelier, Suleman réalisa *66 Pim Street*, un film sur le théâtre Dhlomo[12], au sein duquel je jouai dans *A Walk in the Night* (« Nuit d'errance »)[13], une pièce de théâtre d'atelier et mise en scène par Bhekizizwe Peterson. La même année, à la bibliothèque universitaire,

---

9. Les archives de l'École de Nanterre, avec plus de quatre cents films réalisés par des étudiants, dont le film *Chicken Movie. Cluck!* (1983), la partie filmée de ma thèse, *Aux origines d'une façon de voir*, devraient être déposées à la Bibliothèque nationale de France. Pour plus d'informations sur le Groupe de recherche en anthropologie filmique, voir la rubrique dans « Vie savante ». En ligne : http://visa.hypotheses.org/ [lien valide 21 octobre 2017].

10. Diplôme de deuxième cycle dans les systèmes universitaires d'inspiration anglo-saxonne.

11. À l'initiative de Jean Rouch, les Ateliers Varan sont fondés en 1981, à la suite du premier atelier animé par Jean Rouch et Jacques d'Arthuis au Mozambique en 1978. Pour plus d'informations sur les premiers ateliers Varan, voir le chapitre de Zöe Graham, « Jean Rouch et le super-8 au Mozambique : les origines d'une école documentaire », p 285-302.

12. Premier théâtre noir d'Afrique du Sud.

13. En référence au roman *Nuit d'errance* d'Alex La Guma, dont la traduction paraît chez Hatier en 1967.

je tombai par hasard, dans un livre sur le cinéma direct, sur ces quelques mots de Jean Rouch : « Cela m'intéresse plus de provoquer la réalité par la présence de la caméra que de prétendre filmer la réalité telle qu'elle est ». (Ruelle 2010 : 1). Toujours à la même période, je réalisai *Chicken Movie. Cluck!* avec des membres de la compagnie d'art performance *Possession Arts*[14], un film improvisé, fusion de musique, de performance artistique et de fétichisme gallinacé qui prend place dans la surréelle réalité urbaine et africaine du centre-ville de Johannesburg durant les dernières années de l'Apartheid en Afrique du Sud. Ce film était de bien des manières le résultat de mon expérience au théâtre Dhlomo, mais aussi de mon engagement avec *Possession Arts* et de l'idée de Jean Rouch évoquée plus haut, à savoir : comment filmer le déroulement de la réalité pour permettre à la prémisse narrative d'en sublimer l'essence[15] ? *M. M. les locataires* (1995), un film d'improvisation basé sur la vie dans la ville de banlieue parisienne Noisy-le-Sec dans lequel apparaissent Jean Rouch et Germaine Dieterlen, s'inscrivait dans la continuité des postulats initialement explorés dans *Chicken Movie. Cluck!*

Peu après mon arrivée à Paris, je participai au groupe Super-8 aux Ateliers Varan et réalisai le film *Entrée et sortie avec Suzanne* (1984) sur les techniques de massage d'une infirmière en pédiatrie à la clinique de maternité des Lilas, en banlieue parisienne. L'enseignement des Varan se concentrait sur la relation entre le cinéaste et le sujet filmé d'une part, et d'autre part sur les changements de cadrage (angle, grossissement, ou distance de prise de vue) qui permettent de raccorder le mieux possible les séquences au montage. C'est à cette époque que je rencontrai Jean Rouch au café *Sip Babylone* et lui fis part de mon désir de continuer mes études sous sa tutelle. Il griffonna alors des consignes d'inscription sur un coin de serviette en papier qu'il déchira et me tendit avant d'ajouter : « Va t'inscrire à la Sorbonne, et viens nous montrer ton film samedi. »

---

14. *Possession Arts* était un groupe d'art performance, actif à Johannesburg de 1983 à 1984, dont je suis un membre fondateur. Pour plus d'informations, consulter en ligne : https://www.facebook.com/Possession-Arts-910113885714114 [lien valide 21 octobre 2017].

15. « Il n'y a pas de propriété textuelle, syntaxique ou sémantique qui permette d'identifier un texte comme œuvre de fiction. » (John Searle 1975 : 109).

Les séminaires du samedi matin
à la Cinémathèque

Le samedi matin suivant, je me présentai à la Cinémathèque avec une copie de mon film *Chicken Movie. Cluck!* en double-bande 16 mm. Jean Rouch m'entraîna dans la salle de projection à l'étage. Les films au programme, des bobines de divers formats, étaient logés sur une multitude de projecteurs. Il demanda au projectionniste d'installer le mien sur un projecteur en double-bande et changea le programme à l'improviste. Ce moment fut ma première expérience de la méthode Henri Langlois qui permet, par l'agencement des films dans un ordre précis, de composer la mise en scène d'un programme. Après la projection, Jean Rouch me demanda comment j'avais réalisé ce film. Je lui expliquai que j'avais cherché à effacer les frontières entre réalité et fiction en improvisant un flux de personnages réels et fictifs et de scènes inscrites dans les réalités préexistantes du centre-ville de Johannesburg et de son univers *underground*, que j'avais filmé sans audio et monté en postproduction des bruits de poulets pour créer une composition sonore fictive mais essentiellement crédible. Il me répondit : « C'est un poème urbain, c'est le genre de film que nous devrions faire, une voix nouvelle. » Jean avait su voir le film pour ce qu'il est : une improvisation conceptuelle de la réalité afro-urbaine de Johannesburg au début des années 1980.

De tous les cours que Jean Rouch dispensa à l'École de Nanterre, les séminaires du samedi matin à la cinémathèque restent les plus inoubliables. Les sessions portaient sur l'art, la manière de le pratiquer et de le vivre dans le domaine du cinéma, une pédagogie qui trouvait ses racines dans les travaux de Marcel Griaule et de Marcel Mauss, tous deux professeurs de Jean Rouch. Sa proche collaboratrice, Germaine Dieterlen, qui avait également étudié sous Marcel Griaule et Marcel Mauss, décrivait ainsi le fonctionnement de l'esprit de ce dernier :

> Sa culture était le fruit d'un instinct profond : la recherche de « l'autre » à travers diverses civilisations dans l'espace et dans le temps. [...] S'il nous recommandait avec insistance de lire Hésiode, il n'hésitait pas, à propos d'un culte des Maoris, à nous conseiller l'étude d'un acte de Shakespeare ou des vers de Virgile ; [...] Et, bien que ses propos ne parussent pas immédiatement clairs, il ne s'agissait pas d'associations menées à l'aveuglette, mais d'une approche – la sienne – de l'homme et de tout son environnement, sous toutes les latitudes.

C'était un enseignement hybride, qui alternait tournages, projections et réflexions sur le rôle du cinéma dans la société, la culture et l'histoire. Présenté par Jean Rouch, il était administré par Hedwige Trouard-Riolle, ancienne élève du DEA et ingénieure de recherche à la FRC. Jean Rouch improvisait des programmes de films classiques, cultes, *underground* ou documentaires, dont certains encore en production, et invitait des cinéastes, universitaires et excentriques confondus, pour échanger avec les étudiants. Les discussions étaient conduites par Enrico Fulchignoni et Xavier de France, lequel parvenait toujours à offrir une conclusion magique et souvent magistrale aux analyses contrastées de Jean Rouch.

Subséquemment, je m'inscrivis au DEA « section réalisation en cinéma anthropologique et documentaire » délivré conjointement par les universités de Paris I Panthéon et Paris X Nanterre avec comme enseignements obligatoires « Cinématographie de l'apprentissage des rites religieux. Les fils conducteurs de la description en cinéma anthropologique et documentaire », un cours pratique de réalisation en 16 mm, « Épistémologie et méthodes en sciences religieuses » avec Annie Comolli, directrice d'études à l'École pratique des hautes études (EPHE) et le cours de ciné-gym de Nanterre. De plus, Jean Rouch demanda à Xavier de France de superviser mes études avec des cours hebdomadaires extracurriculaires. Je participais de surcroît à un séminaire avec Éric Rohmer à l'Institut d'art et d'archéologie (rue Michelet). Je suivis deux années consécutives le cours de ciné-gym dispensé par Jane Guéronnet, auteure du *Geste cinématographique* (1987). Telle que je l'avais initialement comprise, la gymnastique filmique avait pour but d'entraîner le corps à devenir son propre trépied. Cependant, il ne me fallut que peu de temps pour réaliser qu'il s'agissait vraiment d'intégrer le corps à l'appareil conceptuel du cinéaste. Une tenue confortable était requise pour assister au cours. Les premiers mouvements servaient à étirer et échauffer le corps. On nous entraînait à adopter et maintenir des positions simples, puis de plus en plus complexes, tout en tenant une caméra imaginaire. Les exercices combinaient postures statiques et mouvantes pour mieux nous préparer à filmer en caméra portée dans diverses situations. À force d'allers-retours, comme des mannequins sur un podium, nous apprenions à avancer en ligne parfaitement droite caméra à la main, les genoux légèrement infléchis, un pied devant l'autre en attaquant le sol avec les orteils et l'extérieur du pied. Nous devions également nous appuyer contre un mur et nous dresser ou nous baisser le long de celui-ci pour que nos corps intègrent la notion

Ariane Besson en tenue coloniale réinterprétée, Patrick Cockayne (au premier plan à droite) et des passants lors du tournage de *Chicken Movie. Cluck!*, centre Mai-Mai, Johannesburg.
© Rina Sherman

d'axe vertical. Puis il fallait ensuite répéter les mêmes mouvements verticaux sans s'appuyer sur un mur : se baisser et se redresser en conservant la même distance focale tout du long. Pour les panoramiques horizontaux, il s'agissait de suivre l'horizon à hauteur constante. Après cela vinrent les mouvements plus complexes : nous devions par exemple nous accroupir en faisant porter notre poids sur les talons, nous baisser jusqu'à finir sur le dos, rouler en arrière, puis sur le côté et à plat ventre – tout en maintenant le bras armé de la caméra au-dessus du sol – avant de nous recroqueviller sur les genoux, de passer de nouveau sur les talons et de nous relever, le tout en un mouvement gracieux et ininterrompu. Ces mouvements fluides et continus représentaient tous différentes prises de vues possibles que nous gravions par répétition dans les habitudes de nos systèmes musculaires.

En 1993, en quête d'expérience pratique, je rencontrai Ody Roos, propriétaire du laboratoire cinématographique et studio de post-production Filmodie, qui avait des locaux près du cimetière du Père-Lachaise. Il s'agissait d'un véritable centre névralgique pour les cinéastes indépendants, un lieu où des figures telles que Djibril Diop ou Chris Marker, entre autres, se rassemblaient pour développer et monter leurs films. Ody Roos m'avait alors placé une caméra Éclair 16 entre les mains et m'avait demandé de la démonter puis de la réassembler. Puis il me tendit une bobine de film factice ainsi qu'un sac noir et me demanda de l'installer et de l'enlever jusqu'à ce que les mouvements deviennent automatiques. Chaque après-midi, je montais la fausse bobine, bouclais la ceinture de batterie autour de ma taille et, l'Éclair 16 sur l'épaule, sortais rue de la Roquette, où l'on pouvait encore voir les dalles sur lesquelles se dressait la dernière guillotine. Dehors, je m'entraînais à filmer avec la fausse bobine et je répétais les mouvements appris à la ciné-gym, cette fois avec en plus le poids du véritable équipement. Plus tard, ce fut avec cette caméra que je filmai *M. M. les locataires* (1995) à Noisy-le-Sec[16]. Ody Roos me donna quelques bobines de 16 mm et m'apprit à tirer par contact les négatifs sur sa tireuse de film Matipo Debrie à différentes fréquences, jusqu'à 24 images par seconde, ce qui impliquait beaucoup d'heures dans le noir à tenir les bobines pour empêcher les cartouches de se dérouler et à écouter le souffle de la machine. Pour le générique d'ouverture de *M. M. les locataires*, il apprit également à l'une de mes assistantes comment éditer le négatif sur les bandes A et B et créer un générique sur un banc-titre[17].

L'apprenti Sorcier

Ma relation de travail informelle avec Jean Rouch perdura après la fin de mon doctorat. Au début des années 1990, nous partagions des astuces pour la ciné-gym ; nous discutions de l'importance de la *Stimmung*[18] pour le cinéaste, de l'intérêt d'être son propre caméraman, de l'application pratique de la règle de l'hyperfocale, ce qui, en plein jour avec un objectif grand-angle à focale fixe 16 mm (lentille de 10 mm), implique de faire la mise au point à un mètre pour avoir une image nette du sujet et de l'arrière-plan[19], ou encore de la construction de plans quand on utilise

---

16. Noisy-le-Sec, une ville en banlieue nord-est de Paris qui faisait à l'époque partie de la ceinture rouge, ces municipalités communistes de la petite couronne surnommée ainsi par Paul Vaillant-Couturier (1924).

17. Voir le générique d'ouverture de *M. M. les locataires*, créé par Nathalie Mahiet avec les entrées découpées dans un masque noir superposé sur les bandes A et B d'un plan séquence de 10 minutes que j'ai tourné depuis la cabine du conducteur du train partant de la gare de l'Est à destination de Noisy-le-Sec.

18. Pour plus d'information à propos de Jean Rouch et de la *Stimmung* (« ambiance »), voir l'entretien retranscrit par Nicole Brenez, Ramyonde Carasco et François Didio, *Mon amie, la* Stimmung (Rouch 1999).

19. L'hyperfocale est la distance la plus courte à laquelle un sujet apparaît nettement.

Préparation de la scène de mariage lors du tournage de *M. M. les locataires (1995)*.
Avec Roger Gouhier (†), maire de Noisy-le-Sec et député, Monique Berger, directrice
des affaires culturelles, Siné (†), Meyer, Régis Bergeron (†), fondateur de la librairie
Le Phoenix, Jean Rouch, Rina Sherman et Gilbert Artman du groupe Urban Sax.
© Françoise Foucault

une caméra de contact avec un grand-angle à focale courte pour filmer en
continu, permettant de capturer autant d'informations que possible, ce
qui permet d'incorporer l'inattendu à une séquence montrant des rites de
possessions. Nous parlions aussi de la nécessité de se laisser absorber par le
mouvement que l'on filme ; c'est ce que Jean Rouch appelle « ciné-transe »,
cette immersion renforcée par la double vision que l'on développe, un œil
sur le viseur et l'autre à la recherche de ce qui va entrer dans le champ
(depuis le proche hors cadre)[20]. Nos discussions portaient également sur
le montage par la fin (Sherman 1994 : n.p.), l'improvisation de commentaires à partir des images et du montage audio, l'importance des retours
pour la recherche, les représentations de soi (Bastide et Dieterlen 1993),
les relations à plaisanterie, l'anthropologie partagée, et, finalement, sur sa
filmographie (Rouch et Sherman 1993-1995 : n.p.) qu'il annotait à la main

20.   *Tourou et Bitti, les tambours d'avant* (1971), un unique plan-séquence de 10 minutes à
      propos duquel on dit que la caméra de contact de Rouch aurait provoqué la possession
      par des esprits.

au fur et à mesure de notre conversation. De temps à autre, il développait l'idée à travers laquelle je l'ai découvert pour la première fois, à savoir que le cinéaste cause les performances des sujets, qui mettent alors en scène l'image qu'ils se font d'eux-mêmes, et que l'élément crucial de la démarche créative gît dans la rencontre entre cinéaste et sujet et la relation qui s'ensuit, ce qui amenait Rouch à privilégier l'expérience et la performance, deux éléments au cœur de sa méthodologie. Pour Jean Rouch, il n'existe pas de réalité objective, c'est pourquoi, pour lui, il faut filmer des plans-séquences en temps réel et, tandis que la caméra tourne, introduire des éléments de mise en scène, de grammaire cinématographique, puis monter le film par la fin (Sherman 1994) pour créer une tension dramatique dans la narration du plan continu. C'est là que l'entraînement corporel de la ciné-gym entre en jeu, car il permet l'ajout d'un mouvement distinctif à l'action capturée en direct. Au final, tout repose sur le *timing* du cinéaste vis-à-vis de son sujet.

En 1992, Jean Rouch joua dans mon film-opéra, *L'Œuf sans coquille*, une performance improvisée basée sur un poème érotique de ma composition : *A Cock is a Woman* (« Un coq est une femme »). En 1995, il interpréta le rôle d'un témoin de mariage dans mon film *M. M. les locataires*, révélant par ses talents d'improvisation un sens intrinsèque de la scène. Quand il jouait dans mes films, Jean Rouch ne posait jamais de question, mais plongeait immédiatement dans mon univers, comme si de rien n'était. Je partage avec lui le sentiment que l'acte cinématographique s'apparente à la performance, qu'il définit ainsi après avoir filmé les cérémonies du Sigui : « Et nous étions là, les premiers spectateurs de ce formidable opéra dont nous connaissions le *libretto* par cœur avant même que le rideau ne se lève » (Rouch 1978 : 9-17), en référence à la description minutieuse que Griaule avait faite des précédentes cérémonies du Sigui, sans y voir assisté, mais que Michel Leiris et lui avaient passé des années à étudier à travers des témoignages oraux. Il s'agit vraiment d'une quête pour capturer la réalité, car c'est l'esprit *in situ* qui conçoit un découpage des scènes possible et plausible en fonction des événements et de l'inspiration du moment. L'art cinématographique de Jean Rouch provient des choix qu'il fait dans l'instant, consommé par cette absurde lutte perpétuelle avec la réalité et cette distance entre la caméra et le sujet que le cinéaste ne peut jamais clore (Jean Grob 1962).

Jean Rouch et l'application des techniques de l'École de Nanterre

En 1994, je commençai à travailler sur l'idée d'un film à propos de Jean Rouch. Je m'émerveillais de sa façon de sillonner Paris : les déjeuners au Quai d'Orsay, les réunions à l'UNESCO, les joyeuses et parfois turbulentes soirées entre amis, les matins à la piscine d'Auteuil voisine de l'hippodrome, et toujours ce style qui lui était propre, avec un pantalon kaki, une chemise bleu clair, une veste bleu marine et une cravate froissée dans la poche au cas où il en aurait soudainement besoin. Je voulais montrer ce mélange bien à lui d'à-propos et d'anarchie qui lui permettait de rester fidèle à lui-même tout en se métamorphosant d'une situation à l'autre. Une fois, lors d'une réunion au CFE avec les producteurs du film de commission *Madame l'eau* (1992), il créa une telle confusion que, pour résoudre la situation que personne ne comprenait, on lui demanda ce qu'il désirait. Il sourit et répondit : « une bobine de bande-son 16 mm ». S'il était peut-être impossible de rendre justice à

Les moines et Jean Rouch (le valet) en queue-de-pie dans la cour des aliénés de l'hôpital du Kremlin-Bicêtre lors du tournage de *L'Œuf sans coquille* (1992).
© Régine Feldgen

sa légèreté sur pellicule, il accepta néanmoins ma proposition et donna son titre au film : *Swimming the Blues*[21].

Au fil du temps m'est venue l'idée de partager avec de jeunes étudiants sud-africains l'ambiance exceptionnelle que Jean Rouch avait créée autour de lui et l'environnement stimulant dans lequel il m'avait accueillie. Aucune de mes expériences, en Afrique du Sud ou ailleurs, n'aurait pu me préparer à la versatilité et la légèreté de l'être qu'il irradiait. Si l'éducation sud-africaine était d'un niveau élevé, elle n'offrait rien de la liberté d'association et de pensée caractéristique de l'esprit de ces nouveaux cercles que je fréquentais. En 1996, avec la participation des services culturels français en Afrique du Sud et en Namibie et de plusieurs universités sud-africaines, j'ai organisé pour Jean Rouch une tournée universitaire de projections en Afrique australe avec des étapes dans les universités de Durban, du Cap, de Johannesburg et de Windhoek. Ce fut intéressant, étrange et même magique de voir Jean Rouch en Afrique du Sud. Pour la première fois, je ressentis qu'il pouvait vraiment me situer. Il trouva les villes modernes et très développées, il fut surpris par la dureté de la jeunesse de Soweto. L'Afrique australe sortait à peine de décennies de ségrégation raciale, de répression et de censure omniprésentes et quotidiennes ; la diversité des réactions aux présentations des films de Jean Rouch témoigne de l'ambiance qui régnait à cette époque. Au Cap, un maître de conférences en anthropologie refusa de nous laisser projeter *Les Maîtres fous* à ses étudiants, avançant qu'ils n'avaient pas la maturité sexuelle nécessaire pour visionner ce film. À Windhoek, après avoir assisté à une présentation du film, plusieurs professeurs nous reprochèrent de ne pas leur avoir demandé une autorisation préalable. À Johannesburg, le cinéma était si plein qu'il fallut organiser plusieurs autres séances. À Durban, on demanda à Jean s'il aurait filmé *Les Maîtres fous* de la même façon aujourd'hui. Par chance, à Durban, nous rencontrâmes Alex Holt et son collègue Mikhail Peppas, qui nous emmenèrent au Whysall's Camera Museum (« musée Whysall de l'appareil photo et de la caméra de Whysall »)[22].

---

21. Rina Sherman, *Swimming the Blues avec Jean Rouch*, sortie prévue en 2018.
22. La société de commerce photographique des Whysall, famille d'immigrés d'Angleterre, fut jusqu'aux années 1960 un important fournisseur de matériel photographique pour une grande partie de l'Afrique. Le père fondateur, Claude Whysall était un pharmacien ; son fils Jeremy (voir illustration p 315) a vendu la collection à un collectionneur allemand.

Rina Sherman, Jeremy Whysall, Mikhail Peppas et Jean Rouch au Whysall's Camera Museum à Durban en 1996. © Alex Holt

Jean fut ravi d'y découvrir un projecteur Bioscope du tournant du
xixᵉ siècle au milieu d'une collection de plus de 50 000 pièces dont certaines dataient de 1948. Il découvrit également un buste de Fernando
Pessoa au centre-ville de Durban devant lequel je filmai un plan-
séquence : lui et un maître de conférences en littérature en train de lire
les versions françaises et portugaises des poèmes du poète (qui avait vécu
à Durban entre 1896 et 1906.) Pour Jean, c'était le début d'un nouveau
projet de film : *Les Héros de Durban*. Je ne suis pas sûre que les étudiants d'Afrique australe aient pleinement profité de la présence unique
et singulière de Jean Rouch chez eux pendant cette tournée de trois
semaines, mais s'il n'a pas réalisé ce film, le projet continue néanmoins
en sa mémoire. Petit à petit, Alex Holt et moi-même élaborons un autre
film sur les héros de Durban.

En 1997, nous étions en train de planifier le début du tournage de
Swimming the Blues quand on m'octroya la bourse Lavoisier ; je partis
donc pour la Namibie afin d'entreprendre une étude de terrain sur
l'héritage culturel ovahimba. Au cours de mes sept années sur place,
j'ai mis en pratique les idées partagées avec Jean Rouch, créant un vaste
ensemble documentaire sur le terrain tout en me refrénant de suivre
théories ou objectifs prédéfinis. J'appris à mes interprètes et à mes assistants de recherche les bases de la ciné-gym ainsi que la méthode mot à
mot pour transcrire les enregistrements audio et vidéo de l'otjiherero à
l'anglais, méthode qui m'avait été transmise par Jean Rouch quand je
traduisais et sous-titrais *Madame l'eau*[23]. Tous les jours, après le tournage,
nous transférions les épreuves sur cassettes VHS pour les transcrire et
nous les montrions à tout le monde pour avoir un retour. Nous proje-
tions également quelques films de Jean Rouch, parmi lesquels *Funérailles
à Bongo : le vieil Anaï* (1972), sur un drap suspendu à un arbre épineux
avec un projecteur double-bande 16 mm que j'avais ramené de Paris.
L'un de mes assistants avait traduit le dialogue en otjiherero à partir de
ma traduction du français en anglais. Il finit vite par s'impatienter et me
dit : « Dokota, c'est pareil dans notre culture. Ne traduis pas, je leur dirai

---

23.   Transcrire mot-à-mot consiste à relever tous les mots prononcés et les sons non-
verbaux, puis les traduire dans le langage cible, superposer la traduction de chaque
mot ou son équivalent le plus proche sous le mot correspondant en langue source tout
en conservant les temps et l'ordre des mots original, et enfin effectuer une première
traduction avec une grammaire et une syntaxe correctes, que l'on peut retravailler
autant que nécessaire, par exemple pour l'adapter en sous-titres.

ce qui se passe. » Je le regardai donc improviser un commentaire de ce qu'il voyait à l'écran en imitant la voix de Jean.

Tandis que mon travail avec les Ovahimba avançait, la pratique de la ciné-gym commença à porter ses fruits, tout particulièrement quand je filmai les danses ou les rituels de transe. Il y a ce moment, quand vous vous rapprochez d'un groupe, où vous ressentez la chaleur des corps ; vous filmez leur histoire et ils vous incluent dans celle-ci, vous permettent d'influencer leurs mouvements et peut-être même d'inspirer des scènes entières. Ce sont des moments de jubilation, ou de « ciné-transe », comme aurait dit Jean Rouch. Comme ils assistaient tous aux projections et donnaient des retours, ils comprenaient les possibilités de l'image et apprenaient à anticiper mes mouvements, à communiquer avec moi verbalement ou à travers leur langage corporel (yeux, mouvements, voix, etc.). J'ai pu faire l'expérience de cela avec Kakaendona, la fille du chef, qui sentait quand je m'apprêtais à arrêter de filmer un rituel, le croyant terminé alors qu'il ne s'agissait que d'une pause ou d'un mouvement de simulation de la mort. D'un geste de la tête, d'un coup d'œil ou d'un changement d'intonation, elle me disait de continuer à filmer, de sorte qu'invariablement, au moment où l'action reprenait, j'avais la scène en plein cadre[24].

Au cours de ces sept années de tournage, au fur et à mesure que j'assimilais les différentes interactions entre idées, film et technique corporelle, le concept de corps pensant et filmant s'imposa à moi. C'est particulièrement pertinent en relation avec la notion rouchienne de plan-séquence[25] qui implique de capturer, sur une bobine en 16 x 120 mm de long (10 minutes de film au format 16 mm), la réalité en continu tout en posant les bases d'éléments de montage pour créer une tension dramatique et dépasser le simple inventaire de la réalité (Kossoff 2015 : 19). Les moments essentiels sont le point d'ouverture et le point de chute du plan. Tandis que la caméra tourne, il faut donc construire la scène puis improviser une ou plusieurs chutes sur lesquelles l'arrêter au montage.

---

24. Pour voir des exemples de la participation de Kakaendona à la mise en scène, voir : Rina Sherman, *Keep the Dance Alive* (*Que la danse continue*, 2007-2008).

25. Le terme plan-séquence fut employé pour la première fois par André Bazin en 1950, bien qu'il ait décrit l'idée dès 1948 (Andrew et Joubert-Laurencin 2011 : 203). Il s'agit d'un oximore, puisque plan et séquence s'opposent par définition, à la manière du *scene-shot* (« plan-scène ») d'Orson Welles ou de l'orchestration de tons que Hitchcock privilégie au détriment du découpage.

Jean comparait souvent la création d'un plan, d'une séquence ou d'un film à l'écriture d'un essai. On prend un sujet de départ, disait-il, on commence à écrire, on développe l'idée, puis en chemin la chute vient à l'esprit, on la reporte sur le papier et, maintenant que l'on a une fin, on revient au point de départ pour réécrire l'introduction et le développement qui y mènent.

Montmartre, ethnographie en terrain familier

Après des années d'expérimentation et d'entraînement corporel pour soutenir de longs plans continus, mais aussi pour éviter les mouvements (et donc plans) répétitifs, les différents aspects des enseignements de Jean confluèrent lorsque je me mis à travailler sur une ethnographie visuelle de Montmartre, notamment en filmant Michou et son cabaret transformiste. L'espace est un luxe que n'offraient pas les divers cafés et le cabaret, de sorte que les Michettes avaient tout juste la place de se faufiler entre les tables pour servir les clients. Les soirées étaient riches en action ; personne ne jouait pour la caméra, sinon parfois Michou, qui avait plus l'habitude des photographes de presse et des plateaux télévisés que d'une réalisation en caméra-stylo. Les situations évoluaient rapidement et de façon imprévisible, difficulté à laquelle venait s'ajouter une myriade d'interférences visuelles, lumineuses et sonores. Afin de restituer tous les sens des événements filmés, je devais constamment ajuster, modifier et inventer la trame narrative en temps réel. C'est au cours de cette longue expérience en immersion dans un milieu, à suivre un personnage, ses amis et les artistes avec lesquels il travaillait, que la notion de réalisateur au corps et à l'esprit réflexifs, mobiles et actifs m'apparut et que, progressivement, je compris pleinement et mis en œuvre les différents enseignements cinématographiques de Jean Rouch, qu'ils soient pratiques ou conceptuels. L'essentiel est d'épouser la logique d'un milieu et de façonner, sans question ni deuxième prise, une structure dramatique ou narrative en temps réel qui donne un point de vue sans distordre l'expérience vécue. Quand tous ces processus sont déployés, on a l'impression que la réflexion descend dans la poitrine et que le torse, devenu corps pensant, s'anime de lui-même dans l'espace et le temps pour transformer la prise de vue en temps réel en une retranscription fidèle de n'importe quel milieu – en l'occurrence, le monde de Michou.

C'est là qu'entre en jeu l'une des notions les plus importantes des enseignements de Jean Rouch : le réalisateur doit accepter sa responsabilité par rapport à la vie de ceux qu'il filme. La prudence est de rigueur pour le cinéaste, car l'image peut avoir des effets bénéfiques ou dévastateurs sur la vie des sujets filmés dont il faut se soucier avant toute considération de véracité ou d'objectivité. En effet, tout n'a pas vocation à être filmé, dit ou répété. Tous les aspects de la vie de ceux que l'on filme, aussi captivants soient-ils, ne sont pas destinés à la sphère publique : le discernement au montage est donc de rigueur pour décider ce qui peut être montré ou non. Pendant les trois années de tournage auprès de Michou, il me fallait garder à l'esprit que la célèbre coqueluche de Montmartre avait créé et projetait une certaine image de lui-même. Fin connaisseur du pouvoir des images, il savait parfaitement comment les instrumentaliser. Il participait jusqu'à un certain point à la mise en scène, improvisant parfois une séquence, me laissant d'autres fois filmer à ma guise. Comme beaucoup d'Ovahimba que j'avais filmés, Michou était doué d'un excellent sens du rythme, de la dramatique et, surtout, du dénouement. Il avait l'art de créer des images iconiques. Ce va-et-vient de notre collaboration, où il me laissait tantôt filmer librement et tantôt reprenait la manœuvre, offrait un jeu intéressant entre les différents registres filmiques, passant de la première à la troisième personne, voire à un point de vue impersonnel. En plus de m'adapter constamment aux actions de Michou, de son entourage, de ses amis vedettes, des Michettes, mais aussi des passants transformés en acteurs voire en stars du moment, il fallait que je puisse estimer la position de Michou à tout moment. Il savait admirablement improviser dans une situation fluide. C'est dans cet environnement imprévisible et incontrôlable que les enseignements de Jean Rouch, initialement mémorisés comme un ensemble de notions distinctes, se fondirent en un unique processus inconscient mobilisant corps, esprit et caméra.

Les cours de ciné-gym me revinrent une nouvelle fois en tête lorsque je vis des extraits de séquences filmées sur un toit turinois, au cours une journée de formation à la gymnastique filmique, par des stagiaires qui travaillaient avec Jean sur le film *Enigma* (1986)[26]. Je pouvais voir comment il avait développé une gestuelle qui lui était propre pour

---

26. À voir dans le film à paraître *À nous la caméra* de Daniele Pianciola, Marco di Castri et Paolo Favaro.

s'adapter à la spécificité et aux limitations de son corps, comment il avait prévu certains mouvements qui devinrent l'essence de son style et de son langage cinématographiques. Pendant le visionnage, je me mis à penser à ma propre grammaire corporelle et spatiale en relation avec mon style et avec les capacités de mon corps. Après des années de réflexion, d'entraînement et de mise en pratique, les concepts enseignés par Jean Rouch se sont finalement fondus en un processus intégré qui permet à mon corps de devenir une extension pensante et « ressentante » de la caméra. Pourtant, le travail continue, car il faut sans cesse renouveler, ajuster, peaufiner et, comme le disait Jean Rouch : « oublier les anciens, appeler les jeunes, oublier les jeunes, appeler les anciens ! » (Rouch 1987 : 307).
Traduit par Arthur Jazouli.

Références bibliographiques

ANDREW Dudley (dir.), avec JOUBERT-LAURENCIN Hervé, 2011. *Opening Bazin: Postwar Film Theory and Its Afterlife*. New York : Oxford University Press.

ASTRUC Alexandre, 1948. « Naissance d'une nouvelle avant-garde : la caméra-stylo », *L'écran français*, n° 144 (30 mars).

BASTIDE Roger, et DIETERLEN Germaine (dir.), [1971] 1993. *La notion de personne en Afrique noire [Actes du colloque international du Centre national de la recherche scientifique, Paris 11-17 octobre 1971]*. Paris : CNRS Éditions/L'Harmattan.

BLUE James, 1967. « Jean Rouch in Conversation with James Blue », *Film Comment*, vol.°4, n° 2-3, p. 84-86.

COMOLLI Annie, 2015. « De la "ciné-gym" à l'École de Nanterre », n.p.

CAMPBELL Russel, 1977. « Introduction: Film and Photo League, Radical cinema in the 30s », *Jump Cut: A Review of Contemporary Media*, n° 14: 23-25. En ligne : https://www.ejumpcut.org/archive/onlinessays/JC14folder/FilmPhotoIntro.html [lien valide 21 octobre 2017].

CONNOR Linda, ASCH Timothy et ASCH Patsy, 1986. Jero Tapakan: Balinese Healer, *An Ethnographic Film Monograph*. Cambridge : Cambridge University Press.

DEREN Maya, [1959] 1965. « Amateur Versus Professional », *Film Culture*, n° 39.

DIETERLEN Germaine, 1990. « Marcel Mauss et une école d'ethnographie », *Journal des africanistes*, n° 60-1 p. 109-117.

FELD Steven (dir. et trad.), 2003. *Ciné-Ethnography / Jean Rouch*. Minneapolis : University of Minnesota Press.

FRANCE Claudine de, [1982] 1989. *Cinéma et anthropologie*. Paris : Éditions de la Maison des Sciences de l'Homme.

GALLOIS Alice, 2009. « Le cinéma ethnographique en France : Le Comité du film ethnographique, instrument de son institutionnalisation ? (années 1950-1970) », *1895. Revue d'histoire du cinéma*, n° 58, p. 80-110. En ligne : http://1895.revues.org/3960 [lien valide 25 septembre 2017].

GRIAULE Marcel, 1957. *Méthode de l'ethnographie*. Paris : Presses universitaires de France.

GRIERSON John et Hardy Forsyth (dir.), [1966] 1971. *Grierson on Documentary*. New York : Praeger Publishers.

GROB Jean, 1962. « Jean Rouch *ou* De l'ethnologie à l'art », *Image et Son*, n° 149, p. 3-5.

GUÉRONNET Jane, 1987. « Le geste cinématographique », *Formation de Recherches Cinématographiques*, Paris : Université de Paris X-Nanterre.

— 1989. « L'École de Nanterre », *in* Chiozzi Paolo (dir.), *Teaching Visual Anthropology, European Association of the Visual Studies of Man*. Florence : Il Sedicesimo.

GUÉRONNET Xavier, 1980. « Techniques corporelles du tournage à la main », [documents de travail et prépublications], *Formation de Recherches cinématographiques* n°2, Paris : université Paris X-Nanterre.

KOSSOFF Adam, 2015. « The Long Take in the Digital Epoch », *Film International*, n° 19.

LA GUMA Alex, 1962. *A Walk in the Night*. Nigeria : Mbari Publishers. Traduit en français en 1967 sous le titre *Nuit d'errance* (Paris : Hatier).

MARCORELLES Louis, 1984. « Dialogue sur la machine miracle : Venise, Jean Rouch », *Le Monde [des arts et des spectacles]*.

MARSOLAIS Gilles, 1974. *L'Aventure du cinéma direct : histoire, esthétique, méthodes, tendances, textes, chronologie, dictionnaire biographique et filmographique…* Paris : Seghers.

ROHMER Éric, 1963. « Entretien avec Jean Rouch », *Cahiers du Cinéma*, n° 144.

PUISEUX Hélène, 2002. « Problèmes d'analyse cinématographique : la perspective mythologique », annuaire *de l'École pratique des hautes études, Annuaire* tome 111, p. 31-56. En ligne : http://www. persee.fr/doc/ephe_0000-0002_2002_num_115_111_12043 [lien valide 26 septembre 2017].

ROUCH Jean, 1949. « *Surf-riding* sur la Côte d'Afrique », *Notes africaines*, n° 42.

— 1978. « Le renard fou et la maître pale », *in Systèmes des signes : textes réunis en hommage à Germaine Dieterlen*, Paris : Hermann, p. 9-17.

— 1987. « Pour une anthropologie enthousiaste : titre d'honneur pour Marcel Griaule », *in* Zahan Dominique (dir.), *Ethnologiques : hommages à Marcel Griaule*. Paris : Hermann, p. 307-312.

— 1989. « *L'œil mécanique* », *Gradhiva*, n° 4, p. 57-61.

— 1999. *Mon amie, la* Stimmung, propos recueillis par Nicole Brenez, Raymonde Carasco et François Didio, retranscrits par Sébastien Ronceray. En ligne : http://raymonde.carasco.free.fr/presse/amie_la_stimmung.htm [lien valide 21 octobre 2017].

ROUCH Jean et ROUGET Gilbert, 1967. « Département audio-visuel », annuaire de l'*École pratique des hautes études, 1968-1969*, tome 76, p. 261-265. En ligne : www.persee.fr/doc/ephe_0000-0002_1967_num_80_76_18420 [lien valide 26 septembre 2017].

ROUCH Jean et SHERMAN Rina (ed.), 1993-1995. « Annotated filmography », n.p.

RUELLE Benoît, 2010. « *Les Maîtres fous* de Jean Rouch… » (*blog*). En ligne : https://bruelle.wordpress.com/2010/06/06/les-maitres-fous-de-jean-rouch/ [lien valide 21 octobre 2017].

SEARLE John R., [1975] 1982. *Sens et expression : études de théorie des actes du langage*. Paris : Éditions de Minuit, chapitre III.

SEITZ Matt Zoller, [2003] 2015. « Filmmaker Robert Drew on light cameras and light rifles », *New York Press*, En ligne : http://nypress.com/filmmaker-robert-drew-on-light-cameras-and-light-rifles [lien valide 26 septembre 2017].

SHERMAN Rina, 1994. « Entretien avec Jean Rouch : montage par la fin », n.p.

VAILLANT-COUTURIER Paul, 1924. « Paris encerclé par le prolétariat révolutionnaire ! », *L'Humanité* (13 mai).

YOUNG Colin et ZWEIBACK A. Martin, 1959. « Going Out to the Subject », *Film Quarterly*, Californie : University of California Press, vol. 13, n° 2,

p. 39-49. En ligne : http://www.jstor.org/stable/1210021 [lien valide 26 septembre 2017].

Zimmerman Patricia, 2013. « Moana : Robert Flaherty, Frances Flaherty, and Docmentary Fantasies », Ithaca College : *Open Spaces* (blog) En ligne : http://www.ithaca.edu/fleff/blogs/open_spaces/moana:_robert_flaherty,_frances_flaherty,_and_docu/#.WTr4A8akJaQ [lien valide 26 septembre 2017].

Films cités

Brault Michel, Groulx Gilles, 1958, *Les Raquetteurs*.

Cassavetes John, 1959, *Shadows*.

Deren Maya et Hammid Alexander, *1943, Meshes of the Afternoon*.

Drew Robert, 1960, *Primary*.

Flaherty Robert, 1926, *Moana*.

— 1934, *L'Homme d'Aran* (*Man of Aran*).

Isou Isidore, 1951, *Traité de bave et d'éternité*.

Lumière Frères, 1895, *La Sortie des usines Lumière*.

Maysles Albert et Maysles David, 1975, *Grey Gardens*.

Perrault Pierre, 1963, *Pour la suite du monde*.

Rogosin Lionel, 1956, *On the Bowery*.

— 1959, *Come Back, Africa*.

Rouch Jean, 1947, *Au pays des mages noirs*.

— 1948, *Les Magiciens de Wanzerbé*.

— 1951, *Bataille sur le grand fleuve* (*Chasse à l'hippopotame*).

— Morin Edgar, 1961, *Chronique d'un été*.

— 1971, *Tourou et Bitti, les tambours d'avant*.

— 1972, *Funérailles à Bongo : le vieil Anaï – Anaï Dolo 1848-1971*.

— 1986, *Enigma*.

— 1992, *Madame l'eau*.

— 1982. *Jean Rouch commente… Entretiens avec Enrico Fulchignoni*. En ligne : http://videotheque.cnrs.fr/doc=2812 [lien valide 21 octobre 2017].

Rouquier Georges, 1947, *Farrebique*.

Sherman Rina, 2013, *Michel Brault, Le cinéma est ce qu'on veut en faire* (*Michel Brault, The Cinema is What You Want it to Be*).

— 1983, *Chicken Movie. Cluck!*

— 1992, *Egg With no Shell* (*L'Œuf sans coquille*).

— 1984, *Entrée et sortie avec Suzanne (Entrance and Exit with Suzanne)*.
— 1995, *M. M. les locataires*.
— 1995-2017, *Swimming the Blues, a Film about Jean Rouch*.
— 2007-2008, *Keep the Dance Alive (Que la danse continue)*.
SULEMAN Ramadan, 1983, *66 Pim Street*.
VERTOV Dziga, 1934, *Trois chants sur Lénine*.

Table des illustrations

Achevé d'imprimer en mars 2018
sur les presses de la Nouvelle Imprimerie Laballery
58500 Clamecy